MICHEL BUTOR

LA MODIFICATION

suivi de

LE RÉALISME MYTHOLOGIQUE

par

Michel Leiris

LES ÉDITIONS DE MINUIT

© 1957 by Les Éditions de Minuit
7, rue Bernard-Palissy, 75006 Paris

En application de la loi du 11 mars 1957, il est interdit de reproduire
intégralement ou partiellement le présent ouvrage sans autorisation de l'éditeur
ou du Centre français d'exploitation du droit de copie, 3, rue Hautefeuille, 75006 Paris

ISBN 2-7073-0312-7

PREMIÈRE PARTIE

I

Vous avez mis le pied gauche sur la rainure de cuivre, et de votre épaule droite vous essayez en vain de pousser un peu plus le panneau coulissant.

Vous vous introduisez par l'étroite ouverture en vous frottant contre ses bords, puis, votre valise couverte de granuleux cuir sombre couleur d'épaisse bouteille, votre valise assez petite d'homme habitué aux longs voyages, vous l'arrachez par sa poignée collante, avec vos doigts qui se sont échauffés, si peu lourde qu'elle soit, de l'avoir portée jusqu'ici, vous la soulevez et vous sentez vos muscles et vos tendons se dessiner non seulement dans vos phalanges, dans votre paume, votre poignet et votre bras, mais dans votre épaule aussi, dans toute la moitié du dos et dans vos vertèbres depuis votre cou jusqu'aux reins.

Non, ce n'est pas seulement l'heure, à peine matinale, qui est responsable de cette faiblesse inhabituelle, c'est déjà l'âge qui cherche à vous convaincre de sa domination sur votre corps, et pourtant, vous venez seulement d'atteindre les quarante-cinq ans.

Vos yeux sont mal ouverts, comme voilés de fumée légère, vos paupières sensibles et mal lubrifiées, vos tempes crispées, à la peau tendue et comme raidie en plis minces, vos cheveux qui se clairsèment et grisonnent, insensiblement pour autrui mais non pour vous, pour Henriette et pour Cécile, ni même pour les enfants désormais, sont un peu hérissés et tout votre corps à l'intérieur de vos habits qui le gênent, le serrent et lui pèsent, est comme baigné, dans son réveil imparfait, d'une eau agitée et gazeuse pleine d'animalcules en suspension.

Si vous êtes entré dans ce compartiment, c'est que le coin couloir face à la marche à votre gauche est libre, cette place même que vous auriez fait demandé par Marnal comme à l'habitude s'il avait été encore temps de retenir, mais non que vous auriez demandé vous-même par téléphone, car il ne fallait pas que quelqu'un sût chez Scabelli que c'était vers Rome que vous vous échappiez pour ces quelques jours.

Un homme à votre droite, son visage à la hauteur de votre coude, assis en face de cette place où vous allez vous installer pour ce voyage, un peu plus jeune que vous, quarante ans tout au plus, plus grand que vous, pâle, aux cheveux plus gris que les vôtres, aux yeux clignotants derrière des verres très grossissants, aux mains longues et agitées, aux ongles rongés et brunis de tabac, aux doigts qui se croisent et se décroisent nerveusement dans l'impatience du départ, selon toute vraisemblance le possesseur de cette serviette noire bourrée de dossiers dont vous apercevez quelques coins colorés qui s'insinuent par une couture défaite, et de livres sans doute ennuyeux, reliés, au-dessus de lui comme un emblème, comme une légende qui n'en est pas moins explicative, ou énigmatique, pour être une chose, une possession et non un mot, posée sur le filet de métal aux trous carrés, et appuyée sur la paroi du corridor,

cet homme vous dévisage, agacé par votre immobilité, debout, ses pieds gênés par vos pieds : il voudrait vous demander de vous asseoir, mais les mots n'atteignent même pas ses lèvres timides, et il se

8

détourne vers le carreau, écartant de son index le rideau bleu baissé dans lequel est tissé le sigle SNCF.

Sur la même banquette que lui, après un intervalle pour l'instant inoccupé, mais réservé par ce long parapluie au fourreau de soie noire qui barre la moleskine verte, au-dessous de cette légère mallette gainée de toile écossaise imperméabilisée, avec deux serrures de mince cuivre éclatant, un jeune homme qui doit avoir fini son service militaire, blond, vêtu de tweed gris clair, avec une cravate à raies obliques rouges et violettes, tient dans sa main droite la gauche d'une jeune femme plus brune que lui, et joue avec elle, passant et repassant son pouce sur sa paume tandis qu'elle le regarde faire, contente, levant un instant les yeux vers vous, et les baissant vivement en vous voyant les observer, mais sans cesser.

Ce ne sont pas seulement des amoureux mais de jeunes époux puisqu'ils ont tous les deux leur anneau d'or, de fraîche date, peut-être en voyage de noces, et qui ont sans doute acheté pour l'occasion, à moins que cela soit le cadeau d'un oncle généreux, ces deux grandes valises semblables, flambant neuves, en peau de porc, l'une sur l'autre au-dessus d'eux, toutes deux agrémentées de ces petits cadres de cuir pour cartes de visite, fixés aux poignées par de minuscules courroies.

Ils sont les seuls à avoir retenu leurs places dans le compartiment : leurs fiches brunes et jaunes avec leurs gros numéros noirs sont suspendues immobiles à la barre nickelée.

De l'autre côté de la fenêtre, assis seul sur l'autre banquette, un ecclésiastique d'une trentaine d'années, déjà un peu gras, d'une propreté méticuleuse à l'exception de ses doigts de la main droite souillés de nicotine, tente de s'absorber dans la lecture de son bréviaire truffé d'images, au-dessous d'un porte-documents d'un noir, un peu cendré, d'asphalte, dont bâille en partie la longue fermeture éclair comme la gueule aux dents très fines d'un serpent marin, posé sur le filet jusqu'où vous hissez péniblement, tel un dérisoire athlète de place publique soulevant par son anneau l'énorme poids de fonte creuse, d'une seule main, puisque les doigts de l'autre sont encore serrés sur le livre que vous venez d'acheter, vous hissez votre propre bagage, votre propre valise recouverte de cuir vert bouteille à gros grain avec vos initiales frappées « L.D. », cadeau de votre famille à votre précédent anniversaire, qui était alors assez élégante, tout à fait convenable pour le directeur du bureau parisien des machines à écrire Scabelli et qui peut encore faire illusion malgré ces taches grasses qui se révèlent à un examen plus attentif, et cette sournoise rouille qui commence à ronger les anneaux.

En face de vous, entre l'ecclésiastique et la jeune femme gracieuse et tendre, à travers la vitre, à travers une autre vitre, vous apercevez assez distinctement l'intérieur d'un autre wagon de modèle plus ancien aux bancs de bois jaune, aux filets de ficelle, dans la pénombre au-delà des reflets composés, un homme de la même taille que vous, dont vous ne sauriez ni préciser l'âge, ni décrire avec exactitude les vêtements, qui reproduit avec plus de lenteur encore les gestes fatigués que vous venez d'accomplir.

Assis, vous étendez vos jambes de part et d'autre de celles de cet intellectuel qui a pris un air soulagé et qui arrête enfin le mouvement de ses doigts, vous déboutonnez votre épais manteau poilu à doublure de soie changeante, vous en écartez les pans, découvrant vos deux genoux dans leur fourreau de drap bleu marine, dont le pli, repassé hier pourtant, est déjà cassé, vous décroisez et déroulez avec votre main droite votre écharpe de laine grumeleuse, au tissage lâche, dont les nodosités jaune paille et nacre vous font penser à des œufs brouillés, vous la pliez négligemment en trois et vous la fourrez dans cette ample poche où se trouvent déjà un paquet de gauloises bleues, une boîte d'allumettes et naturellement des brins de tabac mêlés de poussière accumulés dans la couture.

Puis, saisissant avec violence la poignée chromée dont le noyau de fer plus sombre apparaît déjà dans une mince déchirure de son placage, vous vous efforcez de fermer la porte coulissante, qui, après quelques soubresauts, refuse d'avancer plus loin, au moment même où apparaît dans le carreau à votre droite un petit homme au teint très rose, couvert d'un imperméable noir et coiffé d'un chapeau melon, qui se glisse dans l'embrasure comme vous tout à l'heure, sans chercher le moins du monde à l'élargir, comme s'il n'était que trop certain que cette serrure, que cette glissière ne fonctionneraient pas convenablement, s'excusant silencieusement, avec un mouvement de lèvres et de paupières à peine perceptible, de vous déranger tandis que vous repliez vos jambes, un Anglais vraisemblablement, le propriétaire sûrement de ce parapluie noir et soyeux qui raie la moleskine verte, qu'il prend en effet, qu'il dépose, non point sur le filet mais au-dessous, sur la mince étagère faite de tringles, ainsi que son couvre-chef, le seul dans ce compartiment pour l'instant, un peu plus âgé que vous sans doute, son crâne bien plus dégarni que le vôtre.

A droite, au travers de la vitre fraîche à laquelle s'appuie votre tempe, et au travers aussi de la fenêtre du corridor à demi ouverte devant laquelle vient de passer un peu haletante une femme à capuchon de nylon, vous retrouvez, se détachant à peine sur le ciel grisâtre, l'horloge du quai où l'étroite aiguille des secondes poursuit sa ronde saccadée, marquant exactement huit heures huit, c'est-à-dire deux pleines minutes de répit encore avant le départ, et sans cesser de tenir serré dans votre main gauche le volume que vous avez acheté presque sans vous arrêter dans la salle des Pas perdus, vous fiant à sa collection, sans lire son titre ni le nom de l'auteur, vous découvrez à votre poignet jusqu'alors caché sous la triple manche blanche, bleue et grise, de votre chemise, de votre veston, de votre manteau, votre montre rectangulaire fixée par une courroie de cuir pourpre, avec ses chiffres enduits d'une matière verdâtre qui brille dans la nuit, qui marque huit heures douze et dont vous corrigez l'avance.

Dehors, une voiture à accumulateurs se fraye un chemin sinueux parmi la grise foule affairée, encombrée, qui s'émeut, qui s'embrouille dans ses conciliabules et ses adieux, tendant l'oreille aux bribes de paroles déformées que déversent les haut-parleurs, puis l'autre train s'ébranle dans le bruit, ses wagons verts passant les uns après les autres jusqu'au dernier qui, se retirant comme la frange d'un rideau de théâtre, ouvre à vos yeux, comme une scène immensément allongée, un autre quai populeux avec une autre horloge et un autre train immobile qui, lui, ne partira vraisemblablement qu'une fois que le vôtre aura quitté la gare.

Vos paupières, vous avez du mal à les tenir ouvertes, votre tête à la redresser ; vous voudriez vous enfoncer dans l'encoignure, y creuser avec votre épaule un trou confortable, mais votre dos se tord en vain, puis il est pris par la secousse et le remuement.

L'espace extérieur s'agrandit brusquement ; c'est

une locomotive minuscule qui s'approche et qui disparaît sur un sol zébré d'aiguillages : votre regard n'a pu la suivre qu'un instant comme le dos lépreux de ces grands immeubles que vous connaissez si bien, ces poutrelles de fer qui se croisent, ce grand pont sur lequel s'engage un camion de laitier, ces signaux, ces caténaires, leurs poteaux et leurs bifurcations, cette rue que vous apercevez dans l'enfilade avec un bicycliste qui vire à l'angle, celle-ci qui suit la voie n'en étant séparée que par cette fragile palissade et cette étroite bande d'herbe hirsute et fanée, ce café dont le rideau de fer se relève, ce coiffeur qui possède encore comme enseigne une queue de cheval pendue à une boule dorée, cette épicerie aux grosses lettres peintes de carmin, cette première gare de banlieue avec son peuple en attente d'un autre train, ces grands donjons de fer où l'on thésaurise le gaz, ces ateliers aux vitres peintes en bleu, cette grande cheminée lézardée, cette réserve de vieux pneus, ces petits jardins avec leurs échalas et leurs cabanes, ces petites villas de meulière dans leurs enclos avec leurs antennes de télévision.

La hauteur des maisons diminue, le désordre de leur disposition s'accentue, les accrocs dans le tissu urbain se multiplient, les buissons au bord de la route, les arbres qui se dépouillent de leurs feuilles, les premières plaques de boue, les premiers morceaux de campagne déjà presque plus verte sous le ciel bas, devant la ligne de collines qui se devine à l'horizon avec ses bois.

Ici, dans ce compartiment, bercés et malmenés par le bruit soutenu, par sa profonde vibration constante soulignée irrégulièrement de stridences et d'hululations en touffes épineuses, les quatre visages en face de vous se balancent ensemble sans dire un mot, sans faire un geste, tandis que l'ecclésiastique de l'autre

13

côté de la fenêtre, avec un léger soupir d'exaspération, referme son bréviaire relié de cuir noir souple, tout en gardant son index entre les pages à tranche dorée comme signet, laissant flotter le mince ruban de soie blanche.

Soudain tous les regards se tournent vers la porte que d'un seul coup d'épaule, sans apparence d'effort, ouvre en grand un homme rougeaud, essoufflé, qui a dû monter dans le wagon juste au moment où le train s'ébranlait, qui lance dans le filet une valise bombée, un paquet grossièrement sphérique enveloppé dans un journal et maintenu par une ficelle dépenaillée, puis s'assoit à côté de vous, déboutonnant son imperméable, croisant sa jambe droite sur la gauche, et tirant de sa poche un hebdomadaire de cinéma à couverture en couleurs dont il se met à examiner les images.

Son profil épais vous masque celui de l'ecclésiastique dont vous ne voyez plus que la main posée sur l'appui de la fenêtre, les doigts tremblants à cause du mouvement général, l'index frappant doucement, machinalement, silencieusement au milieu du bruit, la longue plaque de métal vissée sur laquelle s'étale, vous le savez (puisque vous ne pouvez pas vraiment la lire, que vous pouvez seulement deviner à peu près une à une quelles sont ces lettres horizontales qui vous apparaissent si écrasées, si déformées par la perspective), l'inscription bilingue : « Il est dangereux de se pencher au-dehors — E pericoloso sporgersi. »

Balayant vivement de leur raie noire toute l'étendue de la vitre, se succèdent sans interruption les poteaux de ciment ou de fer ; montent, s'écartent, redescendent, reviennent, s'entrecroisent, se multiplient, se réunissent, rythmés par leurs isolateurs, les fils téléphoniques semblables à une complexe portée

14

musicale, non point chargée de notes, mais indiquant les sons et leurs mariages par le simple jeu de ses lignes.

Un peu plus loin, un peu plus lente, la masse des bois, de moins en moins interrompue de villages ou de maisons, tourne sur elle-même, s'entrouvre en une allée, se replie comme se masquant derrière un de ses membres.

C'est une véritable forêt que le train longe, non, traverse, puisque au-delà de ce carreau où s'appuie toujours votre tempe, de l'autre côté du corridor vide maintenant et de ses vitres dont vous apercevez la succession jusqu'à l'extrémité du wagon, c'est le même spectacle de futaie broussailleuse et terne qui va s'épaississant.

La voie ferrée y creuse une tranchée qui se resserre de telle sorte que vous ne voyez plus du tout le ciel, que le sol même se relève en de hauts remblais de terre nue ou de maçonnerie sur laquelle un instant, juste le temps de les reconnaître, se peignent en rouge sur un rectangle blanc les grandes lettres que vous attendiez certes mais peut-être pas aussi tôt, que vous avez lues maintes fois, que vous guettez à chaque passage pourvu qu'il fasse jour, parce qu'elles vous indiquent soit que l'arrivée est prochaine soit que le voyage est vraiment commencé.

Passe la gare de Fontainebleau-Avon. De l'autre côté du corridor, une onze chevaux noire s'arrête devant la mairie.

Si vous aviez peur de le manquer, ce train au mouvement et au bruit duquel vous êtes maintenant déjà réhabitué, ce n'est pas que vous vous soyez réveillé ce matin plus tard que vous l'aviez prévu, puisque, bien au contraire, votre premier mouvement, comme vous ouvriez les yeux, ç'a été d'étendre le bras pour

15

empêcher que ne déclenche la sonnerie, tandis que l'aube commençait à sculpter les draps en désordre de votre lit, les draps qui émergeaient de l'obscurité semblables à des fantômes vaincus, écrasés au ras du sol mou et chaud dont vous cherchiez à vous arracher.

Tournant vos yeux vers la fenêtre, vous avez vu les cheveux autrefois noirs d'Henriette, et son dos se détachant devant la première lumière terne et décourageante, doucement, brusquement, au travers de sa chemise de nuit blanche un peu transparente, se dessinant de plus en plus à mesure qu'elle écartait et repliait bruyamment les volets de fer aux fentes chargées de la poussière cotonneuse et charbonneuse de la ville, avec ici et là quelques points de rouille comme du sang coagulé.

Une masse d'air frais râpeux s'est répandue dans toute la pièce, frôlant vos narines, et comme les six carreaux apparaissaient maintenant tout entiers, frileuse, resserrant avec sa main droite son col orné d'une piètre dentelle inutile sur sa poitrine affaissée, elle est allée ouvrir la porte de l'armoire à glace Louis-Philippe, faisant virer d'un seul coup la réflexion du plafond et de ses moulures, de cette lézarde s'accentuant de mois en mois que vous auriez dû depuis longtemps faire colmater et disparaître (sous cet éclairage diffus mais parcimonieux, comme tamisé par une quantité de lamelles d'ardoise indéfiniment délitées, l'acajou lui-même apparaissait presque sans couleur ; seul un reflet de cuivre plus roux que rouge à l'angle de la moulure tremblotait), pour y chercher parmi tous ces vêtements pendus à leurs cintres, aux manches tombant toutes droites et sans épaisseur, comme si elles habillaient les bras raides et filiformes des ombres impitoyablement ironiques dans leur silence et leurs balancements des précé-

16

dentes femmes de Barbe-Bleue, sa robe de chambre à grands carreaux gris et jaunâtres qu'elle a enfilée, découvrant son aisselle en levant son bras nu, dont elle a noué nerveusement le cordon soyeux, et qui lui donnait un air de malade avec ses traits tirés, soucieux, soupçonneux.

Certes, il n'y avait pas de douceur dans son regard à ce moment-là, mais qu'avait-elle aussi besoin de se lever alors que vous auriez fort bien su vous débrouiller tout seul comme cela était entendu, comme vous l'aviez fait maintes fois tandis qu'elle était en vacances avec les enfants, incapable lorsqu'elle est là de vous faire confiance pour ces détails, s'imaginant toujours vous être nécessaire et voulant vous en persuader...

Vous avez attendu qu'elle ait quitté la chambre, refermant la porte derrière elle doucement afin de ne pas éveiller les garçons dormant à côté, pour attacher à votre poignet votre montre (il était à peine plus de six heures et demie), pour vous asseoir sur votre lit, glisser vos pieds dans vos pantoufles, et vous gratter la tête en regardant vaguement à travers les vitres la coupole du Panthéon se détachant à peine sur le ciel gris, tout en vous interrogeant sur les expressions de votre femme, vous demandant non pas, évidemment, si elle se doutait de quelque chose, ceci n'étant que trop certain, mais de quoi au juste, et, notamment en ce qui concernait ce voyage, jusqu'à quel point exactement elle vous avait démasqué.

Bien sûr, cela vous a fait plaisir de le boire, ce café au lait qu'elle vous avait fait chauffer, mais il était bien inutile, elle le savait, puisque de toute façon, vous aviez l'intention de profiter du wagon-restaurant pour prendre un petit déjeuner.

Sur le palier, vous n'avez pas osé lui refuser son baiser triste.

17

« Tu as juste le temps maintenant ; il est vrai qu'en première tu auras toujours de la place. »

Comment savait-elle que cette fois vous n'aviez pu faire de location ? Etait-ce vraiment vous qui le lui aviez dit et pourquoi ? Quoi qu'il en soit, il est une chose qu'elle ignore, cela est certain, c'est dans quelle sorte de wagon vous êtes, c'est que ce déplacement-ci, bien loin qu'il vous soit demandé et remboursé par la maison Scabelli, vous le faites à l'insu de vos directeurs romains et de vos propres employés à Paris.

Elle a refermé la porte de votre appartement avant que vous ayez commencé à descendre les marches, perdant ainsi sa dernière occasion de vous attendrir, mais il est clair qu'elle ne le cherchait nullement, que si elle s'est levée ce matin pour vous servir, c'est simplement par la mécanique de l'habitude, par une certaine pitié au plus, toute colorée de mépris, il est clair que des deux c'est elle la plus lasse. Pourquoi voudriez-vous lui reprocher de ne vous avoir même pas regardé partir après ces quelques mots qui étaient peut-être un sarcasme et auxquels vous n'avez rien su ni rien voulu répondre, alors que le mieux pour vous deux, n'est-ce pas, ç'aurait été qu'elle ne se levât point du tout, qu'elle n'ouvrît même pas les yeux, la quitter pendant son sommeil, pendant qu'elle soulevait les draps de sa profonde respiration de dormeuse, à peine distincte dans la chambre obscure dont vous auriez laissé les volets fermés.

Si vous avez eu peur de le manquer, ce train qui roule régulièrement parmi les champs nus et les taillis bruns, c'est parce qu'il vous a fallu beaucoup plus de temps que vous ne l'aviez prévu pour trouver un taxi, c'est qu'il a fallu que vous descendiez toute la rue Soufflot avec votre valise à la main et que ce n'est qu'au coin du boulevard Saint-Michel, devant le café Mahieu, que vous avez enfin pu arrêter, après plusieurs tentatives infructueuses, une onze chevaux dont le chauffeur n'a même pas pris la peine de vous ouvrir la portière ou de vous aider à installer votre minime bagage, ce qui vous a donné l'impression absurde qu'il voyait sur votre visage que cette fois vous alliez voyager en troisième classe et non en première comme à l'habitude, et ce qu'il y avait de particulièrement gênant, c'était que soudain vous vous rendiez compte que vous réagissiez comme si vous aviez vu là quelque chose de déshonorant, déroutants dérèglements de la pensée matinale encore toute encombrée de demi-rêves épais.

Carré dans le coin droit comme vous êtes maintenant, vous avez vu passer les troncs des arbres sur les trottoirs encore déserts, devant les magasins encore tous fermés, l'église de la Sorbonne et sa place encore vide, ces ruines que l'on nomme les thermes de Julien l'Apostat bien qu'ils soient vraisemblablement plus anciens que cet empereur, la Halle aux Vins, les grilles du Jardin des Plantes, à gauche le chevet de la cathédrale dans son île au-dessus du parapet du pont d'Austerlitz, au milieu des autres clochers, à droite le beffroi de la gare avec son horloge marquant huit heures.

Au moment où vous demandiez à l'employé qui vous poinçonnait le billet que vous veniez d'acheter au guichet des relations internationales quel était le quai où vous deviez vous rendre, vous vous êtes aperçu qu'il était presque en face de vous, avec son cadran à l'entrée aux aiguilles immobiles marquant non point l'heure qu'il était mais celle où le train devait partir, huit heures dix, et la pancarte indiquant les principaux arrêts de cette liste que vous connaissez par cœur : Laroche, Dijon, Chalon, Mâcon, Bourg, Culoz, Aix-les-Bains, Chambéry,

Modane, Turin, Gênes, Pise, Roma-Termini, et plus loin encore (celui-ci va plus loin encore), Napoli, Reggio, Syracuse, et vous avez profité des quelques instants qui vous restaient encore pour acheter sans le choisir le livre qui depuis n'a pas quitté votre main gauche, ainsi que le paquet de cigarettes encore intact qui se trouve dans la poche de votre manteau, sous votre écharpe.

De l'autre côté du corridor, une onze chevaux noire démarre devant une église, suit une route qui longe la voie, rivalise avec vous de vitesse, se rapproche, s'éloigne, disparaît derrière un bois, reparaît, traverse un petit fleuve avec ses saules et une barque abandonnée, se laisse distancer, rattrape le chemin perdu, puis s'arrête à un carrefour, tourne et s'enfuit vers un village dont le clocher bientôt s'efface derrière un repli de terrain. Passe la gare de Montereau.

Un tintement transperce le grondement et vous voyez venir vers vous l'employé du wagon-restaurant avec sa casquette bleue à broderies d'or et sa veste blanche, que vous n'êtes pas le seul à avoir attendu puisque le jeune couple a levé les yeux, qu'ils se regardent maintenant, qu'ils se sourient.

Un homme, une femme, une autre femme dont vous n'apercevez que le dos sortent de leurs compartiments et s'éloignent ; une manche d'imperméable balaie le carreau auquel votre tempe s'appuie toujours, puis un volumineux sac à main de nylon noir avec un bouton de galalithe y frappe quelques coups.

La température s'est sensiblement élevée et vous sentez chauffer cet étroit tapis de métal entre les banquettes, décoré de rayures en losanges. Votre voisin, le dernier venu, le moins riche manifestement de tous les occupants de ce compartiment, replie l'hebdomadaire qu'il lisait, hésite un instant, ne sachant pas où le poser, se lève, le case sur l'étagère où il s'épanouit comme un éventail, enlève son imperméable qu'il envoie brutalement, chiffonné, de sa grosse main qui le serre comme un torchon essuie-voitures, entre son paquet enveloppé de journal et votre valise sur le filet (la boucle de corne tape sur le métal puis se balance au bout de la ceinture qui pend), reprend ses feuilles, les déplie et se rassoit.

Cette photographie, de quelle actrice célèbre-t-elle le mariage, et le quantième ?

Le tintement revenant vous fait retourner les yeux vers la droite et vous suivez quelques instants la veste blanche de l'employé qui retourne vers son wagon pour verser dans les tasses, bleu pâle comme un ciel de printemps incertain sur une ville du Nord, un café médiocre et cher.

La jeune femme, qui s'est décidée la première, puis son époux, s'excusent en passant devant vous, rougissant, souriant tous deux, comme si c'était leur premier voyage, tout, les moindres incidents, leur étant plaisir et merveille, referment à demi la portière qui était restée grande ouverte depuis tout à l'heure, puis se hâtent.

Celui qui est en face de vous relève le rideau à son côté.

Allez-y vous aussi ; ce livre qui vous embarrasse, enfoncez-le dans votre poche et quittez ce compartiment ; ce n'est pas que vous ayez vraiment faim puisque vous avez déjà bu un café tout à l'heure ; ce n'est même pas seulement la routine puisque vous êtes dans un autre train que celui dont vous avez l'habitude, puisque vous subissez un autre horaire, non, cela fait partie de vos décisions, c'est le mécanisme que vous avez remonté vous-même qui commence à se dérouler presque à votre insu.

II

C'est bien ici, c'est bien ce compartiment que vous aviez laissé, cet homme grisonnant, plongé maintenant dans la lecture d'un épais volume à reliure de toile noire grossière, qui était en face de vous avec son voisin rougeaud, très propre, à petits yeux de poisson vorace, et cet ecclésiastique près de la fenêtre qui de nouveau essaye en vain de s'absorber dans son bréviaire.

Pour eux, les deux amants, les deux époux, que vous avez laissés quatre wagons plus loin, penchés sur leur table en pleine conversation tranquille, tout est prétexte à paroles, tout est source de satisfaction neuve, mais vous, l'ennui, la solitude vous ont renvoyé jusqu'à cette case, votre domicile dans l'espace de ce train qui vous emporte, marquée par cet objet vous appartenant, votre valise à votre gauche sur le filet.

Mais votre place au-dessous, le coin couloir face à la marche, que vous aviez été si content de trouver libre à la gare de Lyon, parce que c'est celle-là toujours que vous vous faites réserver en première par Alexandre Marnal pour vos voyages officiels, vous auriez dû la retenir en y laissant le volume qui alourdit votre manteau, qui étire votre poche déjà chargée, et que vous n'alliez pas vous mettre à lire là-bas ; car maintenant l'occupe ce dernier venu qui dès son entrée vous a été antipathique avec cette façon de proclamer sa force, ouvrant la porte d'un seul coup d'épaule, cette sotte assurance, cette vulgarité,

22

toujours plongé dans son hebdomadaire illustré, sans manifester la moindre intention de se déranger pour vous la rendre, un représentant à n'en pas douter, mais en quoi ? vins, produits pharmaceutiques, lingerie peut-être, sûrement pas en machine à écrire parce qu'il aurait en tout cas de tout autres bagages, à moins qu'il ne fût comme vous, en évasion...

La température a continué de s'élever pendant votre absence, ou bien c'est le mouvement que vous avez pris, le liquide chaud que vous avez bu, vous transpirez. Votre visage, juste à la hauteur du miroir, tremble à l'intérieur du cadre à cause du mouvement du train. Vous vous êtes rasé avec précipitation ce matin et vous apercevez de nombreux points noirs près de vos oreilles. Vous passez votre main moite sur votre menton. Votre peau n'est pas seulement râpeuse, elle est tendue ; vous avez les traits tirés, l'œil éteint, la bouche amère. Vous n'avez pas encore réussi à vous réveiller complètement malgré ce nouveau café, et pourtant, vous le vérifiez à votre montre, il est déjà bien plus de neuf heures, si bien qu'un jour de semaine normal vous seriez déjà au travail avenue de l'Opéra, terreur des dactylos en retard, et pourtant hier soir vous vous êtes couché assez tôt.

Ce voyage devrait être une libération, un rajeunissement, un grand nettoyage de votre corps et de votre tête ; ne devriez-vous pas en ressentir déjà les bienfaits et l'exaltation ? Quelle est cette lassitude qui vous tient, vous diriez presque ce malaise ? Est-ce la fatigue accumulée depuis des mois et des années, contenue par une tension qui ne se relâchait point, qui maintenant se venge, vous envahit, profitant de cette vacance que vous vous êtes accordée, comme profite la grande marée de la moindre fissure dans la digue pour submerger de son amertume stérilisante les terres que jusqu'alors ce rempart avait protégées.

Mais n'est-ce pas justement pour parer à ce risque dont vous n'aviez que trop conscience que vous avez entrepris cette aventure, n'est-ce pas vers la guérison de toutes ces premières craquelures avant-coureuses du vieillissement que vous achemine cette machine, vers Rome où vous attendent quel repos et quelle réparation ?

Alors pourquoi cette crispation de vos nerfs, cette inquiétude qui gêne la circulation de votre sang ? Pourquoi n'êtes-vous pas déjà mieux délassé ? Est-ce vraiment le simple changement de l'horaire qui provoque en vous ce bouleversement, ce dépaysement, cette appréhension, le fait de partir à huit heures du matin, non le soir comme à l'habitude ? Seriez-vous déjà si routinier, si esclave ? Ah, c'est alors que cette rupture était nécessaire et urgente, car attendre quelques semaines encore, c'était tout perdre, c'était le fade enfer qui se refermait, et jamais plus vous n'auriez retrouvé le courage. Enfin la délivrance approche et de merveilleuses années.

Pour l'instant, retirez votre manteau, pliez-le, hissez-le sur votre valise. De la main droite, vous vous agrippez à la tringle ; vous êtes obligé de vous pencher sur le côté, posture d'autant plus incommode qu'il vous la faut conserver malgré les oscillations perpétuelles, pour appuyer avec votre pouce sur les boutons des deux serrures brillantes dont le pêne s'ouvre brusquement libérant le couvercle de cuir qui se soulève doucement comme s'il était mû par un faible ressort, pour glisser vos doigts au-dessous, pour tâter en aveugle la pochette de nylon opaque à rayures rouges et blanches dans laquelle vous avez non pas rangé mais jeté pêle-mêle ce matin, dans votre hâte et votre agacement, juste après avoir essuyé cette figure que vous veniez d'interroger dans votre propre miroir, quinze place du Panthéon, votre blaireau encore humide, votre savon à barbe dans son étui de galalithe grise, votre paquet de lames neuves, votre brosse à dents, votre peigne, votre tube de dentifrice, la pochette de nylon bien lisse qui contient tout cela, avec le petit anneau de son fermoir éclair, puis l'enveloppe en cuir où sont vos pantoufles, le tissu soyeux de votre pyjama amarante que vous avez soigneusement choisi hier soir à l'intention de Cécile parmi l'arc-en-ciel distingué de votre réserve de linge dans l'armoire à glace de votre chambre, tandis qu'Henriette veillait aux derniers préparatifs du dîner, et que vous entendiez, tamisées par l'épaisseur d'un seul mur, les chamailleries des garçons qui devraient pourtant à leur âge être devenus capables de se supporter mutuellement, puis, enfin, la brochure que vous cherchiez.

Le couvercle retombe avec quelques soubresauts mous et vous négligez d'en refermer les serrures.

Vous vous asseyez au milieu de la banquette entre l'ecclésiastique disant son bréviaire (que d'heures ils doivent y passer !) devant la fenêtre qui donne sur les champs rapides et le brumeux horizon lent, et le commis voyageur penché sur son journal déplié, taillant lentement, consciencieusement, son chemin parmi le récit de ce mariage de vedettes devant le carreau qui donne sur le corridor où passe un manteau de velours à côtes grenat que vous aviez remarqué il y a un instant au wagon-restaurant.

Vous sentez la chaleur traverser les semelles de vos deux souliers fauves dont l'un des lacets est réparé par un nœud caché mais qui soulève légèrement le cuir comme un petit abcès et qui appuie sur votre peau, entre lesquels il y en a un autre, noir, verni, la pointe tournée en sens inverse, luisant dans l'ombre, se fermant sur une chaussette de coton bleu marine que recouvre l'ourlet d'un pantalon de drap à menues raies de deux gris très voisins sur lequel un mince fil blanc déploie ses spires et son désordre de nuages cardés par le vent du matin.

Ce pied noir se soulève en tremblant vers la droite, la jambe à laquelle il est attaché se croise sur sa jambe sœur, et ayant rapproché les deux vôtres, vous vous mettez à considérer la couverture carrée bleu ciel de l'indicateur Chaix pour la région sud-est que vous tenez entre vos mains tremblantes elles aussi comme tremble tout ce compartiment doucement dans son mouvement de Paris à Rome.

C'est l'« édition du 2 octobre 1955, service d'hiver, valable jusqu'au 2 juin 1956 inclus », avec ses annonces : « Hôtel de la Paix, Nice, en toutes saisons » (vous n'y avez jamais résidé), « Nougat Chabert et Guillot », puis, en caractères minuscules que vous approchez de vos yeux pour pouvoir les déchiffrer, ce qui est d'autant plus difficile que naturellement vous ne parvenez pas à les maintenir immobiles par rapport à eux : « A la Ruche d'or », s'incurvant comme une petite voûte en anse de panier au-dessus d'un dessin représentant une ruche ancienne, petite cabane ronde au toit de chaume, avec quatre taches irrégulières figurant de toute évidence des abeilles (le bourdonnement de ce train, grave mais avec ce timbre très aigu de temps en temps, rappelant que c'est du métal qui roule et frotte sur de métal), ailleurs, « Verveine du Velay » (vous n'en avez jamais bu ; ce doit être verdâtre et sucré ; vous pourrez demander tout à l'heure au wagon-restaurant s'ils en ont ; ils vous proposent toujours des liqueurs).

Alors vous vous souvenez que l'on dit le Puy-en-Velay, une de ces innombrables villes où vous n'êtes jamais allé, une de ces villes de province française qui doit suer un ennui de suie malgré ses curiosités géologiques, ses dykes, si c'est bien ainsi qu'on les appelle, et sa cathédrale ornée de peintures, une ville où vous avez un de vos employés, le représentant de la maison Scabelli pour toute la région des Cévennes, où manifestement on n'a pas grand besoin de machines à écrire, un enfant qui vient de passer son certificat d'études serait capable de vous le dire (mais il fallait bien que votre réseau s'étendît sur toute la France), et où il n'est que trop naturel qu'il se débrouille assez mal, cet homme à qui hier encore vous avez fait envoyer une lettre assez menaçante, cet homme que vous n'avez jamais vu, dont vous n'avez même pas retenu le nom, parce que c'est Molandon que vous aviez chargé de s'occuper entièrement de cette affaire et qui tous les ans va au Puy lors de sa tournée d'inspection dans le centre.

Ils devraient être revenus depuis longtemps, le jeune époux et sa femme toute neuve, puisqu'ils étaient arrivés avant vous au wagon-restaurant et qu'ils étaient déjà servis lorsque vous les avez aperçus en y entrant, qu'ils y beurraient déjà leur pain grillé. Il est vrai qu'ils sont ensemble, eux, qu'ils découvrent, qu'ils sont enchantés, qu'ils font vraisemblablement ce trajet pour la première fois, qu'ils ont tant de choses à se dire, qu'ils n'ont pas besoin de faire durer les divers épisodes de ce voyage afin d'en combler autant que possible les vides et l'ennui, de ralentir le mouvement de leur mâchoire comme vous tout à l'heure afin de ronger un peu plus de minutes, parce que n'importe quoi leur demandera beaucoup de temps et ne passera pour eux que trop vite, parce qu'ils n'ont pas sur eux la fatigue anticipée de ce nombre d'heures avant d'arriver dont vous n'avez que trop l'habitude, ce nombre d'heures qui vous séparent de Cécile et qu'il va vous falloir supporter cette fois dans l'inconfort d'un wagon de troisième classe, ce qui ne troublera nullement leur plaisir, et si c'est à Rome qu'ils vont comme vous, demain matin vous les verrez se réveiller harassés mais souriants.

Elle entre, gracieuse, attentive, s'excusant auprès de votre voisin de droite, le représentant de commerce qui vous a pris votre place, qui lève le nez de son illustré dans lequel il s'essayait à résoudre un problème de mots croisés, l'appuyant sur son genou pour écrire avec un crayon à bille, auprès du professeur en face (ce ne peut être qu'un professeur) qui referme son livre à reliure de toile noire avec une étiquette ovale en papier salie collée au dos, où sont inscrits à l'encre noire avec une grosse plume d'autrefois les chiffres qui correspondent à son classement dans une bibliothèque d'université sans doute, auprès de l'Anglais (car ce doit bien être un Anglais) qui se tient très droit, le seul dans ce compartiment qui n'ait pas de lecture pour l'instant, auprès de vous qui ne retirez pas votre jambe assez vite ; elle trébuche, elle tend sa main gauche en avant, sauvegardant de l'autre son sac en forme de panier, fait de cannage bordé de cuir blanc, à anses de cordes, d'où émergent une pointe de foulard et les pages d'un journal féminin plié en deux ; ses doigts s'appuient un instant sur la moleskine verte juste à côté de votre cuisse, son imperméable vous frôle les genoux. Elle retourne la tête en arrière ; ses lèvres sont juste à la hauteur de vos yeux ; elle sourit à son compagnon qui la suit, se tenant de la main droite à la barre nickelée qui borde le filet en face de vous. Elle a repris son équilibre ; elle se baisse maintenant volontairement pour ramasser les deux ouvrages garde-place, un Guide bleu et l'Assimil italien qu'elle tend à son époux et qu'il dépose sur l'étagère.

Eux aussi se sont aperçus du changement de température, et ils se débarrassent de leurs manteaux de pluie.

Elle s'assied auprès de la fenêtre, glissant son sac à côté d'elle dans le coin, serrant ses mains entre ses genoux, creusant sa jupe de tweed gris. Il reprend ses livres sur l'étagère et s'installe ; ils se regardent, ils vous regardent, ils vous sourient, ils vous avaient reconnu là-bas tandis qu'il écrasait le sucre dans son épaisse tasse bleue ; une très légère intimité s'est établie entre vous trois qui vous distinguent des quatre autres, du fait de ce petit repas pris non pas en commun mais dans la même salle roulante, si bien qu'il vous serait facile en cet instant de vous rapprocher un peu et de lier conversation, mais comme vous n'en avez pas envie, très rapidement il se lasse, détourne les yeux, prend son air raisonnable, ouvre son guide, déplie le plan d'une ville, tandis qu'elle sort de son sac son journal féminin et commence à tourner des images de robes. Le jeune ecclésiastique replie son bras, se replonge dans son bréviaire qu'il marmonne d'un air las. On voit des vaches dans les champs. Vous retournez à votre horaire que vous feuilletez.

Voici les paragraphes serrés des règlements, les étroites colonnes de l'index des gares, les tableaux des relations internationales, et voici celui qui vous intéresse : E, Italie, où vous retrouvez le train dans lequel vous êtes : 609, rapide, 1re, 2e et 3e classes (il paraît que l'année prochaine celle-ci n'existera plus), un losange noir indiquant qu'il y a dans la marge des renseignements complémentaires auxquels vous vous reportez, et dans lesquels vous découvrez qu'il y a des voitures directes non seulement de Paris à Rome, mais aussi jusqu'à Syracuse, et vous vous demandez si vous n'êtes pas dans une de celles-ci, et si ce n'est pas jusque-là que doivent aller les deux amants, les deux époux, jusqu'à cette ville que vous ne connaissez pas mais qui vous semble, d'après ce que vous en avez entendu dire, les photographies que vous en avez vues, tout à fait adaptée à un voyage de noces, surtout en cette saison où même à Rome il risque de ne pas faire beau.

Passe la gare de Saint-Julien-du-Sault avec ses lampadaires et leurs écriteaux, l'inscription en grandes lettres sur le côté du bâtiment, le clocher, les chemins, les champs, les bois. Les deux jeunes mariés sont en conversation à propos d'un détail qu'il montre sur le plan. De l'autre côté du corridor, ce sont des garennes disséminées. des vallonnements, avec une route par devant où roule un camion qui s'écarte, revient, disparaît derrière une maison, est poursuivi par un motocycliste qui le dépasse selon une belle courbe en forme d'arc détendu, se laisse distancer par lui, par votre train, quitte la scène.

Ce train qui est parti comme il part tous les jours à huit heures dix de Paris-Lyon, qui comporte un wagon-restaurant comme l'indique cette petite fourchette et ce petit couteau entrecroisés, ce wagon-restaurant même que vous venez déjà d'utiliser ainsi que les deux jeunes époux, et où vous retournerez déjeuner mais non dîner parce qu'à ce moment-là c'en sera un autre, italien, il s'arrêtera à Dijon et en repartira à onze heures dix-huit, il passera à Bourg à treize heures deux, quittera Aix-les-Bains à quatorze heures quarante et une (il y aura vraisemblablement de la neige sur les montagnes autour du lac), s'arrêtera vingt-trois minutes à Chambéry pour assurer une correspondance, et au passage de la frontière depuis seize heures vingt-huit jusqu'à dix-sept heures dix-huit pour les formalités (cette petite maison après le mot Modane, c'est le hiéroglyphe qui signifie

30

douane), il arrivera à Turin Piazza Nazionale à dix-neuf heures vingt-six (oh, ce sera la nuit déjà depuis longtemps), en repartira à vingt heures cinq, quittera la station Piazza Principe à Gênes à vingt-deux heures trente-neuf, atteindra Pise à une heure quinze, et Roma Termini enfin demain matin à cinq heures quarante-cinq, bien avant l'aube, ce train presque inconnu de vous, puisque d'habitude c'est toujours l'autre que vous prenez, celui de la colonne d'à côté, le rapide numéro 7, le Rome-express à wagons-lits, qui n'a que des premières et des secondes, qui est tellement plus rapide, puisqu'il ne met que dix-huit heures quarante pour faire le trajet, alors que celui-ci, voyons, celui-ci met vingt et une heure trente-cinq, ce qui fait, voyons, ce qui fait deux heures cinquante de différence, et dont l'horaire est tellement plus commode, partant au moment de dîner pour arriver au début de l'après-midi suivant.

Ce train dans lequel vous êtes, pour chercher de plus amples renseignements sur lui (l'autre, l'habituel, le Rome-express, vous en connaissez l'horaire presque par cœur, et lorsque vous l'utilisez vous n'avez nul besoin de ce livret carré dans lequel, malgré votre expérience, vous avez tant de mal à vous reconnaître), il faudrait vous reporter au tableau 500 dans lequel l'itinéraire est beaucoup plus détaillé, faisant mention de toutes les stations, même de celles que l'on brûle, puis, à partir de Mâcon, où l'on quitte la grande artère Paris-Marseille, au tableau 530, mais après Modane il vous faudrait un indicateur italien, car dans celui-ci il n'y a rien d'autre que cette page avec les étapes principales : Turin, Gênes, Pise, alors qu'il y aura sûrement quelques autres arrêts, à Livourne vraisemblablement, peut-être à Civitavecchia.

Il fera encore nuit noire. Vous vous réveillerez

31

péniblement après un sommeil souvent interrompu, surtout si vous êtes obligé de conserver cette mauvaise place au milieu de la banquette, mais il y a tout de même d'assez fortes chances pour que vous réussissiez à prendre possession de l'un des coins au moment où l'un de vos compagnons actuels descendra, car il est impossible que tous continuent jusque-là.

Lesquels, parmi eux six, seront encore à ce moment dans ce compartiment vraisemblablement éclairé seulement par la veilleuse bleue, par cette petite ampoule sphérique et sombre que vous apercevez à l'intérieur du lampadaire, nichée entre les deux autres transparentes et piriformes ? Dans la campagne, les lumières des maisons seront éteintes. Vous verrez passer les phares de quelques camions, les lanternes des gares ; vous aurez froid ; vous passerez votre main sur votre menton bien plus râpeux que maintenant ; vous vous lèverez, vous sortirez, vous irez jusqu'au bout du couloir pour vous mettre un peu d'eau sur les yeux.

Alors, après la raffinerie de pétrole avec sa flamme et les ampoules qui décorent comme un arbre de Noël ses hautes tours d'aluminium, tandis que vous ferez presque tout le tour de la ville encore obscure et endormie mais où les tramways et les trolleybus auront commencé leur tintamarre, défileront pour vous ses stations de banlieue : Roma Trastevere (et vous apercevrez quelques reflets dans l'eau noire du fleuve), Roma Ostiense (vous devinerez les remparts et la pointe claire de la pyramide), Roma Tuscolana (alors, à partir de la porte Majeure, vous pénétrerez droit vers le centre).

Enfin ce sera Roma Termini, la gare transparente, dans laquelle il est si beau d'arriver à l'aube ainsi que le permet ce train dans une autre saison, mais demain il fera encore nuit noire.

De l'autre côté du corridor, c'est une ferme avec un bouquet de peupliers jaunes, un chemin creux qui se replie, réapparaît derrière un grand peigne de sillons, bombé, piqueté de corbeaux, où débouche un motocycliste casqué à blouson de cuir qui se rapproche de la voie, qui s'enfonce entre des remblais sous un pont où vous voyez s'engager la locomotive qui vous traîne et les premiers wagons qui vous précèdent. Vous cherchez à le revoir au-delà de la vitre entre l'ecclésiastique et la jeune femme, mais il doit être maintenant loin derrière vous.

C'est très brusquement que vous avez décidé ce voyage, puisque lundi soir, lorsque vous êtes rentré chez vous pour dîner, sans votre valise que vous aviez laissée à votre bureau, avenue de l'Opéra, au coin de la rue Danièle-Casanova, parce que vous n'aviez pas votre voiture, il n'était encore question de rien, car s'il est vrai que depuis longtemps vous aviez l'intention de trouver pour Cécile un emploi à Paris, vous n'aviez jusqu'alors fait aucune démarche positive en ce sens, et ce n'est que mardi matin, une fois examinées toutes les affaires courantes, et lu tout le courrier qui s'était accumulé pendant votre séjour à Rome, que vous avez téléphoné à l'un de vos clients, Jean Durieu, le directeur de l'agence de voyages Durieu dont vous apercevez les vitrines de votre fenêtre, pour lui demander, en lui recommandant la discrétion, s'il ne connaîtrait pas une situation pouvant convenir à une jeune femme remarquablement intelligente, d'une trentaine d'années, parlant couramment l'anglais et l'italien, qui, pour l'instant, était secrétaire d'un attaché militaire, si vos souvenirs étaient exacts, à l'ambassade de France à

Rome, ce qui ne l'intéressait que médiocrement, et qui accepterait un salaire assez modéré étant donnée la grande envie qu'elle avait de revenir à Paris.

Il était tout à fait possible qu'il découvrît quelque chose, vous a-t-il répondu ; il vous rappellerait dès qu'il se serait renseigné, ce qu'il a fait l'après-midi même à votre grande surprise et satisfaction, vous déclarant qu'il désirait faire diverses transformations dans son affaire, et qu'une personne comme celle dont vous lui aviez parlé pourrait lui être d'une grande utilité dans le cadre de ce renouvellement, faisant des propositions financières si raisonnables que vous avez pris sur vous de l'assurer de son acceptation.

Quant à la date de son entrée en fonctions ? Quand elle voudrait, le plus tôt serait le mieux, mais cela n'avait rien d'urgent, qu'elle prenne le temps de régler tranquillement ses affaires à Rome, sa démission, son déménagement, son installation à Paris, il savait bien comme il était difficile de prévoir toutes les difficultés qui pouvaient surgir à ces occasions, et il y avait dans sa voix, dans sa politesse, un désagréable accent de complicité.

A ce moment-là, vous pensiez tout arranger par lettres et ne revoir Cécile que lors de votre prochain voyage mensuel, lors de la réunion générale de fin d'année des directeurs de branches étrangères de la maison Scabelli, et ce n'est que le mercredi que les choses se sont précipitées, et cela sans doute parce que c'était le treize novembre et par conséquent votre anniversaire, le quarante-cinquième, parce qu'Henriette, tenant toujours à ces dérisoires cérémonies familiales, y avait accordé cette année une importance particulière, dans ses soupçons plus justifiés encore qu'elle ne les croit, pensant vous retenir, vous enserrer dans ce filet de petits rites, non par amour

34

certes, il y a bien longtemps que tout cela était fini entre vous deux (et s'il y avait bien eu autrefois une passion juvénile, cela n'avait jamais rien eu à voir avec ce sentiment de délivrance et d'enchantement que Cécile vous apportait), mais par sa crainte, chaque jour plus grande (ah, comme elle vieillissait !) de voir changer quelque chose à l'ordre auquel elle était habituée, non par jalousie vraiment, mais par la hantise qu'une imprudence de votre part ou qu'une brouille violente n'abîmât son confort et celui des enfants alors qu'elle n'avait rien à redouter quant à cela, mais parce que jamais elle n'avait eu confiance en vous, ou tout au moins que depuis très longtemps elle ne l'avait plus, ce qui était à n'en pas douter l'origine de cette déchirure entre vous qui n'avait fait que s'accentuer au cours des ans, et que vos succès, cette réussite incontestable à laquelle elle devait ce bel appartement auquel elle tenait tant, ne l'avaient jamais convaincue, elle que vous sentiez de plus en plus, avant même qu'elle ait eu de véritables raisons pour cela, vous faire des reproches muets, vous surveiller.

Quand vous êtes entré dans la salle à manger mercredi pour déjeuner (à travers la fenêtre brillaient les admirables rinceaux de la frise du Panthéon éclairés d'un rayon de soleil blanc de novembre qui s'est vite terni), quand vous avez vu vos quatre enfants debout derrière leurs places, raides, moqueurs, quand vous avez distingué sur son visage, sur ses lèvres à l'ombre, ce sourire triomphant, vous avez eu l'impression qu'ils s'étaient tous entendus pour vous tendre un piège, que ces cadeaux sur votre assiette étaient un appât, que tout ce repas avait été soigneusement composé pour vous séduire (comment n'aurait-elle pas appris à les connaître, vos goûts, depuis près de vingt ans que vous vivez ensemble), tout combiné pour bien vous persuader que vous étiez désormais un homme âgé, rangé, dompté, alors qu'il y avait si peu de temps que s'était ouverte à vous cette vie tout autre, cette vie que vous ne meniez encore que quelques jours à Rome, cette autre vie dont celle-ci, celle de l'appartement parisien, n'était que l'ombre, et c'est pourquoi, vous cramponnant à la prudence malgré votre irritation, vous vous êtes appliqué à jouer leur jeu, réussissant à vous montrer presque gai, les félicitant sur leur choix, soufflant avec conscience les quarante-cinq bougies, mais bien décidé à faire cesser au plus tôt cette imposture devenue constante, ce malentendu si installé. Il n'était que temps !

Maintenant Cécile allait venir à Paris et vous demeureriez ensemble. Il n'y aurait pas de divorce, pas d'esclandre, de cela vous étiez, vous êtes bien certain ; tout se passerait fort calmement, la pauvre Henriette se tairait, les enfants, vous iriez les voir une fois par semaine à peu près ; et vous étiez certain aussi non seulement de l'accord, mais de la triomphante joie de Cécile qui vous avait tant taquiné sur votre bourgeoise hypocrisie.

Ah, cette asphyxie menaçante, il fallait la fuir au plus tôt, respirer au plus tôt un immense coup de cet air futur, de ce bonheur proche, il vous fallait lui annoncer cette nouvelle, et de vive voix pour que la chose soit faite enfin sans risque de méprise.

Aussi, l'après-midi, avenue de l'Opéra, vous avez vérifié qu'il n'y avait rien de très urgent, vous avez notifié à Maynard, votre second, que vous alliez vous absenter pour quelques jours, du vendredi au mardi, vous avez envoyé Marnal vous acheter l'indicateur que vous avez entre les mains, sans lui demander de vous prendre votre billet et de vous retenir une place parce que vous n'aviez nulle envie que l'on sût dans la maison que c'était à Rome que vous retourniez.

Lorsque vous avez annoncé le soir à Henriette que des circonstances imprévues vous obligeaient à partir le vendredi matin, ce vendredi matin qui passe, ce n'est pas le fait même de votre voyage qui l'a intriguée, puisque, plusieurs fois déjà, il vous était arrivé en effet d'être contraint pour une affaire urgente d'aller faire un saut jusqu'à la maison centrale entre deux déplacements réguliers, mais c'est l'heure inhabituelle et manifestement incommode de votre départ, choisie pour pouvoir profiter de la totalité du week-end avec Cécile, pour pouvoir déjeuner avec elle demain samedi, et aussi, il faut bien le dire, parce qu'il y a des troisièmes dans ce train-ci et que vous estimiez que cette escapade, très importante certes pour le déroulement futur de votre vie, mais dont à la rigueur vous auriez pu vous passer, évidemment non remboursée, vous coûterait ainsi déjà suffisamment cher, et c'est sur ce point précis de l'heure, du train choisi, qu'elle s'est mise à vous poser des questions, qu'il a fallu que vous inventiez de fausses raisons, sans grande habileté à vrai dire, de telle sorte qu'à chacune elle pouvait opposer facilement les plus justes objections auxquelles vous ne trouviez rien à répondre, si bien qu'elle s'étonnait d'autant plus en vous voyant vous obstiner si absurdement.

Pendant le dîner qui a suivi, pénible pour tout le monde, et au cours duquel les enfants n'ont cessé de ricaner dans leurs assiettes, vous vous êtes à peine adressé la parole sauf lorsque Jacqueline, comme vous lui aviez dit d'aller se laver parce qu'elle avait les mains toutes tachées d'encre, étant partie en haussant les épaules, vous vous êtes mis violemment en colère contre elle, et que sa mère a jugé bon, naturellement de prendre publiquement sa défense, de telle sorte que, lorsque la petite est rentrée, sans avoir perdu un mot dans le cabinet de toilette de cette bruyante conversation, elle s'est rassise toute fière d'avoir eu en fin de compte raison de vous (elle, la dernière, celle que vous préférez, parce que les autres, vous n'avez avec eux aucune intimité, vous ne savez pas ce qu'ils pensent, vous ne comprenez pas ce qu'ils aiment, ils forment une espèce de ligne contre vous tous les trois, sauf quand les deux garçons se battent), scène qui, s'il vous était resté quelques hésitations, vous les aurait enlevées.

La dernière bouchée avalée, vous avez enfilé votre manteau, vous êtes descendu, vous êtes allé prendre au garage, rue de l'Estrapade, votre quinze avec laquelle vous êtes sorti de Paris, vous avez fait près de cent kilomètres dans la nuit pluvieuse, la laissant sur le bord du trottoir place du Panthéon lorsque vous êtes rentré passé minuit pour trouver Henriette dans votre lit qui ne s'était pas endormie, qui ne vous a rien dit, qui vous fixait seulement de ses yeux un peu moqueurs et méprisants.

Heureusement, le lendemain, hier jeudi, cela s'était apaisé, et les repas se sont passés calmement, par ce temps froid désespérant qui continue et qui s'aggrave, en cette journée de hâte et d'énervement où il vous fallait avoir réglé, pour ces courtes vacances que vous avez eu l'audace de vous octroyer jusqu'à mercredi, les affaires toujours compliquées de la maison Scabelli, mais le soir il vous a semblé que l'embouteillage de la place du Théâtre-Français était plus long encore à se dénouer que d'habitude, mais au garage, où vous désiriez que l'on profitât de votre absence pour nettoyer soigneusement votre voiture anormalement grinçante cette semaine, vous avez dû attendre, et finalement à bout de patience tempêter pour qu'un employé daignât s'occuper de vous, mais au quinze place du Panthéon l'ascenseur était en dérangement, vous avez dû monter à pied les quatre étages, mais malgré votre retard le couvert n'était pas encore mis et vous entendiez les criailleries d'Henri et Thomas dans leur chambre, les criailleries d'Henriette s'y ajoutant, inefficaces, maladroites, qui, lorsqu'elle est sortie dans le corridor pour appeler Madeleine, avait son regard morne, épuisé, son regard de morte, avec cette flamme de soupçon quand elle vous a vu, de rancune, ce mépris dont elle vous accable comme si vous étiez responsable de son trop évident amoindrissement, toute cette demi-vie se refermait autour de vous comme une pince, comme les mains d'un étrangleur, toute cette existence larvaire, crépusculaire, à laquelle vous alliez échapper enfin.

Car vous l'aviez dans votre serviette, cet indicateur à couverture bleue que vous tenez entre vos mains, que vos yeux regardent toujours mais où ils ne distinguent plus rien pour l'instant, et après le dîner, juste avant de vous coucher seul dans le grand lit sans Henriette qui ne vous a rejoint que lorsque vous dormiez déjà, vous l'avez rangé dans votre valise au-dessus de ce peu de linge propre que vous avez emporté.

Il était comme le talisman, la clé, le gage de votre issue, d'une arrivée dans une Rome lumineuse, de cette cure de jouvence dont le caractère clandestin accentue l'aspect magique, de ce trajet qui va depuis ce cadavre de femme continuant illusoirement des gestes utiles, depuis ce cadavre inquisiteur que vous n'avez si longtemps hésité à quitter que parce qu'il y a les enfants dont chaque jour une vague de plus vous sépare, de telle sorte qu'ils sont là comme des statues de cire d'eux-mêmes, cachant de plus en plus leur vie que vous avez de moins en moins envie de connaître et de partager, depuis cette Henriette avec laquelle il vous est impossible de divorcer parce qu'elle ne s'y résoudrait jamais, parce que, avec votre position, vous voulez éviter tout scandale (la maison Scabelli, italienne, calottine, tartufe, verrait la chose d'un très mauvais œil), depuis ce boulot auquel vous êtes enchaîné et qui vous entraînerait aux fonds asphyxiés de cet océan d'ennui, de démission, de routines usantes et ennuageantes, d'inconscience où elle se traîne, si vous n'aviez pas ce salut, Cécile, si vous n'aviez pas cette gorgée d'air, ce surcroît de forces, cette main secourable qui se tend vers vous messagère des régions heureuses et claires, depuis cette lourde ombre tracassière dont vous allez pouvoir enfin vous séparer de fait, jusqu'à cette magicienne qui par la grâce d'un seul de ses regards vous délivre de toute cette horrible caricature d'existence, vous rend à vous-même dans un bienfaisant oubli de ces meubles, de ces repas, de ce corps tôt fané, de cette famille harassante,

le gage de cette décision enfin prise de rompre, de vous libérer de tout ce harnais de vains scrupules, de toute cette lâcheté paralysante, d'enseigner à vos enfants aussi cette liberté, cette audace, de cette décision qui a illuminé de son reflet, qui vous a permis de traverser sans y succomber, sans renoncer à tout, sans vous perdre à jamais, toute cette semaine de pluie, de cris et de malentendus,

le gage de ce voyage secret pour Henriette, parce que, si vous lui aviez bien dit à elle que vous alliez à Rome, vous lui aviez caché vos raisons véritables, secret pour Henriette qui ne sait que trop bien pourtant qu'il y a derrière ce changement d'horaire un secret, votre secret, dont elle sait bien qu'il a nom Cécile, de telle sorte que l'on ne peut pas dire vraiment que vous la trompiez sur ce point, de telle sorte

que vos mensonges à son égard ne sont pas complètement des mensonges, ne pouvaient être complètement des mensonges puisqu'ils sont malgré tout (on
a le droit de les considérer sous cet angle) une étape
nécessaire vers la clarification de vos rapports, vers
la sincérité entre vous si profondément obscurcie
pour l'instant, vers sa délivrance à elle aussi dans sa
séparation d'avec vous, vers sa libération à elle aussi
dans une certaine faible mesure,

secret parce que l'on ignore, avenue de l'Opéra,
votre destination, parce que nul courrier ne pourra
vous y rejoindre, alors que d'habitude, lorsque vous
arriviez à l'hôtel Quirinal, déjà des lettres et des télé-
grammes vous y attendent, si bien que, pour la première fois depuis des années, ces quelques jours de
vacances seront une véritable détente comme au
temps où vous n'aviez pas encore vos responsabilités
actuelles, où vous n'aviez pas encore vraiment réussi,

secret parce que chez Scabelli, sur le Corso, personne ne sait que vous serez à Rome de samedi matin
à lundi soir, et que personne ne doit s'en apercevoir
quand vous y serez, ce qui vous obligera à prendre
quelques précautions de peur de risquer d'être
reconnu par quelqu'un de ces employés si complai-
sants, si empressés, si familiers,

secret même pour Cécile en ce moment puisque
vous ne l'avez pas prévenue de votre arrivée, voulant
jouir de sa surprise.

Mais elle, ce secret, elle le partagera totalement, et
cette rencontre à laquelle elle ne s'attend pas sera
l'épée qui tranchera enfin le nœud de tous les liens
qui vous empêtraient tous les deux, qui vous maintenaient éloignés l'un de l'autre si douloureusement.

Dans la nuit, un crissement de freins sur la place
du Panthéon vous a réveillé, et après avoir allumé la
lampe à votre droite, montée sur bougeoir Empire,

vous avez considéré la malheureuse Henriette dormant sur l'autre bord du lit, ses cheveux déjà un peu gris étalés sur le traversin, la bouche entrouverte, séparée de vous par une infranchissable rivière de lin.

Au-delà de la fenêtre, entre la jeune femme et l'ecclésiastique, se succèdent des pylônes de haute tension le long d'une route où roule un énorme camion d'essence à remorque, s'approchant de la voie qui fait un virage serré au-dessus des champs après un pont sous lequel il s'engage. L'homme qui est en face de vous le voit peut-être maintenant de l'autre côté du corridor où se succèdent pour vos yeux d'autres pylônes de haute tension sur des vallonnements de plus en plus prononcés.

Miroirs opaques sous la nuit seront les vitres supérieures à la Stazione Termini quand, après avoir cheminé sur le quai, valise en main, sous la fine voûte de béton, entre les piliers quadrangulaires de marbre noir poli, parmi la foule encore ensommeillée mais se hâtant en désordre vers la sortie, vous donnerez à l'employé italien une partie de ce billet acheté ce matin gare de Lyon, qui se trouve maintenant plié en deux, rangé dans votre portefeuille à côté de vos cartes d'identité, de famille nombreuse et des autres, à l'intérieur de votre veston dans la poche gauche ; et dans la salle des Pas perdus où seront fermées librairies et autres boutiques, vous apercevrez à travers les immenses pans de verre et cette autre salle fantôme qui s'y réfléchira non point les thermes de Dioclétien obscurs de l'autre côté de la place, mais les lumières des réverbères, les étincelles bleues des trams, et quelques phares au ras du sol.

Une fois que vous aurez pris votre *espresso* dans le bar qui lui, s'il n'est déjà ouvert, s'ouvrira à peu

42

près à ce moment-là, que vous serez descendu à l'Albergo Diurno au sous-sol pour vous y baigner, vous y raser, vous y changer, que vous serez remonté et que vous aurez, alors seulement, déposé votre valise à la consigne, commencera timidement à transparaître, à poindre, le crépuscule de l'aube ; mais ce n'est que vers six heures et demie ou même sept heures que le soleil se lèvera vraiment, révélant dans le gris et l'ocre toutes les façades et toutes les ruines autour de la place, comme vous boirez lentement, les mains libres et l'esprit libre, un *caffè-latte* mousseux, bien confortablement assis devant le spectacle, afin de vous installer nettement, de prendre tranquillement pied et assise dans cette nouvelle journée, lisant les quotidiens que vous viendrez d'acheter au moment même où le cycliste les aura livrés, tandis que la lumière augmentera peu à peu ; et lorsque vous quitterez la gare à l'aurore, la ville paraissant dans toute sa rougeur profonde, le sang ancien suant de toutes ses briques, teignant toute sa poussière, sous le ciel qui sera clair et beau vous n'en doutez pas, comme il vous restera encore près de deux heures à flâner avant que soit venu le temps opportun pour surprendre Cécile au bas de sa maison, qui ne se doutera de rien, qui se hâtera, comme tous les matins de semaine, vers l'ambassade, vous vous enfoncerez tout à loisir dans cet air splendide romain qui sera comme le printemps retrouvé après l'automne parisien, à pied, sans rien vous contraignant, sans rien vous empêchant d'explorer les détours, si longs, si anguleux, si fantasques soient-ils, qui vous séduiront.

Mais en gros votre itinéraire, comme à l'habitude, vous mènera d'abord place de l'Esedra, dont vous vous demandez si la fontaine mil neuf cent fonctionnera déjà à cette heure, si seront aspergées ou sèches ses lascives femmes de bronze ridicules et exquises, avec cette différence pourtant que cette fois-ci, piéton, vous pourrez passer sous les arcades, puis par la via Nazionale où les magasins commenceront à s'ouvrir et les motos à démarrer avec toute leur odieuse pétulance ; seulement, au lieu de vous y arrêter demain, au lieu d'y entrer, de vous y installer, d'y déposer votre valise, vous ne ferez que passer rapidement, sur l'autre trottoir, devant l'hôtel Quirinal endormi, à moins que justement à cet endroit, ce qui serait d'une prudence minutieuse un peu risible, vous n'empruntiez quelque rue parallèle, vous cachant de son portier au lieu de vous en faire accueillir, aider et saluer obséquieusement, vous poursuivrez votre descente vers le monument à Victor-Emmanuel, saluant le tunnel au passage, vous laisserez le Corso déjà encombré à votre droite, vous longerez le palais de Venise, vous dépasserez le Gesù, puis vous continuerez jusqu'à Sant'Andrea della Valle ; ou plutôt non, car il sera forcément trop tôt encore malgré tous les zigzags, toutes les boucles et les arrêts dont vous aurez su broder, agrémenter, accompagner et commenter ce trajet dont les tronçons vous semblent souvent si longs et souvent si fastidieux lorsque vous les parcourez en taxi, ou en sens inverse la nuit lorsque vous revenez à pied depuis la chambre de Cécile jusqu'à l'hôtel, mais qui demain sera trop court malgré toute votre lenteur, fatigué par la nuit de train ; non, il vous faudra vous promener plus que cela, mieux que cela, mieux profiter de cette heure rare ici pour vous, de cet éclairage nouveau qu'elle vous réserve, de ce prélude à ces trois jours avant-coureurs du temps futur, ne pas continuer ainsi tout de suite, même pas arriver jusqu'à la place du Gesù, mais au contraire contourner le Capitole et redescendre jusqu'au Tibre, puis rejoindre le Largo Argentia avec sa tour médiévale et dans une ample fosse au milieu, surpeuplée de chats faméliques, ses quatre temples en ruines d'époque républicaine, par cette grande artère dont le nom vous échappe, qui débouche sur le ponte Garibaldi et que vous empruntez lorsque vous allez dîner dans une *pizzeria* du Trastevere, ou encore...

Elle ne sortira pas de chez elle avant neuf heures, mais vous vous posterez bien plus tôt que cela via Monte della Farina, à l'angle de la via dei Barbieri, juste en face de sa haute maison avec l'image obscurcie de saint Antoine de Padoue au-dessus de la porte et les plaques rouillées de deux compagnies d'assurances, pour guetter l'ouverture de ses persiennes au quatrième étage, tout en fumant l'un des cigares qu'il ne faut pas oublier d'acheter la prochaine fois que vous irez au wagon-restaurant.

De l'autre côté du corridor, entre une grange et un bosquet près d'une mare, débouche un motocycliste qui vire à sa droite, puis est masqué soudain par un grand autocar bleu au toit couvert de bagages, vire à gauche vers une maison de garde-barrière que le train dépasse comme le car bientôt, tandis qu'au loin apparaît un village avec son clocher et son château d'eau. Les deux jeunes époux regardent à la fenêtre, leurs deux têtes serrées l'une contre l'autre, tremblant ensemble. Passe la gare de Joigny, tout le bourg reflété dans l'Yonne.

Vous revenez à votre indicateur que vous refermez, et comme vous examinez sur la couverture bleu clair la carte schématique de la région sud-est où seules les côtes méditérranéennes et les frontières sont indiquées d'un trait léger pour aider à la recherche des villes situées approximativement, jointes d'épaisses ou minces lignes droites, tel un réseau de craquelures, telle l'armature de plomb d'un vitrail au sujet perdu, l'homme qui est en face de vous se lève, son imperméable encore boutonné jusqu'au col, avec la ceinture encore serrée, non qu'il doive descendre au prochain arrêt, à cet obligatoire premier arrêt pour tous les grands trains, dont l'importance, dont l'existence est toute ferroviaire, Laroche-Migennes, puisqu'il laisse son parapluie et son chapeau sur l'étagère, sa valise tendue d'écossais vert et bleu sur le filet, mais simplement sans doute parce qu'il veut aller au bout du couloir, ignorant que l'on arrive bientôt à cette gare et qu'il est interdit de se servir de ces commodités pendant l'arrêt, défense il est vrai inscrite en ce wagon seulement en français et en italien, deux langues qu'il ne lit vraisemblablement qu'assez mal avec ce dédain qu'ils ont pour les continentaux, de telle sorte que cela ne le gênera guère.

Mais il doit y avoir exactement la même réglementation dans son pays, en Angleterre, et d'où avez-vous pris qu'il ne sait lire ni le français ni l'italien, qu'il n'est pas comme vous un habitué de cette ligne, et même, mieux que vous, un habitué de ce train-ci, bien plus, d'où savez-vous qu'il est anglais, cet homme dont tout ce que vous avez le droit de dire pour l'instant c'est qu'il a l'apparence d'un Anglais, qu'il a le teint, les vêtements et le bagage d'un Anglais, qui n'a pas prononcé un seul mot, qui tente en vain de refermer la porte derrière lui ?

Le train s'arrête et tout le monde en même temps lève les yeux, laissant sa lecture dans l'immobilité soudaine et le silence.

Dans le corridor, vous voyez de dos celui qui vient de sortir baisser la vitre, pencher la tête à l'extérieur pour voir, comme s'il y avait quelque chose d'autre à voir ici que cet écriteau de fer émaillé blanc taché de rouille autour de la vis qui l'attache à son poteau, avec le nom Laroche-Migennes en rouge, et ce ciel gris rayé de caténaires noires, le sol noir rayé de rails luisants, des wagons de bois, des maisons petites et vieilles.

Alors une bouffée d'air frais entre dans le compartiment et l'on entend la voix rauque d'un haut-parleur qui profère des syllabes méconnaissables mais dont la fin doit tendre à former quelque chose comme « train sans arrêt jusqu'à Dijon ».

L'ecclésiastique à votre gauche tapote avec ses ongles sur le cuir noir de son bréviaire refermé ; celui que vous nommez le professeur enlève ses lunettes et en frotte les verres ronds avec une peau de chamois ; celui que vous nommez le représentant de commerce s'est remis à ses mots croisés ; et dans le corridor, celui que vous nommez l'Anglais prend dans la poche de son imperméable de cuir un étui de Churchman's, en tire la dernière cigarette, et le jette sur la voie, puis referme lentement la vitre, se retourne vers vous, craque une allumette, commence à fumer, va chercher dans la poche de son veston à carreaux le *Manchester Guardian* qu'il commence à lire, qu'il replie, se met à marcher, disparaît.

L'envie vous prend de l'imiter ; vous vous levez, glissez l'indicateur sous le couvercle de votre valise restée ouverte ; vous attrapez votre manteau, fouillez dans sa poche gauche, sous cette écharpe, afin d'en extraire le roman que vous aviez acheté gare de Lyon juste avant le départ et que vous déposez sur la banquette à l'endroit que vous venez de quitter, et le paquet de cigarettes intact dont vous déchirez un angle.

Les deux hommes de chaque côté de la porte ont allongé leurs jambes qui s'entrecroisent ; vous vous excusez de les déranger et vous sortez.

III

Vous reprenez la place que vient de quitter le représentant de commerce parce qu'il a reconnu dans le corridor une de ses relations au moment où dans le paysage bourguignon qui court à votre rencontre se dessinait la gare des Laumes-Alésia avec son dépôt de vieilles locomotives, auprès de cette Alise-Sainte-Reine qu'on ne voit pas et où selon la tradition Jules César a vaincu les Gaulois, sans toucher à côté de vous au roman que vous aviez déposé tout à l'heure comme marque à l'endroit que vous occupiez, et comme l'une des dernières fenêtres à l'avant du wagon est légèrement entrouverte, ce qui fait passer le long de votre nez un filet d'air un peu trop rafraîchissant, désirant l'atténuer vous tirez sur la porte qui cède brusquement et se déplace d'environ vingt centimètres.

Après avoir joué quelques instants avec le couvercle du cendrier vissé au chambranle, vous ressortez de la poche droite de votre veston le paquet de gauloises dont vous n'avez déchiré qu'une des extrémités sans toucher à la bande de papier blanc collée au centre comme un sceau, où manquent déjà deux cigarettes ; vous en prenez une troisième que vous allumez en protégeant votre flamme avec vos deux mains, et dont la fumée vous vient dans les yeux, vous force à les cligner deux ou trois fois, puis, après avoir regardé votre montre, vu qu'il était dix heures et quart, que vous étiez donc parti depuis un peu plus de deux heures, qu'il vous restait donc encore presque une heure avant le prochain arrêt à Dijon à onze heures douze, vous en faites tomber la cendre, et comme vous recommencez à aspirer par ce petit tuyau de papier blanc rempli de brins de feuilles séches, vous voyez deux points rouges s'allumer, tremblants, dans les verres myopes de l'homme en face de vous, non plus l'Anglais maintenant, mais de nouveau son voisin le professeur, penché sur son gros livre aux pages jaunies, deux points rouges augmentant d'intensité puis s'atténuant à chacune de vos bouffées, à côté de la partie de la petite image déformée des trois carreaux et de l'entrebaillement de la porte, avec un paysage courbe qui y défile, sous son front déjà très dégarni avec trois sillons bien marqués.

Il fait effort pour garder les yeux fixés sur les lignes agitées par le mouvement du wagon, pour aller vite dans sa lecture mais sans rien laisser échapper d'important, un crayon dans sa main droite, marquant de temps en temps une croix dans la marge, parce que ce texte doit lui servir à préparer quelque chose, un cours sans doute qui n'est pas prêt et qu'il doit donner cet après-midi, un cours de droit probablement puisque, si le titre courant danse trop pour que vous puissiez le déchiffrer à l'envers, vous êtes pourtant capable d'identifier les trois premières lettres L, E, G, du premier mot qui doit être « législation », vraisemblablement à Dijon puisqu'il n'y a pas d'autre université sur la ligne avant la frontière.

Il porte une alliance à son doigt effilé et agité ; il doit venir faire ses cours deux ou trois fois par semaine, une seule fois peut-être s'il s'est bien débrouillé, s'il a un pied-à-terre là-bas ou un hôtel assez bon marché qui lui convienne, parce qu'il ne doit pas être royalement payé, et laisser sa femme à

Paris où il habite comme la plupart de ses collègues, avec ses enfants, s'il a des enfants, qui sont obligés d'y rester à cause de leurs études, non qu'il manque d'excellents lycées dans cette ville, mais parce qu'ils ont déjà peut-être leur baccalauréat, l'aînée du moins, ou l'aîné (c'est une réaction très sotte, c'est entendu, mais il est sûr que vous auriez préféré que votre premier-né fût un garçon), car, s'il est certainement plus jeune que vous de quelques années, il s'est peut-être marié plus tôt et ses enfants, mieux suivis, n'auront pas eu de difficultés à faire des études plus brillantes que Madeleine, par exemple, qui n'en est qu'à sa première à dix-sept ans.

Il tourne la page avec fébrilité ; il revient en arrière ; il n'a pas la conscience tranquille ; il doit se reprocher d'avoir reculé jusqu'à ces dernières minutes un travail qu'il aurait dû terminer depuis longtemps en toute tranquillité ; ou bien une difficulté soudaine a-t-elle surgi et s'est-il trouvé brusquement obligé de reprendre complètement tout ce qu'il avait en effet préparé, cette leçon dont il croyait ne plus avoir à s'occuper depuis l'obtention de son poste ? Il y a une distinction véritable chez lui, et, on le sent, de l'honnêteté.

Bien loin que son traitement lui permette une escapade à Rome comme celle que vous êtes en train de réaliser, il est probable qu'il aimerait, s'il en avait les moyens, si le fait d'éviter à tout prix les dépenses superflues dans les vêtements n'était pas déjà devenu chez lui une seconde nature, en porter d'autres que ceux-ci, presque râpés, et qui même lorsqu'ils étaient neufs ne devaient pas avoir la moindre prétention à l'élégance, un autre manteau que ce pardessus peut-être déjà légendaire à la faculté, noir à gros boutons, qu'il a conservé, seul dans ce compartiment à ne pas s'être mis à l'aise, non qu'il ait moins chaud que les autres, mais parce qu'il n'y fait pas attention, tellement absorbé dans son problème ; son visage si pâle tout à l'heure est légèrement congestionné, et à travers les reflets de ses verres vous voyez ses yeux clignoter nerveusement.

Sans même de quoi se payer une voiture évidemment (et si lui-même n'en souffre pas directement, n'y pense pas, car il doit être aussi discret que scrupuleux, cela doit manquer à sa femme et à ses enfants), comment peut-on donc vivre ainsi, professeur de droit ? Mais bien plutôt comment peut-on être directeur de la branche française de la maison Scabelli ? Car il est vrai que vous gagnez beaucoup plus d'argent que lui, que vous avez une voiture, que vous pouvez vous permettre quelque fantaisie, que vous êtes très bien habillé, votre femme aussi, quand elle veut, enfin qu'elle pourrait l'être si elle le voulait, mais si ce qu'il fait ne vous intéresserait pas, il est sûr néanmoins que, lui, cela l'intéresse et qu'il a choisi ce métier avec sa demi-pauvreté à cause de cela, tandis que vous, avant d'entrer chez Scabelli, il est bien clair que vous vous moquiez éperdument des machines à écrire et de leur vente ; et puis il y a les fameuses vacances, tandis que votre temps à vous est à peu près entièrement dévoré par votre office, même quand vous quittez Paris pour une autre région que Rome.

Il est entendu que ce sont de bonnes machines, tout aussi bonnes que les autres, de très beaux objets qui fonctionnent bien, mais cela est tout à fait en dehors de votre département, de vos attributions et de vos soucis, car vous ne vous occupez nullement de la production, il s'agit simplement pour vous d'obtenir que les gens achètent une Scabelli au lieu d'une Olivetti ou d'une Hermès, et cela sans raison véritable naturellement, jeu assez amusant parfois, jeu harassant, jeu qui ne vous laisse pas de répit, jeu qui rapporte, jeu qui pourrait vous anéantir entièrement, tel un vice, mais qui ne l'a pas fait puisqu'aujourd'hui vous êtes libre, puisque vous allez rejoindre votre liberté qui s'appelle Cécile ; et ce serait sans doute vous qui seriez à plaindre plutôt que lui malgré votre aisance matérielle et sa gêne trop évidente, puisqu'il fait ce qui l'intéresse, puisqu'il a axé sa vie sur ce qui lui plaît, si vous n'aviez ce superbe amour, preuve de votre indépendance, preuve que vous avez réussi, vous, sur les deux tableaux, puisque d'une part vous avez à peu près assez d'argent, et que d'autre part vous avez conservé suffisamment de jeunesse d'esprit pour pouvoir maintenant l'utiliser aux fins d'une merveilleuse aventure.

Vous n'avez pas tout à fait assez d'argent, vous n'avez pas assez de liberté en face de l'argent, sinon vous seriez en première et cela serait encore mieux, mais on peut considérer les choses d'une autre façon et dire que justement cet inconfort de la troisième classe, vous ne l'avez nullement craint, que vous avez gardé suffisamment d'esprit sportif pour ne pas même faire entrer en ligne de compte un inconvénient aussi léger. Vous vous sentez maintenant au plus haut point éveillé, vivant, et vainqueur.

Votre cigarette vous brûle les doigts ; elle s'est consumée seule. Le jeune marié se lève, pose son Guide bleu et son Assimil italien à sa place, s'excuse de vous déranger, sort, disparaît derrière vous.

La cendre qui s'est effondrée sur votre pantalon, vous la faites tomber sur le sol métallique décoré de losanges près des chaussures du professeur qui a refermé son livre et se lève lui aussi, mais seulement pour enlever son manteau noir qu'il pose en tas sur le filet entre sa serviette bourrée de paperasses et la valise tendue d'écossais vert et bleu, reprend sa recherche en hâte.

Vous écrasez votre mégot dans le cendrier. Une main frappe avec un objet métallique sur le carreau, la main du contrôleur avec sa pince poinçonneuse, et vous cherchez à l'intérieur de votre veston votre portefeuille, non point le noir que les enfants vous ont donné mercredi pour votre anniversaire et que vous avez laissé dans son étui sur une planche de l'armoire à glace de votre chambre, mais le vieux rouge, avec votre passeport qui sera périmé dans un mois et qu'il vous faudra donc faire renouveler par Marnal avant votre prochain voyage à Rome pour l'assemblée de fin d'année, cinq billets de mille francs pliés en deux et dans une des poches deux de dix mille, c'est-à-dire plus que les vingt mille auxquels vous avez droit en principe au passage de la frontière, même soustraction faite de ce que coûtera le déjeuner au wagon-restaurant, mais quand bien même on vérifierait par extraordinaire cette fois (cela ne vous est jamais arrivé), on n'ira pas vous chicaner pour une somme aussi minime (et si jamais on soulevait la moindre difficulté vous abandonneriez aussitôt la différence incriminée), votre carte d'identité assez sale, avec cette vieille photographie où vous êtes méconnaissable, quelques milliers de lires, trois tickets du métro parisien, un carnet d'autobus entamé (c'est l'ecclésiastique maintenant qui tend le petit rectangle de carton et qui le remet entre la page de garde et la couverture de son bréviaire une fois la vérification effectuée), trois timbres italiens, votre carte de famille nombreuse, un instantané de Cécile et de vous pris sur le Corso, votre carte de société des Amis du Louvre que vous avez oublié de renouveler, celle de la société Dante Alighieri, votre billet enfin que vous tendez, qui est percé, que vous rangez.

Le contrôleur en sortant du compartiment rencontre le jeune marié qui s'apprêtait à y rentrer, qui se trouble légèrement, fait un signe à sa femme, cherche dans une poche puis l'autre, trouve enfin, se libère, s'excuse auprès de vous.

Elle referme son journal, le pose à côté d'elle, recouvrant ainsi le Guide bleu et l'Assimil italien, ramène une mèche de ses cheveux, prend son sac et se lève, croise son époux entre les banquettes, vous sourit tandis que son bas de soie frotte contre votre pantalon et que lui s'assied à la place qu'elle vient de quitter, près de la fenêtre, en face de l'ecclésiastique.

Le contrôleur vient de quitter le compartiment d'à côté, frappe avec sa pince poinçonneuse au carreau du suivant.

Le professeur ferme son livre, l'air satisfait, devant estimer que cela suffit, que son cours est prêt, qu'il se débrouillera, puis range son crayon dans sa poche juste au-dessous de son revers, près de son stylo, devant le mouchoir dont il s'est manifestement déjà servi, se frotte les mains, se passe les doigts derrière les oreilles, puis entre les lunettes et les yeux, se lève, prend sa serviette sur le filet, y range son livre couvert de toile noire, marqué de papiers déchirés, sort lui aussi, sifflotant quelque chanson dont vous n'entendez rien mais dont vous pouvez suivre le rythme par le mouvement des lèvres, et qu'il scande avec le dos de sa main sur ce qu'il rencontre, deux fois sur le carreau à votre droite avant de disparaître, presque immédiatement remplacé par la jeune femme qui avant même d'entrer dans le compartiment s'aperçoit que son mari lui a pris son journal, le feuilletant avec ironie, les coins de ses lèvres se relevant et s'abaissant avec régularité selon le même rythme que tout le wagon, sans doute parce qu'il en est au courrier du cœur, puis, s'approchant, lui dit railleuse : « Ah, tu vois bien que cela t'intéresse, toi aussi », premières paroles, à part d'assez nombreuses formules de politesse, prononcées à voix vraiment haute depuis le départ dans cette salle d'attente mobile, ce qui lui fait hausser les épaules avec gentillesse.

Passe la gare de Darcey. Assez loin dans le corridor, le contrôleur sort d'un compartiment pour aller dans le suivant qui doit être le dernier, puis vient une jeune fille à peu près du même âge que Madeleine, suivie à quelque distance par ce représentant de commerce qui était tout à l'heure en ce coin que vous aviez choisi au départ de Paris et que vous avez réussi à reprendre. Les deux jeunes époux sont de nouveau assis l'un près de l'autre, mais leurs positions se sont inversées, lui étant près de la fenêtre et elle à côté de l'Anglais. De l'autre côté du corridor passe un long train de marchandises avec des wagons frigorifiques en bois peint de blanc sale, marqués de grandes lettres noires.

Pourvu qu'à Rome il fasse beau, « *hic ver assiduum* », pourvu que vous puissiez demain matin, sans avoir besoin de vous protéger d'une de ces virulentes averses automnales romaines dans une porte cochère voisine, ce qui risquerait de vous empêcher de rencontrer, d'apercevoir ou même de rattraper Cécile au moment où elle s'enfuirait en courant dans son imperméable transparent vers l'ambassade, l'attendre tranquillement à l'air libre, reposé, restauré, après cette nuit qui ne sera évidemment pas agréable, fumant un des cigares que vous aurez achetés tout à l'heure au wagon-restaurant, votre manteau sous le bras, à l'ombre, mais tout réjoui du soleil dorant le sommet des maisons, à l'angle de la via dei Barbieri, en face du cinquante-six via Monte della Farina, qui sera votre adresse secrète pour deux nuits.

Les persiennes du quatrième étage seront encore fermées lorsque commencera votre guet, parce que, vous connaissez bien votre impatience, vous ne réussirez pas, malgré vos détours, à rejoindre votre poste d'observation après huit heures, et il vous faudra très longtemps patienter, tuer le temps en étudiant cette façade et ses lézardes, les visages des premières gens qui passeront, avant qu'enfin sa fenêtre s'ouvre, mais alors peut-être la verrez-vous apparaître, se pencher au-dehors suivant des yeux le virage d'une bruyante motocyclette, ses cheveux très noirs, ses cheveux d'Italienne, bien qu'elle soit de père français, encore décoiffés, qu'elle rejettera derrière ses épaules d'un mouvement de sa tête, et sans doute en ce cas c'est à ce moment qu'elle percevra votre silhouette, mais ignorant tout de votre venue elle ne vous reconnaîtra pas, trouvant tout au plus à ce flâneur la considérant avec tant d'insistance quelque ressemblance avec vous.

Ainsi vous la contemplerez en quelque sorte en votre absence, puis elle disparaîtra dans l'obscur intérieur de sa grande et haute chambre de vieille maison romaine qu'elle a si bien su aménager avec ce divan dans le coin suffisant pour vous deux et ces fleurs qu'elle renouvelle avec tant de soin, tant de variété, près de ces deux autres chambres louées le printemps ou l'été à des touristes, qui seront vides pour le moment et dont l'une sera officiellement votre logement pour ces deux nuits, assez bien séparées du reste de l'appartement où se tient la propriétaire avec sa famille, Mme da Ponte, comme le librettiste de Mozart ou le peintre de Bassano, de l'autre côté de la petite entrée très noire qui donne directement par une porte vitrée sur l'immense cuisine.

C'est donc à la porte, au-dessus du saint Antoine

presque invisible derrière sa vitre poussiéreuse, que vous guetterez son apparition, après cela, avec, vous l'espérez, sur les épaules, c'est ainsi qu'elle serait la plus belle, ce grand châle blanc que vous lui avez offert, et sa robe à plis et ramages violets et sang, ou bien, s'il fait trop frais, son tailleur de velours à côtes vert un peu plus foncé que l'émeraude, ses cheveux noirs tressés et enroulés au-dessus de son front avec deux ou trois épingles à tête de verre irisé pour les tenir, ses lèvres peintes, ses sourcils terminés au crayon bleu, mais sans rien sur le reste de son visage, rien que cette admirable peau.

Elle tournera immédiatement à sa gauche vers Sant'Andréa della Valle, c'est le chemin dont elle a l'habitude, qu'elle préfère bien qu'il ne soit pas le plus court, mais cette fois elle ne pourra manquer de vous voir, d'autant plus que vous lui ferez signe, que vous l'appellerez au besoin, que vous vous précipiteriez vers elle si cela ne suffisait pas, de s'arrêter, n'en croyant pas ses yeux.

Alors l'agitation sur ses traits sera comme le vent bouleversant une touffe de glaïeuls.

Vous vous mettrez à rire. Vous lui direz seulement que vous êtes là jusqu'à lundi soir, rien de plus, il faut graduer la surprise, en exprimer toute la jouissance, la lui faire savourer goutte à goutte sans qu'elle puisse en manquer un des éléments ; vous lui ferez changer de chemin, l'amenant prendre son café sur le Largo Argentina, malgré ses protestations, sa crainte d'arriver en retard à l'ambassade, ce qui n'aura plus d'importance, la rassurant et l'embrassant, puis l'accompagnant en taxi (il doit bien s'en trouver à cette heure-là, cherchant des clients, sur le corso Vittorio-Emmanuele), geste de pur faste puisque la distance est trop petite pour que le gain de temps soit appréciable, jusqu'à la place du palais

Farnèse, où vous lui promettrez en la quittant de venir la chercher à une heure de l'après-midi.

Tout le reste de la matinée vous serez seul, pas encore installé, votre valise toujours à la consigne, un touriste à Rome, et vous profiterez de cette liberté, de cette vacance pour aller voir un musée où vous n'êtes plus entré depuis des années, depuis que vous connaissez Cécile en tous les cas, un des rares lieux de cette ville, à part les bureaux de Scabelli et de tous ceux qui peuvent être liés à cette affaire, où vous ne soyez jamais allé avec elle, pour la raison d'abord qu'il n'est ouvert que le matin de dix à deux heures et qu'il est fermé toute la journée du dimanche, le Vatican.

Jamais non plus vous n'êtes allés ensemble à Saint-Pierre, parce qu'elle déteste les papes et les prêtres autant que vous, d'une façon bien plus virulente et voyante que vous (c'est une des raisons pour lesquelles vous l'aimez tant), ce qui ne l'empêche nullement de goûter au plus haut point les fontaines, coupoles et façades baroques, et certes vous n'avez nulle envie vous-même de retourner demain matin à l'intérieur de ce gigantesque échec architectural, de cet immense et richissime aveu d'indigence.

Ce qu'il vous faudra en premier lieu, parce que les quelques milliers de lires que vous avez sur vous, une fois payé le dîner de ce soir au wagon-restaurant italien, seront déjà presque épuisés, c'est aller retirer de l'argent sur votre compte dans la succursale du Banco di Roma sur le Corso en face du palais Doria, puis vous prendrez l'autobus jusqu'à la place du Risorgimento, et comme il vous restera encore un assez long trajet à faire à pied en longeant les impressionnants remparts, il sera bien dix heures quand vous arriverez à l'entrée, qui sera donc ouverte.

Vous traverserez rapidement ces interminables corridors où sont alignés si stupidement des statues antiques razziées un peu partout, sans la moindre considération de qualité et d'époque, cet entassement de médiocrités où brille parfois un chef-d'œuvre auquel on a rajouté une tête parfaitement sotte, un bras, des pieds imbéciles qui lui enlèvent toute dignité (ne se trouvera-t-il donc pas à l'intérieur de cette cité depuis si longtemps pourrissante quelqu'un pour protester contre le scandale de ce désordre et de ce mensonge ?) ; vous irez jeter un coup d'œil aux Stances, vous vous arrêterez un certain temps à la Sixtine, puis vous reviendrez tranquillement par les appartements Borgia.

A une heure, sur la place du palais Farnèse, cette fois Cécile en sortant vous cherchera du regard, et c'est pendant le déjeuner, au restaurant Tre Scalini, par exemple, piazza Navona, l'ancien cirque de Claude, tout en admirant la coupole et les clochers elliptiques de Borromini, s'étirant emportés par le mouvement général de cette aire allongée, l'eau jaillissant de la fontaine des quatre grands fleuves, le Danube, le Nil, le Gange au nez camus se renversant de stupeur, et le Rio de la Plata dont on ne peut voir le visage, qui se dégage à peine des voiles qui l'enveloppaient, ces quatre géants de pierre blanche tournant comme en spirale avec leurs gestes autour de ce rocher qui soutient l'obélisque de granit rose, tout en enroulant vos tagliatelle sur votre fourchette, que vous lui expliquerez les raisons de votre voyage, que cette fois vous n'êtes pas venu pour Scabelli, mais uniquement pour elle, que vous lui avez trouvé une situation à Paris, que vous n'êtes pas descendu à l'Albergo Quirinale, mais que vous habiterez entièrement avec elle, ce pourquoi il vous faudra d'abord, au début de l'après-midi, aller vous entendre avec Mme da Ponte, puis retirer votre valise de la consi-

59

gne, avant de pouvoir tous les deux, toute hâte éloignée, vous tenant par la taille comme des jeunes gens, jouir de l'espace romain, de ses ruines et de ses arbres, des rues qui vous seront toutes permises, même le Corso et la piazza Colonna, puisque la boîte à ce moment sera fermée, à l'exception toutefois de la via Vittorio Veneto, aux environs surtout du café de Paris où le signor Ettore Scabelli a coutume de passer des heures.

Quand le soleil se couchera, vous rentrerez via Monte della Farina pour chercher vos manteaux, et il est probable que ce dont Cécile aura envie, ce sera d'aller dîner dans une *pizzeria* du quartier, étudiant en chemin les programmes des cinémas mais seulement pour le lendemain soir, parce que demain vous sentirez retomber sur vous la fatigue de la nuit précédente inconfortable et troublée, la fatigue de la nuit prochaine, et que vous vous mettrez au lit de très bonne heure dans sa chambre pour n'en ressortir cette fois que le matin.

De l'autre côté du corridor, les nuages n'ont pas l'air de vouloir se lever. L'Anglais croise un genou sur l'autre. Au-delà de la fenêtre vibre une lente houle de coteaux couverts de vigne sans feuilles.

Avant de connaître Cécile, vous aviez beau en avoir visité les principaux monuments, en apprécier le climat, vous n'aviez point cet amour pour Rome ; c'est avec elle seulement que vous avez commencé à l'explorer avec quelque détail, et la passion qu'elle vous inspire colore si bien toutes les rues que, rêvant d'elle auprès d'Henriette, vous rêvez de Rome à Paris.

Ainsi, lundi dernier, comme vous veniez d'arriver par le Rome-express à neuf heures, ayant passé en première classe une nuit certainement bien meilleure que celle qui vous attend cette fois-ci, un peu de soleil matinal donnant au travers des verrières, au lieu de quitter immédiatement la gare de Lyon comme d'habitude, de prendre un taxi et d'aller chez vous, quinze place du Panthéon, pour vous raser et vous baigner avant de descendre jusqu'au garage de la rue de l'Estrapade prendre votre voiture afin de vous rendre à votre bureau, vous avez cherché s'il n'y avait pas dans le grand hall l'équivalent d'un Albergo Diurno, et en effet vous avez trouvé un petit établissement de bains où vous vous êtes nettoyé dans une baignoire à vrai dire d'une propreté douteuse ; puis, comme à vos retours de Rome vous n'êtes pas en général à votre bureau avant dix heures et demie, vous avez profité du temps qui vous restait pour flâner un peu, tel un touriste romain à Paris, comme si c'était Rome votre habitation régulière et que vous ne vinssiez à Paris que de temps en temps, tous les deux mois ou tous les mois à la rigueur, pour vos affaires.

Ayant laissé votre valise à la consigne, vous disant que vous chargeriez Marnal d'aller la chercher pendant la journée, vous êtes allé jusqu'à la Seine, que vous avez traversée par le pont d'Austerlitz, et comme il faisait vraiment assez beau pour un mois de novembre, vous avez déboutonné votre manteau en longeant le Jardin des Plantes, vous êtes passé par l'île Saint-Louis où vous avez pris un café au lait avec des croissants, malgré le thé que vous aviez bu et les biscottes que vous aviez grignotées au wagon-restaurant en guise de petit déjeuner comme à l'habitude, ce qui ne vous suffisait jamais, ce à quoi vous ajoutiez toujours chez vous quelque solide complément, qui devait être préparé lundi dernier à vous attendre comme toutes les autres fois, puis vous avez fait presque le tour de la cité, une main dans la poche de votre manteau, l'autre tenant la serviette, la faisant balancer au rythme d'un air de Monteverdi que vous vous fredonniez à vous-même, et il devait être déjà dix heures quand vous êtes monté en face de Notre-Dame dans le soixante-neuf qui vous a déposé place du Palais-Royal.

Pour prolonger cette impression de ne pas être encore tout à fait rentré, vous avez décidé de déjeuner dehors, mais, comme vous ne vouliez pas donner à Henriette d'inquiétudes inutiles, vous avez téléphoné chez vous, Danton vingt-cinq trente, pour vous entendre dire qu'elle était sortie, que tous les enfants étaient en classe, bien sûr, par Marceline la cuisinière à qui vous avez demandé d'avertir Madame que vous rentreriez seulement le soir.

Une demi-heure plus tard, elle vous a rappelé :

« Je voudrais parler à monsieur Delmont.

— Oui. C'est moi. Comment vas-tu ? Je ne pourrai pas venir à midi. Je suis désolé.

— Tu rentreras dîner, au moins ?

— Evidemment.

— Et demain ?

— Qu'est-ce qu'il y a de spécial demain ?

— Rien du tout ; c'est mercredi qu'est ton anniversaire...

— Mais oui, tu es gentille d'y penser.

— Tu as fait bon voyage ?

— Exactement comme d'habitude.

— A ce soir alors.

— A ce soir. »

De l'autre côté de la rue Danièle-Casanova, dans la première vitrine de l'agence de voyages Durieu, il y avait des affiches invitant à une excursion en Bourgogne : les tuiles vernissées de l'hospice de Beaune, des vignobles en septembre chargés de grappes noires parmi les feuilles tigrées, les tombeaux des ducs à Dijon ; dans la seconde, sur l'avenue de l'Opéra, tout évoquait les sports d'hiver : skis, cordes et grosses chaussures aux lacets rouges, grandes photographies de téléphériques, de champs de neige éblouissants rayés de traces, de champions exécutant des sauts les mains en avant, de chalets aux toits recouverts d'une énorme fourrure blanche, brillante au soleil, pailletée, avec leurs balcons de bois humide, de jeunes filles en pantalon fuseau, au chandail décoré de motifs Jacquard et au col roulé, les images d'une Savoie bien différentes de celle que vous traverserez tout à l'heure encore noire et brumeuse, avec peu de neige malpropre par plaques ; la troisième était consacrée à l'Italie, avec l'intérieur étoilé de la coupole du saint Suaire à Turin, l'escalier du palais Balbi à Gênes, la tour de Pise, un joueur de flûte de Tarquinia, la place Saint-Pierre avec l'obélisque du cirque de Néron transporté là par l'ordre de Sixte-Quint, et les images de nombreuses autres villes pour la plupart inconnues de vous : l'église de Lucques, l'arc de Trajan à Bénévent, le théâtre olympique de Vicence ; la quatrième vous invitait à la Sicile.

Après avoir traversé la rue des Pyramides, laissant doucement brillante à votre droite entre les arcades la cavalière dorée sur fond de nuages tandis que de l'autre côté de l'avenue d'autres agences de voyage répétaient le mot Italie, vous avez tourné à droite sur la place du Théâtre-Français, vous avez attendu que le feu vert devînt rouge, arrêtant le fleuve de machines comme un soudain barrage, pour franchir la rue de Rivoli, vous enfoncer dans les guichets, déboucher de l'autre côté en plein devant ce grand ciel mouvementé et nacré sur les Tuileries. Au moment où vous êtes passé entre les trois mauvaises statues représentant les fils de Caïn cachés dans leur square et l'arc de triomphe du Carrousel, vous avez vu derrière lui et devant celui, lointain, de l'Etoile, se dresser l'aiguille grise de l'obélisque.

Les automobiles étaient parquées, serrées les unes contre les autres comme les livres d'une bibliothèque, et il y avait deux ou trois cars devant l'entrée du pavillon Mollien ; des Américaines bardées d'appareils photographiques, assises sur les bancs de pierre, attendaient leurs guides en feuilletant des plans.

Sans accorder plus d'attention que de coutume aux sarcophages et aux copies en bronze des antiques du Vatican, vous avez monté l'escalier qui mène à la victoire de Samothrace, vous laissant guider par l'humeur, sans avoir clairement dans votre esprit l'idée d'une direction précise ; vous avez enfilé la suite des salles égyptiennes ; vous avez pris le petit escalier en spirale qui monte jusqu'aux salles du dix-huitième siècle.

Votre regard glissait sur les Guardi et les Magnasco de la première, sur les Watteau et les Chardin de la seconde, sur les Anglais et les Fragonard de la troisième ; ce n'est qu'à la dernière que vous vous êtes arrêté, mais ni pour Goya, ni pour David. Ce que vous avez amoureusement détaillé, ce vers quoi vos pas vous avaient mené, ce sont deux grands tableaux d'un peintre de troisième ordre, Pannini, représentant deux collections imaginaires exposées dans de très hautes salles largement ouvertes où des personnages de qualité, ecclésiastiques ou gentilshommes, se promènent parmi les sculptures entre les murs couverts de paysages, en faisant des gestes d'admiration, d'intérêt, de surprise, de perplexité, comme les visiteurs dans la Sixtine, avec ceci de remarquable qu'il n'y a aucune différence de matière sensible entre les objets représentés comme réels et ceux représentés comme peints, comme s'il avait voulu figurer sur ses toiles la réussite de ce pro-

64

jet commun à tant d'artistes de son temps : donner un équivalent absolu de la réalité, le chapiteau peint devenant indiscernable du chapiteau réel, à part le cadre qui l'entoure, de même que les grands architectes illusionnistes du baroque romain peignent dans l'espace et donnent à imaginer, grâce à leurs merveilleux systèmes de signes, leurs agrégations de pilastres, et leurs voluptueuses courbes, des monuments rivalisant enfin dans l'effet et le prestige avec les énormes masses réelles des ruines antiques qu'ils avaient perpétuellement sous les yeux et qui les humiliaient, intégrant méthodiquement les détails de leur ornementation comme base même de leur langage.

Et c'est bien cette mise en balance, cet effort pour relever ce qui depuis le seizième siècle était ressenti comme un constant défi jeté par l'ancien Empire à l'actuelle Eglise, que soulignent les deux tableaux symétriques : galeries de vues de la Rome moderne à droite de la fenêtre qui donne sur la cour Carrée, galerie de vues de la Rome antique à sa gauche, où vous vous amusiez à reconnaître le Colisée, la basilique de Maxence, le Panthéon, tels qu'ils étaient encore il y a deux cents ans, à peu près au moment où Piranèse les a gravés, ces trois chapiteaux blancs à peine au-dessus du niveau du sol, qui sont ceux du temple de Mars Ultor sous les traits d'Auguste dans le forum de celui-ci, maintenant très hauts sur leurs magnifiques colonnes, le portique du temple d'Antonin et Faustine avec la façade de l'église que l'on avait construite à l'intérieur et que l'on n'a pas encore démolie, l'arc de triomphe de Constantin et celui de Titus alors tout encastré dans les maisons, les thermes de Caracalla en plein milieu de la campagne, et le mystérieux temple rond, dit de Minerva Medica, que l'on croise en train lorsqu'on arrive à la gare.

Au-delà de la fenêtre parmi les vignes sous, le ciel

qui se charge et noircit, le haut toit d'une église avec ses losanges de tuiles vernissées jaunes surmonte un village bien groupé. Sur le tapis de fer chauffant entre les banquettes, les raies de fer s'entrecroisent comme de minuscules rails dans une station de triage.

Il y a deux ans, un peu plus même, puisque c'était encore en été, à la fin d'août, vous étiez assis dans un compartiment de troisième classe semblable à celui-ci, dans cette place auprès du corridor face à la marche, et en face de vous il y avait Cécile que vous connaissiez à peine, que vous veniez juste de rencontrer dans le wagon-restaurant, revenant de ses vacances.

C'était nettement plus tard que cette heure-ci, c'était en plein après-midi, dans un train qui partait le matin comme celui-ci et qui arrivait à Rome à l'aurore, le même train que celui-ci sans doute, avec quelques différences dans l'horaire, et que vous aviez dû prendre cette fois-là à cause de difficultés qui s'étaient élevées au dernier moment, vous ne savez plus exactement lesquelles, mais naturellement avant le déjeuner vous étiez en première, dans un wagon italien avec des photographies en couleurs de tableaux célèbres, romains peut-être, l'allégorie des deux amours à la villa Borghese par exemple, un des plus souvent reproduits.

Quand vous l'avez vue pour la première fois, vous étiez déjà assis à la table près de la fenêtre pour le second service. Dijon était passé depuis longtemps, Beaune, Mâcon, Chalon et même Bourg ; ce n'était plus les vignobles mais les montagnes.

Elle avait une robe rouge orange décolletée sur sa poitrine brunie, ses cheveux noirs tressés, roulés autour de sa tête, fixés par des épingles à boule d'or, ses lèvres peintes presque en violet.

Le wagon se remplissait peu à peu, mais par

chance vous êtes restés seuls tous les deux à votre table, et, comme il faisait chaud, votre première parole a été pour lui demander si vous pouviez ouvrir la série de petites lamelles de verre en haut de la fenêtre, puis, la voyant sortir de son sac noir un indicateur non point bleu ciel comme le vôtre aujourd'hui, mais plutôt vert tendre comme la peinture sous les filets, alors que vous n'en aviez point, vous l'avez interrogée sur l'heure d'arrivée à Aix-les-Bains.

« Le repas sera fini bien avant que vous y soyez.

— Ce n'est pas là que je m'arrête. Je vais jusqu'à Rome, pas en touriste, hélas, pour mes affaires.

D'abord il n'y avait que quelques mots de politesse, séparés par de longs silences, puis, peu à peu, c'est devenu une conversation continue où il était surtout question du repas, du vin que vous lui faisiez goûter, de ce que l'on mettait dans votre assiette, jusqu'au moment où, lisant sa note, elle s'est aperçue qu'elle n'avait pas gardé suffisamment d'argent français :

« Il acceptera bien des lires.

— Oui, mais à un taux tout à fait désavantageux ; je vais vous en acheter mille au cours de Paris. »

Alors, elle s'est mise à vous parler d'elle, vous apprenant qu'elle aussi allait jusqu'à Rome, qu'elle y travaillait elle aussi, au palais Farnèse, depuis des années, qu'elle aimait beaucoup cette ville, cette vie, cette situation, mais qu'elle s'y trouvait assez seule, et qu'elle quittait Paris où elle venait de passer un mois de vacances, avec évidemment un peu de nostalgie, que sa mère était italienne, qu'elle-même était née à Milan, mais qu'elle était de nationalité française et qu'elle avait terminé ses études pendant la guerre au collège Sévigné.

Une fois les frontières rouvertes, elle était revenue chez ses parents maternels, elle avait épousé un jeune ingénieur de chez Fiat qui était mort, à peine étaient-ils installés à Turin, dans un atroce accident sur l'autostrade, juste deux mois après leur mariage. Elle frissonnait encore d'émotion à ces souvenirs et c'est pour cela qu'elle avait voulu quitter tout ce qui les lui rappelait, qu'elle était descendue vers le Sud.

Presque tous les clients avaient déjà rejoint leur wagon ; les garçons repliaient les nappes ; vous êtes sortis ; vous êtes passés devant votre compartiment de première, mais vous aviez une si grande envie de lui parler de vous à votre tour que vous l'avez accompagnée jusqu'au sien et vous vous y êtes assis en face d'elle. Le train longeait à ce moment le lac lamartinien.

Vous parliez encore au passage de la frontière, et vous vous êtes dirigés ensemble, le soir, vers le wagon-restaurant italien. Ensoleillé, c'était l'immense paysage abrupt du Piémont, les vallées se remplissant d'ombre, mais les toits de bois gris brillant à mi-pente ; la sueur coulait dans votre dos et pourtant vous sentiez que l'air devenait frais. Elle vous écoutait, vous regardait, vous admirait, riait. Le temps passait, la nuit tombait. Il n'y avait plus que trois autres personnes dans son compartiment lorsque vous y êtes retournés : une vieille Italienne en noir, et deux touristes français, le frère et la sœur.

Vous en étiez aux tunnels de Gênes ; vous regardiez les magasins illuminés et les reflets de la lune sur l'eau ; vous ne disiez plus rien ; quelqu'un a demandé qu'on éteignît. Au plafond, il n'est plus resté que la petite ampoule bleue, mais les rideaux étaient encore ouverts sur les fenêtres du corridor. Un instant elle a cru que vous alliez vous en aller, et vous-même vous vous posiez la question, mais comme vous avez bien su le capter, ce regret qu'il y avait sur son visage ! Vous êtes resté assis face à la marche comme maintenant, et elle, en face de vous, à la place où était tout à l'heure le professeur, s'est mise à sourire en renversant la tête vers la gauche, en laissant le sommeil l'envahir sous votre garde, avec des sursauts de temps en temps, et ses mains caressant le chambranle, ouvrant très légèrement la bouche à certains moments pour soupirer, ce qui faisait apparaître l'extrémité de ses dents mordants un peu sur sa lèvre inférieure, se crispant, et puis le mouvement du train la reprenait et la charmait.

Sur le tapis de fer chauffant, vos deux pieds raclent. Au-delà de la fenêtre, cette pluie dont la venue n'était que trop certaine depuis le départ, la voici qui commence tout doucement, en très fines gouttes qui tracent de petites lignes sur la vitre semblables à des centaines de cils.

De l'autre côté, le tableau s'intitule : galeries de vues de la Rome moderne ; le Moïse de Michel-Ange y trône, et dans les cadres toutes les fontaines du Bernin ; des yeux vous vous promeniez de celle des Fleuves, piazza Navona, à celle du Triton, près du palais Barberini, de la place Saint-Pierre aux escaliers de la Trinité des Monts, dans tous ces lieux peuplés pour vous par le visage de Cécile, par l'attention de Cécile à qui vous aviez appris à mieux les aimer, pour qui vous aviez appris à mieux les aimer.

Commençant à avoir faim, vous avez regardé à travers les carreaux, dans l'intérieur de la cour Carrée où il pleuvait, l'horloge sur le pavillon central qui marquait midi et demi.

Vous avez descendu le petit escalier en spirale, enfilé les salles égyptiennes, mais arrivé à la victoire de Samothrace, vous avez tourné à gauche au lieu de poursuivre tout droit immédiatement vers le bas, passant par la salle des Sept mètres, parcourant à pas pressé la grande galerie, vous faufilant parmi les groupes nombreux d'étrangers jusqu'aux Poussin et aux Lorrain, ces deux Français de Rome.

Vous essayez de vous souvenir de l'arrangement de leurs toiles sans parvenir à le reconstituer entièrement ; certes, vous savez bien que sur le mur de droite il y avait le petit tableau représentant le Forum au dix-septième siècle, avec les trois colonnes du temple des Dioscures enfoncées jusqu'à la moitié dans la terre, le Campo vaccino, ce terrain vague, ce marché aux bestiaux qu'était devenue l'épine dorsale de la capitale du monde, qu'il y avait aussi « Ruth et Booz » si semblable à une tapisserie, avec son espace vertical, les gestes des deux personnages se développant dans la toile comme ceux des moissonneurs dans un bas-relief égyptien, et son champ de blé terni par le temps et les vernis, et puis, mais cela sans certitude, c'était peut-être la peste d'Athènes ou l'enlèvement des Sabines, en tout cas un de ces tableaux dont la parenté est telle avec la peinture de Pompéi que l'on a du mal à se rendre à cette évidence que leur auteur n'en a pu rien connaître, qu'il a su simplement, avec un prodigieux pouvoir de divination, en retrouver l'esprit à travers ces médiocres noces aldobrandines dont il a exécuté la curieuse copie qui se trouve au palais Doria ; mais de l'autre côté ? Une bacchanale sûrement, mais en plus ? Ulysse remet Briséis à son père ? Un port de mer au soleil levant ? Le débarquement de Cléopâtre à Tarse ? Tous les trois ?

Vous en contempliez les personnages si naïvement peints qu'ils invitent l'esprit à leur insuffler la vie, de sorte que vous en êtes arrivé à imaginer pour chacun d'eux une histoire, les suivant avant et après la scène représentée, leur geste isolé et fixé au milieu de leurs voyages sur les eaux, dans leurs aventures parmi les

70

rues de ces magnifiques villes marines, parmi les colonnades et les salles, parmi les jardins de grands arbres de ces fastueuses demeures tellement plus justement antiques dans leur fantaisie baignée de la voix de Virgile que les sottes reconstitutions de monuments que continueront à nous imposer, jusqu'à quand ? tant de générations de pions.

Votre estomac, précis comme une horloge, ce qui est, dit-on, l'un des signes de la vieillesse, vous a arraché à ces rêveries, mais là encore, vous auriez pu descendre et sortir beaucoup plus vite que vous ne l'avez fait, vous auriez pu traverser la salle de van Dyck et trouver immédiatement à votre gauche l'escalier qui mène à la sculpture du Moyen Age ; non, vous êtes retourné sur vos pas à travers les groupes s'extasiant, à travers la salle des Sept mètres, près de la victoire de Samothrace, et rapidement, très rapidement, mais vous n'avez pu vous en empêcher, vous avez frôlé du regard les mosaïques d'Antioche, les portraits de dames romaines du temps de Néron et la statue de celui-ci enfant, si grave dans sa toge avec sa figure ronde.

La pluie tombait si drue quand vous êtes passé sur cette terrasse qui marque l'emplacement de l'ancien monument à Gambetta que l'on voyait à peine l'arc de triomphe du Carrousel, et pas du tout, naturellement, l'obélisque.

Il y avait rue de Rivoli la même affluence de voitures qu'une demi-heure auparavant, mais, sur tous les pare-brise maintenant, les essuie-glaces frottaient leur éventail.

Vous avez demandé pour votre déjeuner, rue de Richelieu, dans un restaurant où vous aviez déjà eu plusieurs rendez-vous d'affaires, des spaghetti à la bolognaise, mais ce que l'on vous a apporté méritait-il vraiment ce nom, ou bien était-ce la solitude dans laquelle vous vous êtes senti soudain en les mangeant qui vous a empêché de les goûter, de les apprécier selon leurs mérites véritables ? Quant au café, alors qu'on vous avait assuré avec un sourire qu'il s'agissait d'un express, on vous a apporté quelques minutes plus tard un filtre, un fort bon filtre c'est entendu, mais vous n'avez pas eu le courage d'attendre que la tasse soit pleine pour la boire en payant votre note. Si c'était pour vous nourrir ainsi, dans ces sentiments-là, était-ce vraiment la peine de ne pas rentrer chez vous, de compliquer, d'envenimer encore vos rapports avec Henriette par un inutile mensonge de plus ?

Il vous restait une cigarette dans votre paquet de Nazionali, mais dehors il pleuvait si fort qu'elle s'est éteinte, et vous l'avez jetée sur la chaussée. Il n'était qu'une heure et demie, et vous n'aviez pas la moindre envie d'arriver à votre bureau avec vingt-cinq minutes d'avance, d'autant plus que si vous y aviez été seul vous auriez risqué de vous endormir : quelque habitude que vous ayez des voyages en chemin de fer, même dans les confortables premières, ils vous fatiguent toujours et de plus en plus.

A partir de la prochaine fois, cela ira beaucoup mieux, parce que vous avez déjà posé la question plusieurs fois chez Scabelli et que vous avez fini par obtenir la décision que dorénavant tous vos trajets seraient remboursés en wagons-lits, mais, pour aujourd'hui, vous n'êtes même pas en première classe, et à l'idée de la nuit de quasi-insomnie qui vous attend, vous commencez à regretter cet esprit d'économie, vestige du temps où vous étiez beaucoup moins à l'aise, mais non, vous vous reprenez, ce n'est pas ladrerie si vous avez désiré voyager dans ces conditions cette fois-ci, mais sentimentalité, romantisme, c'est parce que lors de votre première rencon-

72

tre sur ce train il y a deux ans, à la fin d'août, avec Cécile, vous avez quitté votre compartiment pour aller dans le sien qui était comme celui-ci, où vous avez pris en face d'elle la place même que vous occupez maintenant ; c'est parce que tous les trajets que vous avez faits avec elle, vous les avez faits en troisième classe ; mais ici l'économie revient montrer le bout de l'oreille, car c'est vous qui avez payé ses derniers voyages et vous ne vouliez pas que cela vous coûtât trop cher, parce que vous aviez toujours peur de ne pas avoir assez pour votre maison, quinze place du Panthéon, pour votre famille, parce que vous craigniez toujours les questions d'Henriette sur vos comptes. Ah, si vous aviez pu vous arracher plus tôt à ce genre de mesquineries maintenant ridicules étant donné votre réelle aisance, il y a longtemps que vous mèneriez toute l'année avec Cécile cette vie à laquelle vous n'avez goûté que pendant vos rapides passages à Rome.

Donc, comme il fallait tuer cette demi-heure, le mauvais temps vous empêchant de le faire en vous promenant dans les rues, vous avez traversé l'avenue de l'Opéra et vous l'avez remontée sur le trottoir de gauche, refaisant en sens inverse le chemin par lequel tout à l'heure vous étiez venu de votre bureau jusqu'au Louvre, longeant à votre gauche la vitrine du libraire avec ses Guides bleus de Rome et de Paris, longeant celles de l'agence de voyages de votre ami Durieu, qui n'était pas tellement votre ami auparavant, mais à qui vous devez tant de reconnaissance puisque c'est chez lui que va venir travailler Cécile, puisque c'est lui qui vous a fourni la clé de sa venue à Paris, qui vous a délivré sans qu'il s'en doute, sa vitrine sur la Sicile, celle sur l'Italie avec la place Saint-Pierre centrée par l'obélisque du cirque de Néron, un joueur de flûte de Tarquinia, la tour de

Pise, l'escalier du palais Balbi, la coupole étoilée du grand Guarini, celle sur les Alpes, et dans la rue Danièle-Casanova celle sur la Bourgogne, sur cette province que vous traversez en ce moment, approchant de sa capitale gourmande, lieu autrefois d'invention et de rencontre, mais aujourd'hui, depuis la domination parisienne, lieu avant tout de retraite et de jouissance, avec ses photographies en couleurs représentant la cour de l'hospice de Beaune et ses toits de tuiles vernissées dessinant des figures entrecroisées, l'Ange du Jugement dernier de Roger van der Weyden, la Fuite en Egypte de Melchior Broerderlam, en noir le Puits des Prophètes, et les affiches peintes célébrant les grappes de raisin, les vignes et les bouteilles, puis de l'autre côté de la rue, votre propre vitrine avec son allure italienne, la grande inscription Scabelli en lettres noires, non point soulignées de néon mais se détachant la nuit en ombres chinoises sur la grande tache de verre dépoli illuminée au contour sinueux, avec la vitre jusqu'au sol, les murs recouverts de mosaïques, les machines à écrire ou à calculer suspendues par des faisceaux de fils de couleur tendus à divers points, et éclairées chacune par un petit projecteur particulier (bien sûr Olivetti avait déjà fait ce genre de choses avant vous), puis la porte à côté, la vieille porte de l'immeuble, cette entrée que non seulement les membres du personnel mais tous les clients importants doivent prendre pour se rendre à votre bureau à l'étage supérieur, que certes depuis longtemps vous méditiez de faire transformer malgré les hésitations de la direction romaine qui n'avait pas grande envie d'engager de grosses dépenses pour l'aménagement d'un local dont elle ne pouvait se rendre propriétaire, cet escalier étant le seul à desservir tous les étages supérieurs, puis la librairie Brentano's et la compagnie de navigation italienne.

Vous avez pris le boulevard des Capucines jusqu'à la rue Caumartin et vous êtes entré dans le bar Romain, plein le soir, et en particulier le soir de ce même jour, car vous y êtes retourné une seconde fois à la fin de l'après-midi, voulant reculer le plus possible votre arrivée au quinze place du Panthéon, l'heure de revoir Henriette et les enfants, rempli de femmes peintes juchées sur les hauts tabourets, faisant jouer leurs talons aiguille au bout de leurs jambes souvent assez courtaudes, raccrochant leurs petites boucles de strass, tout en tapant du doigt sur leurs longs fume-cigarette, mais à ce moment de la journée à peu près vide, à l'exception de quelques vieux messieurs, le bar Romain « avec son cadre antique », aussi loin que possible des bars actuels de la capitale latine, mais qui aurait bien pu, dans son capiteux mauvais goût, avoir été effectivement installé à Rome à la fin du dix-neuvième siècle, avec ses savoureuses peintures brunâtres représentant des scènes caractéristiques de cette liberté morale fastueuse et brumeuse à la fois, de cette espèce de dévergondage grandiose dont rêvait, comme de sa réalisation ouverte et magnifique, le libertinage étriqué des Parisiens du temps de la « Belle Epoque » délivrée de sa respectabilité bourgeoise, « Messaline dans un vénérium », « L'entrée triomphale de Néron à Rome », etc., avec ses fauteuils capitonnés de velours pourpre et sa collection de pièces de monnaie, mais vous savez bien que, tout romain qu'il fût, ce bar ne pourrait vous vendre ce café *espresso* dont vous aviez envie, et vous avez dû vous contenter de siroter un second filtre en observant du coin de l'œil deux vieux messieurs qui lisaient leur journal en se faisant des confidences à l'oreille, jusqu'au moment où vous vous êtes aperçu qu'il était deux heures moins cinq et qu'il ne vous restait plus que juste assez de temps

75

pour parvenir à votre bureau lors de son ouverture
après avoir fait un détour pour vous acheter des gauloises, et quand vous en êtes sorti le soir, le dernier, à
six heures et demie, fermant à clé, tandis que dans la
nuit une petite pluie fine tombait, s'irisant de toutes
les enseignes, de toutes les vitrines, de tous les phares, de tous les signaux lumineux, vous avez attendu
un certain temps sur le trottoir, hélant tous les taxis
dont aucun n'était libre, votre valise à la main, que
Marnal était allé vous retirer à la consigne dans
l'après-midi, que vous trouviez trop lourde pour la
trimbaler dans les corridors du métro qu'il vous a
bien fallu décider de prendre à la fin, ce pourquoi
vous êtes remonté dans votre repaire, dans votre
poste de commandement où tout était vide et noir,
où à travers les vitres des pièces silencieuses vous
voyiez se mouvoir les ombres et les lueurs humides,
pour la déposer sur votre table, puis, débarrassé,
vous avez fait un détour par le bar Romain qui était
plein cette fois-ci, plein de dames, et d'hommes plus
jeunes qu'à midi, où vous n'êtes resté qu'un quart
d'heure environ, le temps de boire un thé très fort
parce que vous aviez froid, sans crainte, après la nuit
de train, que cela vous empêchât de dormir chez
vous, après quoi vous êtes allé chercher votre métro
à la Madeleine, vous faufilant parmi la foule mouil-
lée et pressée des boulevards, vous avez changé à
Sèvres-Babylone où vous avez pris la direction gare
d'Austerlitz et vous êtes remonté à la surface à
Odéon où la foule des étudiants de toutes races descendait l'escalier,

non que cela fût le chemin le plus direct, parce que
si vous aviez été pressé d'arriver au quinze place du
Panthéon, il aurait mieux valu prendre l'autobus,
mais parce que vous aviez envie de prolonger encore
un peu cet itinéraire romain que vous aviez suivi tout

au long de cette journée à travers la ville de Paris, passant de préférence auprès des monuments qui vous rappelaient ceux de Rome, ceux auxquels la présence de Cécile vous avait tellement aidé à vous intéresser, ces détails romains de Paris qui faisaient resurgir auprès de vous, lorsque vous les considériez, les yeux, la voix, le rire de Cécile, sa jeunesse et sa liberté préservée,

parce que vous aviez envie comme un touriste, à pied, sans vous presser, de suivre le boulevard Saint-Germain, de traverser le boulevard Saint-Michel, puis de tourner à droite et de le remonter sur le trottoir de gauche afin, non point d'examiner longuement (vous n'aviez nulle envie de vous arrêter dans la nuit et dans la pluie ; d'ailleurs qu'y a-t-il à examiner ?) mais de frôler ces murs de briques et de pierres qui subsistent des thermes que connaissait Julien l'Apostat, le seul vestige important de sa « chère Lutèce », ce qui suffit amplement à justifier que son nom y reste attaché.

La place du Panthéon était quasi déserte comme tous les soirs à cette heure-là, mais en général à cette heure-là vous êtes déjà rentré chez vous, et vous y êtes rentré dans votre voiture qui se trouvait encore lundi soir en ce garage de la rue de l'Estrapade où vous êtes allé la remettre hier ; la masse obscure du temple pesant sur elle avec sa coupole invisible, elle vous a semblé immensément longue à traverser, une automobile qui virait dans l'humidité éclairant un instant de ses phares la statue de Jean-Jacques Rousseau.

Quand vous avez appuyé sur l'interrupteur, la porte s'est ouverte avec un petit grésillement, les vitres de la loge à gauche hermétiquement camouflées par des rideaux laissant à peine filtrer une lueur rougeâtre ; vous avez allumé la minuterie, vous avez

77

pris l'ascenseur jusqu'au quatrième où dans le vestibule vous avez vu Henriette arriver en s'essuyant les mains à son tablier gris.

Elle attendait que vous l'embrassiez comme toutes les autres fois, mais vous vous refusiez à prolonger plus longtemps cette comédie, vous avez commencé à déboutonner votre manteau, et c'est alors qu'elle vous a demandé :

« Qu'est-ce que tu as fait de ta valise ?

— Je l'ai laissée au bureau ; je n'ai pas voulu m'en encombrer ce soir sans la voiture ; ça va, ici ?

— Le dîner est prêt dans quelques instants. Tu as passé une bonne journée ?

— Excellente. Bien sûr, je suis un peu fourbu. »

Elle est retournée houspiller Marceline, et vous êtes allé jeter un coup d'œil dans la chambre des garçons qui se sont tous les deux dressés avec leur air coupable et insolent, Henri, cela se voyait bien, qui au moment où il vous avait entendu arriver, était étendu sur son lit en lisant un roman de la Série noire qu'il avait eu juste le temps de cacher imparfaitement sous son oreiller, et Thomas qui essuyait subrepticement ses mains sur sa culotte de velours à côtes avec le geste de sa mère, devant le lavabo plein d'eau avec des petits bateaux de papier aux voiles de couleur qui y sombraient tranquillement, le cendrier sur la grande table, que l'un d'eux a dû voler dans quelque café, débordant de morceaux de papiers brûlés et de mégots, le dictionnaire Gaffiot traînant sur le tapis avec plusieurs autres livres scolaires qui avaient dû servir de projectiles.

Ils étouffaient leurs éclats de rire derrière la porte refermée, puis vous avez trouvé dans la chambre des filles (dans un coin, la voiture de poupée de Jacqueline bourrée de petits habits en désordre, au milieu, sous la lampe, un monceau d'ouvrages de couture inachevés) Madeleine affalée sur la bergère, plongée dans la lecture d'*Elle*.

« Où est ta sœur ?

— Maman l'a envoyée faire ses devoirs dans la salle à manger. »

Ils sont vraiment au mauvais âge, ayant perdu la grâce et le charme des petits que l'on retrouve le soir pour s'amuser avec eux comme avec de merveilleux jouets, trop jeunes encore tous, même Madeleine, pour que vous puissiez leur parler comme à des adultes, comme à des amis ; incapable de suivre leurs études d'assez près à cause de votre situation, de vos soucis, de vos autres préoccupations, vous subissez leur chahut, ce qui vous agace contre eux, ce qui les empêche d'avoir confiance en vous, de telle sorte qu'ils sont devenus pour vous de petits étrangers sauvages, audacieux et complices, qui se doutent fort bien que quelque chose ne va pas entre leur mère et vous, qui vous épient tous les deux, qui s'ils n'en parlent pas entre eux, non, cela vous étonnerait, doivent y réfléchir, qui savent qu'on leur ment, qui n'osent plus venir vous interroger.

Si vous avez hésité si longtemps devant votre amour pour Cécile, c'était à cause d'eux bien sûr, mais la solution n'est évidemment pas de laisser les choses pourrir ainsi lentement ; ce qu'il faut, au contraire, c'est leur montrer bien franchement que ce qu'ils pressentent est la vérité, opération chirurgicale qui les fera souffrir peut-être un peu, mais qui les délivrera de cette infection mentale commençant à les enfiévrer, c'est leur donner l'exemple d'un homme ayant hautement le courage de ses sentiments, ce dont à la longue ils vous sauront gré ; c'est donc à cause d'eux qu'il ne vous faut plus hésiter, qu'il ne vous faut plus vous cacher.

Vous ne les abandonnerez nullement, vous serez

toujours là pour les soutenir, pour veiller à ce qu'ils ne manquent de rien, et surtout, maintenant, ils pourront venir vers vous sans cette espèce de soupçon, sans cette espèce de sourire mauvais ; vos relations avec eux seront purifiées.

Dans votre chambre, vous avez ouvert la fenêtre, considéré la masse noire du Panthéon que vous deviniez dans la pluie au-dessus de quelques phares humides, avec les thermes de Julien, de tous les monuments de Paris celui qui le plus régulièrement ramène votre esprit vers Cécile, et ceci non seulement parce que son nom évoque pour vous tout naturellement celui du temple qu'Agrippa avait dédié aux douze dieux, mais aussi parce que la frise de guirlandes, juste à la hauteur de votre appartement, est parmi tous les efforts de décoration classique une des imitations les plus réussies des plus beaux ornements romains, puis ayant fermé vos persiennes, entrant dans votre cabinet de toilette pour vous laver les mains, et voyant votre tablette vide au-dessous du miroir, vous vous êtes trouvé stupide de n'avoir pas rapporté votre valise, vous demandant comment vous alliez faire pour vous raser le lendemain matin, vos fils étant encore trop jeune pour posséder tous ces ustensiles : blaireau, etc. ; et comme il n'était pas question de vous présenter avec une barbe de vingt-quatre heures devant mesdemoiselles Capdenac, Lambert et Perrin, la seule solution serait d'aller chez un coiffeur après avoir pris votre petit déjeuner.

Sans doute Henriette y avait-elle pensé tout à l'heure, au moment de votre arrivée, car elle a une attention étonnamment aiguisée pour ce genre de détails, mais elle n'avait pas voulu vous le dire, elle avait préféré que vous découvriez la chose tout seul, pour mieux vous rabaisser, pour mieux vous faire sentir que vous aviez besoin d'elle, non point sur le plan de l'amour, il était trop tard, mais sur celui de toutes ces petites questions matérielles. C'était toujours cette même politique pour vous empêcher de faire le saut, pour éviter le scandale aux enfants, toujours cette même politique timorée, mesquine, toujours cette hypocrisie, alors qu'au fond d'elle-même elle la désire autant que vous, cette séparation, mais elle en a peur, elle a peur de la pitié de ses amies, elle a peur de ce que leurs camarades de classe diront aux enfants ; c'est cela qu'elle n'ose pas affronter, aussi fait-elle tout ce qu'elle peut pour retarder l'éclat, espérant qu'au bout d'un certain temps votre passion et votre détermination s'émousseront et que rien ne se passera.

Elle y déploie une ruse de tous les instants, mais, si jamais elle réussissait, qu'en retirerait-elle ? Le triste avantage de vous avoir définitivement vaincu, le morose plaisir des damnés à entraîner quelqu'un d'autre qu'eux dans leur marécage de poix et d'ennui, triomphante, mais de quel misérable triomphe, se retrouvant auprès de vous comme auprès d'un homme incapable de résister à sa guerre d'usure et pour lequel par conséquent elle ne pourrait avoir qu'un mépris bien plus profond encore que celui qu'elle a tant qu'elle lutte.

C'est alors que vous lui seriez insupportable et que son éloignement se changerait en haine, sachant qu'elle vous aurait retenu contre votre gré par votre seule faiblesse, par la contagion de sa peur devant ses stupides compagnes ; ah, ce visage de reproches, comme il se chargerait alors ! Comment pourrait-elle jamais vous pardonner et se pardonner d'avoir définitivement mis à nu votre lâcheté, d'avoir tué en vous tout ce qu'elle aurait encore pu aimer ?

Avec quelle méthode elle s'acharne ainsi, dans une intention qu'il lui est loisible de faire apparaître à

81

autrui comme généreuse, à vous entraîner tous les deux, elle et vous, dans cette irrémédiable perte !

Vous vous êtes installé dans le fauteuil du salon, près de la fenêtre où apparaît si admirablement la frise illuminée du Panthéon, à écouter à la radio quelques extraits de l'Orfeo de Monteverdi ; vous n'aviez allumé que le lampadaire de fer noir ; au travers des portes vitrées vous pouviez apercevoir Marceline qui mettait le couvert dans la salle à manger ; vous considériez les deux grandes eaux-fortes de Piranèse sur le mur en face de vous, une des prisons et une des constructions ; dans votre petite bibliothèque d'auteurs latins et italiens que vous vous êtes constituée depuis le début de votre liaison avec Cécile, vous avez choisi le premier tome de l'Enéide dans la collection Guillaume Budé et vous l'avez ouvert au début du sixième chant. A ce moment, Jacqueline est entrée avec des taches noires sur l'index et le majeur de sa main droite, s'est assise sur le fauteuil de l'autre côté de la cheminée, près de la grande bibliothèque d'auteurs français, l'air un peu embarrassé, les mains croisées.

« Tu as fait un bon voyage, papa ?

— Oui, ma Jacqueline, et toi, tu as été sage ?

— Tu as revu la dame ?

— Quelle dame ?

— Tu sais bien, celle qui est venue autrefois ici.

— Tu veux dire Mme Darcella ?

— Oh, je ne sais pas son nom de famille. Celle que tu appelais Cécile.

— Oui, pourquoi me demandes-tu ça ?

— Est-ce qu'elle va bientôt revenir ?

— Je ne crois pas. »

Henriette, ouvrant la porte vitrée pour vous dire que le dîner était servi, a regardé la petite avec un tel air que celle-ci s'est mise à rougir, à pleurer, et s'est enfuie dans la salle de bains pour se nettoyer les doigts.

Que pouvait-il y avoir sous cette petite scène ? Ne fallait-il y voir qu'une innocente coïncidence, et cette rougeur, ces larmes, cette fuite, était-ce simplement qu'elle avait été décontenancée par la conduite de sa mère et la vôtre ? Ou bien plutôt ne vous avait-elle pas interrogé sciemment, pour essayer d'avoir une confirmation des hypothèses qu'elle bâtissait dans sa petite tête, de vous arracher des renseignements qu'elle serait la première à savoir, ou encore, et bien sûr c'est là qu'il était impossible de continuer ainsi, qu'il ne servait plus à rien de camoufler et tergiverser, d'avoir cette espèce de honte immonde devant soi-même et son propre salut, n'y avait-il pas chez cette enfant qui vous aimait tant quelques années auparavant, qui s'était approchée de vous si gentiment tout à l'heure, qui ne pouvait pas ne pas vous aimer encore tendrement malgré les airs de grande personne qu'elle essayait de se donner, imitant avec application sa sœur Madeleine, n'y avait-il pas une trace de moquerie ?

C'est ce que vous vous demandiez dans votre lit, parce que les trois tasses de thé très fort que vous aviez bues à la fin de l'après-midi dans le bar Romain vous empêchaient de dormir malgré la fatigue du voyage.

Au-delà de la fenêtre, la pluie est devenue plus violente, frappant la vitre de grosses gouttes qui commencent à descendre lentement en traçant des ruisseaux obliques. L'Anglais referme son journal et le renfonce dans sa poche. De l'autre côté du corridor, au-dessous des fils télégraphiques tremblants et

83

brouillés, vous apercevez encore vaguement la masse d'une maison ou d'un arbre ici et là parmi les coteaux couverts de vigne sans feuilles.

Mais maintenant ça y est, c'est fait, vous voilà libre.

Il y aura encore bien des détails à régler certes, et la situation ne pourra se stabiliser avant quelques mois, mais le seuil est franchi.

Après-demain dimanche matin, quand vous vous éveillerez à peu près vers neuf heures au quatrième étage du cinquante-six via Monte della Farina, le soleil brillera par les interstices des volets et les voix que vous entendrez seront des voix italiennes.

D'abord, vous quitterez la chambre de Cécile qui sera sûrement déjà levée, qui vous tendra un broc d'eau chaude, et vous passerez par la porte de communication dans cette pièce où officiellement vous aurez dormi, pour y défaire le lit, et pour vous laver.

Puis vous vous retrouverez dans la rue romaine, et s'il fait suffisamment beau vous sortirez de la ville pour aller déjeuner à la villa Adriana par exemple, que vous n'avez jamais vue en automne, ou, si elle préfère, sur une plage, car c'est elle qui choisira, qui sera la maîtresse de cette journée ; si la pluie menace, il est probable qu'elle vous ramènera vers ce premier secret romain qu'elle vous avait dévoilé, le Jugement dernier de Petro Cavallini à Sainte-Cécile du Trastevere, où le père jésuite fait entrer tous les dimanches à onze heures par permission très spéciale tous ceux qui veulent visiter.

La nuit tombant assez vite, même à Rome, en cette saison, vous rentrerez tôt chez elle pour qu'elle vous mijote un dîner, parce qu'elle aime montrer ses talents de cuisinière, et de cette façon vous pourrez encore vous coucher de bonne heure.

Le lendemain, le lundi, il lui faudra retourner à neuf heures au palais Farnèse, le lendemain et bien d'autres jours encore avant qu'elle n'ait reçu la lettre d'engagement de l'agence de voyages Durieu, et qu'elle ait donné, qu'on ait accepté sa démission ; vous ne la retrouverez qu'à midi et vous occuperez la matinée à voir seul un de ces musées ou monuments que bientôt elle ne sera plus là pour voir avec vous, si bien que lorsque vous retournerez à Rome et que vous les visiterez à nouveau, cela sera comme des cérémonies célébrant et commémorant les débuts de votre amour, le musée des Thermes par exemple en face de la gare, avec la salle à manger de Livie, ce verger sacré tout peuplé d'oiseaux, ou même le Vatican, si vous n'avez pas vu tout ce que vous vouliez y voir, visite dans laquelle Cécile ne vous a jamais accompagné, mais justement ce sera pour elle, à son intention, que vous irez examiner avec plus d'attention ces salles qu'elle n'a jamais vues à la fois par nécessité d'horaire et par décision, afin de pouvoir être le messager à son endroit de ce que les images qui les décorent transmettent, les dégageant de la gangue déplaisante, falsifiante, qui les recouvre.

En outre, cette visite au Vatican, celle de lundi prochain tout comme celle de demain matin qu'elle complétera au besoin, sera la première que vous ayez faite depuis bien longtemps à un monument romain sans Cécile, ce sera donc la première de toutes celles que vous ferez d'ici quelque temps par nécessité sans elle, lorsqu'elle vous aura rejoint à Paris et qu'elle ne sera plus via Monte della Farina pour vous y accueillir ; cette visite au Vatican sera comme la cérémonie prémonitoire de son absence.

Enfin, si vous ne profitez point de ces deux matinées pour cela, il est bien probable qu'il se passera fort longtemps avant que vous n'ayez l'occasion de le faire de nouveau, car il ne vous est évidemment pas possible de vous octroyer ainsi souvent quatre ou cinq jours d'escapade et, lorsque Cécile ne sera plus à Rome, vous n'en aurez probablement plus envie.

Vous craignez que la « Ville éternelle » vous semble désormais bien vide et que vous y languissiez après cette femme qui vous y attirait et vous y retenait. N'est-il pas vraisemblable que désormais vous n'y aurez plus qu'une envie, de reprendre le premier train une fois vos affaires réglées, sans même profiter du week-end, et que vous en repartirez, si vous y êtes un samedi, dès treize heures trente-huit, en première ou, vous l'espérez bien, en wagon-lit, par le train que vous avez pris dimanche dernier, bien plus rapide que celui que vous avez choisi pour lundi soir parce qu'il comporte des troisièmes.

L'après-midi, c'est décidé, vous vous promènerez dans toute cette partie de la ville où l'on rencontre à chaque pas les ruines des anciens monuments de l'Empire, où l'on ne voit pour ainsi dire plus qu'eux, la ville moderne et la ville baroque se reculant en quelque sorte pour les laisser dans leur solitude immense.

Vous traverserez le Forum, vous monterez au Palatin, et là chaque pierre presque, chaque mur de brique vous rappellera quelque parole de Cécile, quelque chose que vous avez lue ou apprise pour pouvoir lui en faire part ; vous regarderez depuis le palais de Septime Sévère le soir tomber sur les crocs des thermes de Caracalla qui se dressent au milieu des pins ; vous redescendrez par le temple de Vénus et Rome, et vous assisterez à la fin du crépuscule, à l'épaississement de la nuit à l'intérieur du Colisée, puis vous passerez près de l'arc de Constantin, vous prendrez la via San Gregorio et la via dei Cerchi le long de l'ancien cirque Maxime ; dans la nuit, vous apercevrez le temple de Vesta à votre gauche et de l'autre côté l'arc de Janus Quadrifons ; alors vous rejoindrez le Tibre que vous longerez jusqu'à la via Giulia pour regagner le palais Farnèse, et vous n'aurez plus sans doute que quelques minutes à attendre avant que Cécile n'en sorte.

De l'autre côté du corridor, méconnaissable sous la pluie qui fait rage, passe un long train de marchandises, des wagons de charbon d'abord, puis d'autres, chargés de longues poutres, d'automobiles inachevées, carrosseries non peintes, dressées les unes contre les autres comme les élytres d'insectes morts, épinglés, puis ceux qui renferment les bêtes avec leurs fenêtres grillagées, ceux qui contiennent le pétrole avec leurs petites échelles, ceux tout plats remplis de silex rouillés pour aménager d'autres voies, et le dernier enfin, avec sa tourelle et sa lenterne, pas immédiatement contre la fenêtre mais un peu plus loin. Les jeunes mariés silencieux, chacun plongé dans sa lecture, ont étendu leurs jambes sous votre banquette. Dans le corridor maintenant, le professeur est là, appuyé sur la barre de cuivre, et il fume. Passe une gare dont vous ne pouvez déchiffrer le nom.

L'ecclésiastique à votre gauche se lève, referme son bréviaire, le range dans son étui noir, le pose pour marquer sa place, vous prie d'excuser son passage, ouvre la porte à glissière un peu plus grand, se faufile à votre droite, et disparaît aussitôt derrière vous. Il est onze heures ; le train doit s'arrêter à Dijon dans onze minutes, est-ce là qu'il va ? Il doit avoir dans les trente-cinq ans ; il est vigoureux, impétueux même ; il avait l'air de s'ennuyer, d'être installé pour longtemps encore, carré dans son coin. A-t-il fini de lire son office, ou bien en a-t-il simplement assez ? Quel déguisement qu'une soutane ! Certes, cela affiche un certain nombre de choses, mais, derrière cette déclaration, que de camouflages possibles ! Comment savoir si c'est un père jésuite par exemple, un professeur dans un collège, un curé de campagne, un vicaire de paroisse urbaine ? Sur ces plis noirs qui le revêtent et qui indiquent son appartenance à une église, qui vous assurent à peu près qu'il récite un certain nombre de prières par jour, qu'il dit sa messe, il n'y a pas le moindre indice vous révélant son genre de vie, les occupations auxquelles il passe la plus grande part de ses heures, le milieu avec lequel il est en contact.

Où va-t-il ? Probablement plus loin que Dijon, vu son attitude, mais pas beaucoup plus loin, puisqu'il n'a pour tout bagage que ce porte-documents noir ; et pour quelle raison voyage-t-il ? Il est peu vraisemblable que ce soit comme vous pour rejoindre une femme ; il est peut-être allé dans sa famille, voir une vieille mère par exemple ; ils doivent bien avoir des vacances de temps en temps comme les autres hommes ; ils doivent bien pouvoir eux aussi voyager parfois pour leur plaisir, mais en cette saison... Cela ne doit pas être non plus pour son métier, du moins pour ce qui dans sa vie correspond à ce qu'est pour vous le métier ; on ne voit pas pourquoi il lui faudrait se déplacer de Paris à Dijon, à moins que ce soit un intellectuel et qu'il soit allé faire une conférence ou consulter des documents à la Bibliothèque nationale, aux alentours de laquelle, rue de richelieu, vous l'avez peut-être croisé lundi dernier sans vous en apercevoir, mais il n'en a pas la tête.

Le professeur de droit se retourne vers vous ; il rentre ; il s'assied ; il regarde sa montre ; il enlève ses lunettes, tire de sa poche un étui dans lequel il prend une peau de chamois, et recommence à essuyer ses verres.

Et quand cela ne se voit pas sur leur visage, comme pour celui-ci, en général on sait pourtant qu'ils appartiennent à la catégorie des professeurs ou des fouilleurs de vieux savoir, par leur costume, par les livres qu'ils lisent, par leurs gestes, par leurs manières ; mais là, tout est englouti par la robe, par l'onction et le bréviaire.

S'il est peu probable qu'il aille à Rome cette fois-ci, il y est peut-être déjà allé, ou rêve peut-être d'y aller pour voir son pape, pour se mêler à cette foule d'ensoutanés qui parcourent toutes les rues comme des essaims de mouches babillardes, gras ou osseux, enfants ou décatis ; il doit avoir connu ou bien connaîtra une Rome bien différente de celle que Cécile au cours de ces deux ans vous a montrée.

Le jeune époux détache les yeux de son Assimil italien, constate que la banquette est vide en face de lui ; la jeune épouse à ses côtés n'est plus plongée dans son journal féminin ; elle feuillette le Guide bleu ; elle déplie un plan ; vous reconnaissez celui de Rome.

Vous reculez vos jambes pour permettre à l'ecclésiastique de rentrer dans le compartiment ; il reprend son bréviaire sur la banquette, mais il ne le rouvre pas ; il le fourre dans une de ses poches pour regarder à travers la pluie.

Cette contrariété qui se marque sur son visage, cette nervosité qui contracte ses doigts musculeux, à quoi faut-il les attribuer, à une insatisfaction profonde latente, à une espèce de doute sur tout ce que représente son costume, de regret de s'être engagé dans une voie dont il n'ose pas tout à fait s'avouer qu'il trouve que ce n'est pas la sienne ou même tout bonnement que c'est pour quiconque une impasse, ou bien est-ce l'effet de difficultés passagères et inessentielles, une ombre qui s'est soudain posée sur lui, ce qui s'accorderait parfaitement avec l'hypothèse qu'il est allé à Paris voir un parent malade, à moins qu'il soit parisien et que ce soit à Bourg ou à Mâcon qu'il aille voir ce parent malade ?

Peut-être, ce qui le tend ainsi, ce n'est pas un souvenir mais une appréhension, l'ombre qui est sur son visage n'est pas celle d'un jour passé mais celle d'un jour à venir, peut-être qu'une décision l'attend lui aussi, peut-être qu'en ce moment même, ou plutôt il y a un instant, au moment où au lieu de se remettre à son bréviaire comme vous vous y attendiez, il l'a renfilé dans sa poche avec un air de dégoût, peut-être qu'il a fait un saut plus important encore que celui que signifie pour vous ce voyage, qu'il a pris la décision d'abandonner ces prières et ce costume, et qu'il va se trouver démuni mais tout neuf dans une liberté qui jusqu'alors le terrifiait et le glaçait.

Il a l'air bien calme, il bougonne ; il gardera sa soutane toute sa vie ; il doit être surveillant dans un petit collège ; il doit passer sa journée à distribuer des punitions à des garçons de l'âge de vos fils, qui le respectent parce qu'il est excellent en football.

Le professeur en face de vous qui regardait à travers le carreau à sa gauche doit avoir reconnu un signe annonciateur ; il se lève, remet son manteau, prend sa serviette sous son bras, et l'Anglais lui aussi s'habille, prend sa valise, sort, vous jureriez qu'il est représentant en vins à Londres et qu'il vient ici négocier la nouvelle récolte.

Les rails et les fils se multiplient ; on aperçoit le premières maisons de Dijon.

Vous avez envie de vous dégourdir les jambes. Le roman que vous avez acheté sur le quai de la gare de Lyon et que vous n'avez pas encore ouvert est toujours sur la banquette à gauche de la place où vous étiez assis ; vous le poussez pour qu'il la marque.

DEUXIÈME PARTIE

IV

Vous êtes encore transi de l'humidité froide qui vous a saisi lorsque vous êtes sorti du wagon sur lequel, vous l'avez vérifié, la pancarte de métal pendue à l'extérieur juste derrière votre dos sous la fenêtre du corridor est bien marqué Dijon, Modane, Turin, Gênes, Rome, Naples, Messine et Syracuse jusqu'où vont peut-être les deux jeunes époux en voyage de noces, qui ont baissé la vitre en face de vous, se penchent pour regarder les rails et un autre train se déplaçant lentement au loin dans la pluie qui tombe de plus en plus fort.

Il relève la tête ; des gouttes d'eau brillent sur ses cheveux secs de la même couleur que le bois de la table dans votre salle à manger, quinze place du Panthéon ; et elle secoue ses mèches, glissant ses doigts dans leur soleil de novembre comme Cécile dans ses serpents aux écailles de jais quand elle refait ses tresses, comme faisait Henriette il y a des années, quand elle était encore jeune femme.

L'ecclésiastique a ressorti son bréviaire de son étui qui traîne, comme s'il l'avait jeté, sur la banquette, non loin du roman que vous aviez laissé pour marquer votre place et que vous ramassez pour le déposer sur l'étagère après l'avoir, sans en lire un mot, feuilleté, vous savez, avec le pouce, comme vous fai-

91

siez pour ces petits livres-cinématographes, lorsque vous étiez en classe, ici non point pour voir les images bouger, simplement pour entendre, au milieu du brouhaha du train et de la gare, à votre oreille le léger bruit que cela produit, semblable à celui de la pluie.

Il est toujours carré dans sa robe noire dont les plis sont maintenant immobiles comme ceux d'une statue de lave, se détournant du paysage pluvieux des voies et des caténaires, peut-être trop connu, trop déprimant pour lui, son gros index enfoncé dans la tranche rouge encore des pages qu'il faut plier, et son regard croise un instant le vôtre tandis que vous vous asseyez, mais ce n'est pas vous qu'il considère, c'est en face de vous, à la place où se trouvait le professeur qui vient de descendre, cet homme entré ici tandis que vous étiez sur le quai à considérer les pancartes, qui n'a pas encore enlevé son manteau gris clair assez peu mouillé, qui est sûrement Italien, non seulement parce qu'il vient de sortir de sa poche *La Stampa,* mais surtout parce que ses souliers à fines pointes, sur la rivière de fer chauffant aux vagues fixées en losanges, sont noirs et blancs.

Les deux jeunes époux remontent la vitre et se rasseyent.

Une femme toute vêtue de noir, agitée, assez petite, avec un visage déjà ridé et un chapeau garni de tulle et de grosses épingles à boules, entre en tenant d'une main une valise de paille et un cabas, de l'autre un garçon d'une dizaine d'années qui porte lui-même un panier recouvert d'un foulard tomate, et une fois qu'ils sont installés tous les deux entre vous et l'ecclésiastique, elle laisse échapper un long soupir.

Vous entendez la voix déformée par les haut-parleurs terminer son discours : « ... Chambéry,

92

Modane, et l'Italie, en voiture s'il vous plaît ; attention au départ », et le claquement sourd d'une dernière porte que l'on ferme ; le train s'en va.

Sur le cuir blanc de ses chaussures, il y a quelques taches de boue rondes, très voyantes ; ce doit être la seule paire qu'il ait emportée quittant l'Italie, un jour de beau temps, dimanche dernier peut-être comme vous.

Apparaît, avec sa casquette et sa veste blanche, le garçon du wagon-restaurant qui propose des tickets bleus pour retenir les places au premier service à midi, celui que choisissent les deux époux, roses pour le second, un peu après une heure, que vous préférez comme l'Italien, qui semble avoir à peu près le même âge que vous, sans doute moins riche que vous, peut-être représentant dans son pays d'une maison dijonnaise, organisant les importations là-bas de moutarde ou de Clos-Vougeot.

L'écharpe qu'il garde autour du cou est exactement du même bleu de cobalt que son sac de voyage dans le filet à l'emplacement de la serviette rouge sombre tachée d'encre d'où le professeur de droit retirait les volumes reliés de grosse toile noire qu'il devait avoir empruntés à la bibliothèque de sa faculté.

Lui, quelles affaires a-t-il pour sa toilette ? Un rasoir électrique sans doute, ce à quoi vous n'avez jamais pu vous habituer, et à côté de cela un pyjama au moins, quelques chemises élégantes comme on ne sait les faire qu'en Italie, des pantoufles de cuir dans une enveloppe de soie comme on en voit dans les vitrines du Corso, et puis naturellement les dossiers, les papiers, les feuilles dactylographiées de plusieurs couleurs, les projets, les devis, les lettres, les factures.

La dame en noir près de l'ecclésiastique qui descendra sans doute à une station prochaine (ils forment un étrange couple sombre en face du couple clair des jeunes époux), soulève le foulard qui couvre le panier serré entre elle et le petit à votre gauche qui déjà s'impatiente (il ressemble à Thomas il y a quelques années) et tape l'une contre l'autre ses jambes qui pendent.

Déjà passe la gare de Gevrey-Chambertin. Dans le corridor, vous apercevez la veste blanche du garçon qui sort d'un des compartiments et pénètre dans le suivant ; et de l'autre côté, au travers de la vitre de nouveau couverte de grosses gouttes de pluie qui ruissellent lentement, hésitantes, en une gerbe de lignes obliques irrégulières avec des tressaillements et des captures, un fantôme de camion de lait s'éloigne au milieu de ces taches mal distinctes, plus sombres sur le fond brun brouillé.

Lorsque Cécile sortira du palais Farnèse, lundi soir, vous cherchera des yeux, vous découvrira près d'une des fontaines en forme de baignoire, écoutant ce bruit d'eau ruisselante en la regardant s'approcher dans la nuit, traverser la place presque vide, il n'y aura plus aucun marchand sur le Campo dei Fiori, et ce ne sera que lorsque vous arriverez à la via Vittorio Emmanuele que vous retrouverez les lumières et l'agitation d'une grande ville, avec le bruit des tramways et les enseignes au néon ; mais comme il vous restera une heure encore avant le repas, il est probable que vous ne prendrez point cet itinéraire trop courant mais cheminerez au contraire longuement, lentement, sinueusement dans les petites rues obscures, votre main à sa taille ou sur son épaule, comme y chemineront les deux jeunes époux si c'est à Rome qu'ils s'arrêtent, ou comme ils se promèneront à Syracuse si c'est jusque-là qu'ils vont, comme font tous les soirs les précoces couples romains, vous plongeant en cette diffuse foule d'amoureux comme dans un bain de jouvence, et vous irez longer le Tibre, vous appuyant de temps en temps à ses parapets pour regarder les reflets trembler sur l'eau basse et noire, tandis que montera, des pontons où l'on danse, la médiocre musique patinée par le vent frais, jusqu'au ponte Sant'Angelo dont les statues si purement tourmentées, si blanches le jour, ne vous apparaîtront que comme d'étranges taches d'encre solides, puis, par d'autres rues obscures, vous parviendrez encore une fois jusqu'à cette épine dorsale de votre Rome, jusqu'à la piazza Navona où la fontaine du Bernin sera lumineuse, et vous vous y installerez, sinon à la terrasse trop fraîche à cette heure-là et dont les tables seront très vraisemblablement rentrées, du moins le plus près possible d'une fenêtre au restaurant Tre Scalini pour y commander le meilleur Orvieto et raconter à Cécile dans le plus grand détail ce que vous aurez fait pendant votre après-midi, afin d'abord qu'elle soit bien certaine que c'est pour elle seule que vous êtes venu, même dans cette journée où vous aurez été presque tout le temps séparés, que vous n'avez point profité d'un voyage qui vous était imposé dans la maison Scabelli, parce qu'il est absolument indispensable pour cette nouvelle vie qui va commencer entre vous deux qu'il n'y ait non seulement point de mensonge à sa base mais même de soupçon de mensonge, et aussi afin de pouvoir parler une dernière fois de Rome, à Rome, avec elle.

En effet, maintenant qu'elle va partir, et dès la décision prise, les dates fixées, les démarches faites, c'est-à-dire sinon lundi soir, du moins dans quelques semaines au maximum, disons au moment de votre prochain voyage à Rome qui sera probablement le dernier où vous l'y retrouverez, ce sera pour vous presque comme si elle l'avait déjà quittée, car elle se mettra à revoir ce qu'elle connaît déjà de cette ville afin de l'amarrer plus solidement dans son souvenir, sans plus chercher à l'approfondir.

Ainsi, désormais, c'est vous des deux qui serez le Romain, et ce que vous voulez, c'est qu'elle vous fasse profiter le plus possible de son savoir avant de s'en aller, avant qu'il ne s'estompe dans sa vie parisienne, c'est que, de plus, elle utilise les derniers temps de son séjour, ce sursis (qu'au besoin elle prenne quelques jours de vacances une fois qu'elle aura quitté l'ambassade) afin de prendre connaissance de ce que vous aimez et qu'elle n'a pas encore vu, et d'abord de ce qu'il y a d'intéressant malgré tout dans ce musée du Vatican dans lequel elle ne voulait pas entrer jusqu'à présent non seulement à cause de son aversion générale pour l'église catholique (cela n'aurait pas été suffisant), mais aussi parce que cette cité représentait pour elle depuis votre rencontre et avec quelque apparence de raison, si sincères que fussent vos protestations de liberté d'esprit, tout ce qui vous empêcherait de vous séparer d'Henriette, tout ce qui vous interdisait de recommencer votre vie, de vous débarrasser de ce vieil homme que vous étiez en train de devenir.

A présent, par votre décision, par votre voyage pour elle seule, vous lui aurez bien montré que vous avez rompu ce genre de chaînes, et par conséquent ces images et ces statues ne devraient plus représenter pour elle un obstacle à tourner pour vous atteindre, une barrière à anéantir pour vous délivrer, de telle sorte qu'elle pourra et qu'il lui faudra les voir maintenant malgré tout l'agacement que la cité, ses gardiens et ses visiteurs lui produiront certainement, afin que soit plus solide encore cette communauté romaine, cette communion dans le lieu, ce terrain

96

dans lequel votre amour s'enracine, cet amour qui va s'élever et s'épanouir ailleurs, dans cette ville de Paris que vous considérez tous deux comme votre inaliénable patrie.

De l'autre côté du corridor, au travers de la vitre couverte de toute une toile tissée par les gouttes de pluie, vous devinez à cette luisance d'aluminium que ce qui s'approche, vous croise et disparaît, c'était un camion de pétrole. Une secousse un peu plus violente fait tinter le bouton d'une manche sur une barre de métal. Au-delà de la fenêtre noyée tournent, au milieu du paysage semblable à des reflets dans un étang, les triangles obscurs de toits et d'un clocher.

Quand vous avez quitté le restaurant Tre Scalini où vous aviez déjeuné avec Cécile, il faisait merveilleusement beau ; n'eût été la fraîcheur de l'air, on se serait cru encore au mois d'août : la fontaine des Fleuves ruisselait au soleil.

Elle se plaignait de cet abandon dans lequel vous alliez la laisser, de ce qu'elle allait passer toute seule cet après-midi de dimanche, et vous tentiez de l'apaiser en lui expliquant pour quelles raisons votre présence était indispensable le lendemain matin à votre bureau à Paris, que non, vous ne pouviez pas envoyer un télégramme pour avertir que vous ne seriez là que le surlendemain, qu'il était inutile d'essayer de vous retarder, vous obligeant ainsi à attendre le train de vingt-trois heures trente que vous prendrez pour revenir lundi prochain.

« Et moi qui laisserais tout pour partir à Paris avec toi, pour te voir tous les jours, ne serait-ce que cinq minutes, même en secret. Ah, je le sais bien, je ne suis que ton amie romaine, et je suis folle de continuer à t'aimer, de te pardonner ainsi, de te croire quand tu me dis qu'il n'y a plus que moi qui compte malgré toutes les preuves que j'ai du contraire. »

C'est pourquoi vous l'avez assurée que vous faisiez tout pour lui trouver une situation, que, dès que l'occasion s'en présenterait, vous la ramèneriez avec vous, que vous vous sépareriez d'Henriette, sans esclandre, et que vous vivriez ensemble.

Or, si maintenant vous avez effectivement décidé, si vous avez effectivement demandé autour de vous et obtenu cette proposition que vous cherchiez, si tout ce que vous lui disiez est devenu vrai, à ce moment-là vous n'aviez encore fait aucune démarche en ce sens, tout cela demeurait à l'état de projet imprécis et vous en remettiez l'exécution de semaine en semaine, de voyage en voyage.

C'est ce qu'elle comprenait fort bien en vous regardant avec ce sourire triste que vous trouviez si injuste, et c'est à cause de cela qu'elle s'est tue, qu'elle s'est contentée de se mettre en marche vers la station de taxis en face de Sant'Andrea della Valle parce que l'heure avançait et qu'il vous fallait aller reprendre votre valise à l'Albergo Quirinale.

Stazione Termini, après être monté, au *marcia-piede* neuf, dans un wagon de première classe pour y marquer une place de coin couloir face à la marche avec les journaux et le roman policier italien que vous veniez d'acheter dans le grand hall transparent, au moment où l'horloge y marquait treize heures trente, pour y déposer sur le filet juste au-dessus votre serviette et votre valise, vous êtes redescendu sur le quai pour embrasser Cécile qui vous a demandé une fois de plus, pour essayer de transformer votre réponse (et il est vrai que la réponse s'est transformée, mais à ce moment vous ne le saviez pas, vous ne pouviez point la consoler, la satisfaire encore) :

« Alors, quand reviendras-tu ? »
et à qui vous avez répété ce qu'elle savait déjà, ce

que vous lui aviez déjà dix vingt fois au cours de ce séjour :

« Hélas, pas avant les derniers jours de décembre »,

ce qui est devenu faux maintenant ; or, tout à coup, comme si elle pressentait ce qui allait se passer, ce qui est en train de se faire, elle s'est débarrassée de toute sa mélancolie, elle s'est mise à rire, elle vous a crié comme s'ébranlait la machine :

« Allons, bon voyage, ne m'oublie pas »,

et vous l'avez regardé diminuer dans la distance.

Puis vous vous êtes installé dans votre compartiment en face d'une photographie en couleurs représentant un des détails de la Sixtine, un des damnés cherchant à se cacher les yeux, au-dessus de la place qui est resté vide jusqu'à Paris, et vous vous êtes plongé dans la lecture des lettres de Julien l'Apostat.

Le soleil achevait de se coucher quand vous êtes arrivé à Pise ; il pleuvait sur Gênes tandis que vous dîniez au wagon-restaurant, et vous regardiez le nombre de gouttes d'eau augmenter de l'autre côté de la vitre ; vous avez passé la frontière vers une heure du matin, puis on a éteint la lumière et vous vous êtes endormi confortablement pour ne vous réveiller que vers les cinq heures du matin ; entrouvrant le rideau bleu à votre droite, vous avez vu, interrompant la nuit encore complète, les lumières d'une gare dont vous avez pu lire le nom comme le train ralentissait : Tournus.

Au-delà de la fenêtre toujours aussi brouillée de pluie, se superposant à la série de pylônes réguliers comme un coup inattendu légèrement plus fort, un signal en damier tourne d'un quart de tour. Une secousse un peu violente fait sursauter le couvercle du cendrier sous votre main droite. De l'autre côté du corridor, au-delà de la vitre rayée d'une gerbe de petits fleuves semblables à des trajectoires de très lentes et très hésitantes particules dans une chambre de Wilson, un camion bâché lève d'énormes éclaboussures parmi les flaques jaunes de la route.

Cette fois-ci vous n'aurez pas besoin de retourner à l'Albergo Quirinale, ni de vous presser après le repas puisque vous rentrerez passer la soirée au cinquante-six via Monte della Farina, dans cette chambre que Cécile va bientôt quitter et que vous ne verrez plus qu'une ou deux fois par conséquent.

Ce qui fera le sujet de votre conversation, ce sera les arrangements de votre vie future, la façon dont elle pourra s'installer à Paris, point qui, lui, n'est pas entièrement réglé, ce pour quoi vous préférez ne lui en parler qu'en ce dernier moment, mais à propos duquel vous pourrez déjà lui soumettre un certain nombre de possibilités : ainsi, pour l'instant, à la rigueur pour attendre, cette chambre de bonne au treize place du Panthéon, malgré cette proximité terriblement gênante, ou l'hôtel, qui est loin d'être ce dont vous rêvez tous les deux, mais que l'on pourrait envisager pour les premières semaines, puis, à partir de janvier, l'appartement des Martel qui doivent s'en aller pour un voyage d'une année aux Etats-Unis et accepteraient certainement de vous héberger pendant ce temps-là, mais avec qui il faudrait prendre certaines précautions, ne les mettant qu'à demi dans la confidence, parce que, malgré leur chaleureuse approbation officielle, vous ne savez pas ce qu'ils en penseront vraiment, et enfin, au mois de février seulement, le petit logement de Dumont qui doit s'installer à Marseille, ni grand, ni confortable, mal situé, mais qu'à défaut d'autre chose vous pourriez arranger convenablement.

Voilà où en est la situation, lui direz-vous, de nouveau confronté aux problèmes des jeunes mariés, mais il est très possible que d'ici quelques jours affluent d'autres propositions, vous suivrez soigneusement les annonces des journaux et, si jamais quelque chose convient, vous l'arrêterez immédiatement, vous y ferez même commencer les travaux de peinture pour que tout soit prêt lors de son arrivée.

Couchés tous les deux sur son lit, au-dessous des photographies de l'Obélisque et de l'Arc de triomphe, vous vous caresserez tout en discutant, malgré cette incertitude, des meubles qu'il faudra, des appareils pour la cuisine, avec de nombreux silences, entre les phrases, entre les mots, et bientôt, beaucoup trop tôt, ce sera l'heure de payer pour cette chambre d'à côté où vous n'aurez pas dormi, dont vous aurez seulement défait le lit les deux matins, puis de vous acheminer vers la gare, non pas à pied, à cause de votre valise, si légère que vous l'ayez voulue, mais dans un taxi qu'il vous aura fallu sans doute attendre assez longtemps devant Sant'Andrea della Valle ou au Largo Argentina parce que vers onze heures ils passent beaucoup plus rarement.

Dans la gare lumineuse, après être monté dans un wagon de troisième classe sur lequel il y aura la pancarte : « Pisa Genova Torino Modana Parigi », pour tâcher d'y trouver et d'y réserver une place semblable à celle où vous êtes maintenant, un coin couloir face à la marche, vous redescendrez sur le quai retrouver Cécile, qui vous redira peut-être :

« Alors, quand reviendras-tu ? »
mais ce sera sur un tout autre ton, dans un tout autre dessein, et vous pourrez lui répondre, dans cette nuit que la séparation même ne réussira pas à empêcher d'être heureuse, exactement les mêmes paroles que dimanche dernier au début de l'après-midi :

« Hélas, pas avant les derniers jours de décembre »,
mais vous les prononcerez tout autrement, en en riant vous-même, dans la certitude de votre bonheur

101

prochain, de vos retrouvailles définitives, non plus dans la gêne et l'agacement.

Jusqu'à la dernière minute vous resterez à l'embrasser, car cette fois, à cette heure tardive, au départ de ce train peu commode, vous n'avez nulle crainte qu'un membre influent de la maison Scabelli, même si par un prodigieux hasard il se trouvait à deux pas de vous, risque de vous identifier ; vous n'escaladerez les marches qu'au sifflet, et d'une fenêtre dont vous aurez baissé la vitre, vous regarderez Cécile courir, vous faire des signes jusqu'à ce qu'elle n'en puisse plus, essoufflée, rouge d'effort et d'émotion, diminuant dans la distance, tandis que le train quittera la gare, avant de vous installer pour cette nuit inconfortable sans vous plonger encore dans vos lectures car vous aurez l'esprit si rempli d'elle que ce sont ses yeux, ses lèvres qui vous souriront sur tous les visages de vos compagnons de voyage, et de tous ceux qui attendront d'autres trains sur les quais des stations suburbaines, Roma Tuscolana, Roma Ostiense, Roma Trastevere.

Puis quelqu'un demandera d'éteindre la lampe.

A travers la vitre un peu moins brouillée par les gouttes de la pluie qui s'atténue, vous apercevez une voiture semblable à la vôtre, une quinze chevaux noire toute maculée de boue, aux essuie-glaces papillotants, qui s'éloigne bientôt de la voie et disparaît derrière une grange, entre les vignes de l'autre côté du corridor où s'avance maintenant brandissant sa sonnette le garçon du wagon-restaurant. Passe la gare de Fontaines-Mercurey.

Les deux jeunes époux ont dressé la tête, mais lui, qui doit avoir bien plus qu'elle l'expérience des voyages, déclare qu'ils ont bien le temps, qu'ils peuvent attendre jusqu'au retour du tintement.

Vous regardez à votre montre : il est onze heures cinquante-trois, quatre minutes par conséquent avant l'arrivée à Chalon, plus d'une heure avant votre repas.

Le petit garçon à votre gauche croque une tablette de chocolat qui commence à fondre et à lui tacher les doigts, si bien que la femme en noir à qui Henriette ressemblera dans quelques années, un peu plus élégante voilà tout, vêtue d'un gris à peine moins sombre, à peine moins triste que ce noir, sort de son sac un mouchoir et essuie sa petite main en l'interpellant puis elle tire du panier un paquet de biscuits enveloppé dans du papier d'argent qu'elle déchire, et elle en donne un à cet enfant qui est peut-être son fils, ou son petit-fils, ou un neveu, ou autre chose encore, qui en fait tomber une partie sur le sol chauffant et vibrant.

L'ecclésiastique lève les yeux de son bréviaire, réprime un bâillement, pose sa main gauche sur l'appui, tapant avec un doigt sur la bande de métal où se trouve l'inscription : « Il est dangereux de se pencher au-dehors », puis il se frotte les épaules contre le dossier, s'enfonce et se redresse, se remet à sa lecture devant les premières maisons de Chalon.

Celui qui tout à l'heure vous avait pris votre place rentre dans le compartiment, enfile son imperméable noir, se balançant entre les deux banquettes comme un homme ivre ; il perd l'équilibre et se rattrape de justesse en empoignant votre épaule.

Maintenant, c'est l'immobilité et le silence, sur lequel se détachent quelques cris, quelques grincements, quelques frottements ; les gouttes d'eau sur les vitres ne tremblent plus, ne se renouvellent plus.

Avec aisance, le voyageur de commerce descend du filet sa valise de carton rougeâtre imitant si mal le cuir, renforcée aux coins, dans laquelle il doit avoir

103

ses échantillons : brosse ? conserves ? produits d'entretien ?

En général, leurs trajets d'affaires sont plus brefs : ils vont de ville en ville par petites étapes et ont leur point d'attache près de la région qu'ils prospectent. Aucun de vos représentants en province n'aurait à faire pour la maison Scabelli des déplacements de cette importance ; ils n'ont jamais à venir à Paris pour leur métier, ce sont vos inspecteurs qui vont les voir, et celui-ci n'est certainement pas un inspecteur de quelque maison que ce soit. Il s'agit peut-être d'une de ces petites boîtes mal organisées qui diffusent au hasard une marchandise de qualité le plus souvent très inférieure, à moins qu'il soit allé en vacances (quelle époque pour cela !), ou voir sa famille, ou voir une femme lui aussi, quel genre de femme, dans quelle rue sordide, quel hôtel meublé ?

Quant à ce paquet enveloppé de journal, peut-être quelques provisions, quelques restes d'un dessert de la veille, il ne peut pas le garder à la main toute la journée et l'amener chez ses clients, ni le déposer à la consigne, on n'en voudra pas ; mais pourquoi n'en voudrait-on pas et il a peut-être des amis ici, peut-être qu'il habite ici avec sa femme et ses enfants (oui, il a une alliance comme vous, comme le jeune époux qu'il vous cache, comme l'Italien en face de vous), sa femme qu'il croit tromper si habilement mais qui n'ignore rien en réalité de ce qui l'attire à Paris, qui le laisse mentir le plus souvent sans le contredire, pour avoir la paix, mais qui de temps en temps explose.

Dans la porte apparaît un autre homme de même espèce avec une valise identique, un peu plus âgé, plus rouge, plus large, auquel il crie qu'il arrive, celui certainement qu'il avait retrouvé dans un compartiment voisin et près de qui il s'était installé, vous rendant votre place préférée.

104

Le petit garçon à côté de vous mord violemment dans un morceau de pain coupé en deux d'où dépasse une langue de jambon.

Un jeune militaire dans son manteau trempé couleur de foin, dépaysé, pénètre, hisse cette boîte de bois peint qui lui sert de bagage, s'assied auprès de l'Italien.

On entend le sifflet qui roule ; on voit les poteaux, les bancs de la gare qui se déplacent ; le bruit, le balancement reprennent. Ce n'est plus la gare déjà. Des automobiles attendent devant un passage à niveau. Ce sont les dernières maisons de Chalon.

Commence la procession de gens sans manteaux, qui s'en vont vers leur nourriture, vers la salle à manger mouvante, leur ticket bleu à la main, tandis que revient la clochette.

La jeune mariée se lève la première, marque sa place avec le Guide bleu d'Italie, s'arrange les cheveux devant la glace, et quand elle a fini sort avec son époux.

La veuve a pris dans le panier un morceau de gruyère qu'elle coupe en fines lamelles ; l'ecclésiastique a refermé son bréviaire qu'il enfile sans son étui.

Passe la gare de Varenne-le-Grand. Dans le corridor vous apercevez le dos du garçon en veste blanche et en casquette. Au-delà de la fenêtre qui recommence à se brouiller de pluie, des écoliers s'échappent d'une école.

Il y avait deux autres personnes dans le compartiment, qui dormaient la bouche ouverte, un homme et une femme, tandis qu'au plafond, dans le globe, la petite ampoule bleue veillait ; vous vous êtes levé, vous avez ouvert la porte, vous êtes allé dans le corridor pour fumer une cigarette italienne. Tout était noir dans la campagne depuis Tournus ; les fenêtres du wagon projetaient sur le talus des rectangles de lumière où glissaient les herbes.

Vous aviez rêvé de Cécile, mais non point agréablement ; c'était son visage de méfiance et de reproche qui était revenu dans votre sommeil pour vous tourmenter, le visage qu'elle avait eu lors de vos adieux sur le quai de la Stazione Termini.

Or, si vous éprouviez tellement le besoin de vous éloigner d'Henriette, n'était-ce pas avant tout à cause de cet air perpétuel d'accusation qui baignait ses moindres paroles et ses moindres gestes ? Alliez-vous donc le retrouver à Rome désormais ? N'y aurait-il plus là pour vous de repos, ne vous serait-il plus possible d'aller vous y replonger, vous y rajeunir dans la franchise d'un amour clair et neuf ? La vieillesse commençait-elle déjà à mordre aussi sur cette partie de vous-même que vous en croyiez préservée ? Seriez-vous donc maintenant ballotté entre ces deux reproches, ces deux rancunes, ces deux accusations de lâcheté ? Alliez-vous laisser augmenter cette mince lézarde qui risquait de corrompre et de faire tomber en poussière cet édifice de salut que vous aviez vu pendant ces deux ans s'élever, s'affermir, s'embellir à chaque voyage ? Alliez-vous le laisser s'implanter et croître aussi sur ce visage, ce lichen du soupçon qui vous faisait haïr l'autre, le laisser croître simplement parce que vous n'osiez pas l'arracher d'un coup brutal et libérateur ?

Certes, cet énorme chancre insidieux qui recouvrait les traits d'Henriette d'un masque horrible se durcissant autour de sa bouche jusqu'à la rendre à peu près muette (toute parole qu'elle proférait semblait venir de l'autre côté d'un mur s'épaississant de jour en jour, de l'autre côté d'un désert se hérissant de jour en jour de buissons de plus en plus épineux), jusqu'à rendre sous vos baisers ces lèvres, qui ne les

106

acceptent plus que par habitude, froides et rugueuses comme du granit, se durcissant autour de ses yeux, les recouvrant comme d'une taie déformante, si vous hésitiez tant à l'extraire, c'était par crainte de ces chairs à vif que vous découvririez, comme le chirurgien quand il a pratiqué son incision, de toute cette vieille souffrance qui jaillirait d'un seul coup.

Mais cette profonde blessure horrible et purulente, ce n'est qu'après un tel nettoyage qu'elle pourra se cicatriser, et si vous continuiez d'attendre, le pourrissement se mettrait à enfoncer ses racines plus avant encore, la contagion serrerait ses bras autour de vous plus étroitement, ce serait le visage même de Cécile qui subirait tout entier l'atteinte de cette lèpre...

Déjà le reproche avait appesanti sur lui son ombre menaçante. il était grand temps de choisir entre ces deux femmes, ou plus exactement, puisque le choix ne pouvait faire le moindre doute, de tirer les conséquences de ce choix, de le déclarer, de le publier, et tant pis pour la souffrance d'Henriette, tant pis pour le trouble des enfants puisque c'était là l'unique chemin de sa guérison, de la leur, de la vôtre, l'unique moyen de préserver la santé de Cécile ; mais que la décision était dure à prendre, comme le couteau tremblait dans votre main !

Ah, vous auriez remis les choses encore à une semaine, à un autre voyage, s'il n'y avait pas eu à Paris toutes ces contrariétés, toute cette fadeur confuse vous submergeant ; vous auriez tenté de tergiverser, lâche comme le pensait Henriette, comme commençait à le penser Cécile aussi, comme elle ne le pensera plus maintenant, puisque vous l'avez enfin franchi, ce pas ; vous auriez ainsi continué à retarder l'avènement de votre propre bonheur, malgré cette voix qui vous poursuivait, malgré cette plainte qui vous pressait, cet appel à l'aide, malgré ce visage qui vous avait tourmenté dans votre rêve et qui se dessinait maintenant dans les fuyantes herbes du talus éclairées en rectangles par les fenêtres du wagon, auquel vous tentiez de ne plus penser malgré cette sirène d'angoisse poignante qui s'était mise à hululer dans votre cœur et que vous essayiez d'écarter.

Vous avez cherché du secours dans son dernier rire sur le quai, mais c'était en vain, car voici que vous l'entendiez se renouveler à votre prochain voyage, le prochain, celui de décembre, plus aigre, puis se transformer en sarcasme aux adieux suivants.

Pour l'éloigner, pour l'estomper, pour l'étouffer dans la distance, vous sondiez la nuit noire où des masses plus sombres encore, arbres et maisons, filaient comme de grands troupeaux rasant le sol, accrochant votre attention sur les stations qui se succédaient avec leurs lumières, leurs pancartes et leurs horloges : Sennecey, Varennes-le-Grand, les longs quais vide de Chalon où le train ne s'arrêtait pas, Fontaines-Mercurey, Rully ; puis, lassé, espérant que le sommeil allait vous reprendre, vous êtes rentré dans votre compartiment de première dont vous avez refermé la porte ; en écartant un peu le rideau bleu qui masquait le carreau à votre droite, vous avez vu les lanternes d'une gare, et comme le train ralentissait encore, vous avez pu lire que c'était Chagny.

Au-delà de la fenêtre sur laquelle les gouttes de pluie sont maintenant plus fines, ce village qui passe doit être Sennecey. L'ecclésiastique se lève, prend son porte-documents sur le filet, en ouvre la fermeture éclair, y glisse son bréviaire et se rassied. Sur le tapis de fer chauffant, oscille une miette de biscuit au centre de l'un des losanges entre les souliers de la dame en noir et ceux du jeune militaire qui déboutonne son manteau, écarte bien les genoux, pose ses coudes par-dessus, regarde dans le corridor.

Dans le compartiment de troisième classe où vous vous êtes réveillé, Cécile dormait en face de vous tandis que veillait la lumière bleue dans le lampadaire, et il y avait trois autres personnes assoupies, des touristes.

Puis au crépuscule de l'aube, vous avez vu à votre montre qu'il n'était pas encore cinq heures ; le ciel était parfaitement pur et à chaque sortie de tunnel son vert apparaissait plus clair.

Entre deux collines, de l'autre côté du corridor, vous avez aperçu Vénus, et comme vous reconnaissiez la gare de Tarquinia, ceux qui étaient près de la fenêtre ont secoué leurs têtes, se sont étirés ; l'un a décroché le rideau qui est remonté lentement tout seul et les rayons peu à peu roses ont commencé à peindre et détacher le visage de Cécile qui s'est mise à remuer, s'est redressée, a ouvert les yeux, vous a regardé un certain temps sans vous reconnaître, s'interrogeant se demandant où elle se trouvait, puis vous a souri.

Vous songiez aux traits tirés qu'avait Henriette dans votre lit le matin d'avant avec ses cheveux en désordre, tandis qu'elle, sa tresse noire qu'elle n'avait pas défaite, presque intacte, simplement un peu relâchée par les mouvements de la nuit, par les frottements sur le dossier, splendide dans la lumière nouvelle, lui entourait le front, les joues comme une auréole de l'ombre la plus riche, faisant comme vibrer l'éclat de soie à peine froissée de sa peau, de ses lèvres, de ses yeux quelques instants vagues et incertains, clignotants, mais qui avaient déjà repris toute leur vivacité avec quelque chose de plus, une sorte de gaieté confiante qu'ils n'avaient pas la veille, changement dont vous vous sentiez responsable.

« Comment ? Vous êtes resté ici ? »

Passant votre main sur votre menton râpeux, vous lui avez dit que vous alliez revenir dans un moment, puis vous vous êtes dirigé dans le sens inverse de la marche du train jusqu'à ce compartiment de première vide maintenant dans lequel vous vous étiez installé à Paris, vous avez descendu vos bagages sur la banquette pour en tirer la poche de nylon où sont vos affaires de toilette et pouvoir aller vous raser, après quoi vous êtes revenu à travers les wagons où presque tous les rideaux étaient alors relevés, presque tous les voyageurs déjà réveillés, jusqu'à Cécile qui elle aussi pendant ce temps s'était rafraîchie, avait resserré sa tresse et repeint ses lèvres, Cécile dont vous ne saviez pas encore le nom.

Après Roma Trastevere, puis le fleuve, après Roma Ostiense, avec la pyramide de Cestius brillante aux rayons du matin, après Roma Tuscolana, puis la porte Majeure et le temple de la Minerve Médecin, dans la grande gare transparente de Termini, vous l'avez aidée à descendre, vous lui avez porté ses paquets, vous avez traversé le hall ensemble, vous lui avez offert le petit déjeuner, contemplant derrière les grands panneaux de verre les ruines de la construction de Dioclétien illuminées par le jeune soleil superbe, vous avez insisté pour qu'elle profite de votre taxi, et c'est ainsi que vous êtes arrivé pour la première fois devant le cinquante-six Monte della Farina, dans ce quartier que vous ne connaissiez presque pas.

Elle ne vous avait pas dit son nom ; elle ignorait le vôtre ; vous n'aviez point parlé de vous revoir, mais comme le chauffeur vous ramenait par la via Nazionale jusqu'à l'Albergo Quirinale, vous aviez déjà la certitude qu'un jour ou l'autre vous la retrouveriez, que l'aventure ne pouvait se terminer là, et qu'alors vous échangeriez officiellement vos identités et vos adresses, que vous conviendriez d'un lieu pour vous revoir, que bientôt elle vous ferait pénétrer non seulement dans cette haute maison romaine où elle était entrée, mais encore dans tout ce quartier, dans toute une partie de Rome qui vous était encore cachée.

Tout le jour, son visage a hanté vos promenades et conversations, toute la nuit votre sommeil, et le lendemain vous n'avez pu vous empêcher de rôder du côté de la via Monte della Farina, même de faire le guet quelques instants devant le cinquante-six, comme vous le ferez demain, espérant la voir apparaître à une fenêtre, puis comme vous avez craint d'être ridicule (il y avait longtemps que vous ne vous étiez plus conduit de cette façon), surtout de l'agacer, de la gêner si elle vous voyait ainsi, de vous faire rabrouer comme importun, de tout gâcher, de tout empêcher par votre impatience, vous vous êtes résigné à vous éloigner, vous efforçant de l'oublier, résolu en tout cas à laisser au destin le soin de ménager la prochaine rencontre.

Sur le tapis de fer chauffant, la chaussure du militaire écrase la miette de biscuit. L'ecclésiastique tire son porte-monnaie de sa poche et compte sa fortune. Au-delà de la fenêtre sur laquelle les gouttes de pluie maintenant s'espacent, cette église et ce village qui s'approchent, vous savez bien que c'est Tournus.

Dans le lampadaire au plafond la petite ampoule bleue veillait. Il faisait chaud et lourd, vous aviez de la peine à respirer ; les deux autres occupants dormaient toujours, balançant leurs têtes à droite et à gauche comme des fruits agités par un grand vent, puis l'un des deux s'est éveillé, un homme épais qui s'est levé, qui s'est avancé vers la porte en titubant. Comme vous vous efforciez de chasser de votre esprit ce visage de Cécile qui vous poursuivait, ce sont les images de votre famille parisienne qui sont venues vous tourmenter, et vous avez tenté de les chasser aussi, retombant sur celles de votre travail sans parvenir à échapper à ce triangle.

Il aurait fallu que la lumière fût revenue, que vous fussiez capable de lire ou même seulement de regarder avec attention quelque chose, mais il y avait encore cette femme dans l'ombre dont vous ignoriez les yeux et les traits, la couleur des cheveux et du costume, que vous aviez peut-être vue entrer la veille au soir mais que vous aviez oubliée, cette forme confuse recroquevillée dans le coin près de la fenêtre face à la marche, protégée derrière l'accoudoir qu'elle avait baissé, dont vous entendiez la respiration régulière un peu rauque et que vous n'osiez pas troubler.

Par la porte restée à demi-ouverte, un pan de clarté jaunâtre entrait, tout habité par l'agitation des poussières, détachant de la nuit votre genou droit, dessinant sur le sol un trapèze qu'a écorné l'ombre du gros homme revenant, qui s'est adossé au panneau coulissant, dont la jambe droite, la manche droite, le bord défraîchi de la chemise, le bouton d'ivoire de la manchette, et la main qui s'est enfoncée dans sa poche pour en tirer non pas un paquet de gauloises mais de Nazionali vous sont devenus visibles ; puis comme vous suiviez les écheveaux de fumée qui s'élevaient, qui se tordaient, qui tentaient des incursions dans le compartiment, s'étalaient enfin, une secousse plus brutale vous a averti que vous étiez arrivé à Dijon.

Dans le silence ponctué de quelques grincements, quelques roulements isolés, la femme qui s'était réveillée a détaché les boutons du rideau auprès d'elle et l'a remonté de quelques centimètres, laissant apparaître, parce qu'il faisait déjà un peu moins

112

sombre dehors, une mince bande grise qui peu à peu, comme le train s'était remis en marche, s'est élargie, s'est éclaircie sans qu'eussent paru les couleurs de l'aurore.

Bientôt la fenêtre entièrement dégagée vous a fait voir le ciel nuageux, et sur la vitre des gouttes d'eau se sont mises à marquer leurs petits cercles.

La lampe bleue s'était éteinte dans le globe du plafond, les lampes jaunâtres dans le corridor ; une à une toutes les portes s'ouvraient et des voyageurs en sortaient, écarquillant leurs yeux encore tout envasés de sommeil ; tous les rideaux se relevaient.

Vous êtes allé jusqu'au wagon-restaurant pour y prendre non point le précieux café italien, cette liqueur vivifiante et concentrée, mais simplement une eau noirâtre dans une épaisse tasse de faïence bleu pâle avec les curieuses biscottes rectangulaires enveloppées par trois dans la cellophane que vous n'avez jamais vues que là.

Dehors, sous la pluie, passait la forêt de Fontainebleau dont les arbres étaient encore garnis de feuilles que le vent arrachait comme par touffes et qui retombaient lentement pareilles à des essaims de chauves-souris pourpres et fauves, ces arbres qui en quelques jours ont perdu tout leur apparat, sur lesquels il ne restait plus tout à l'heure, au bout de leurs branches sévères, que quelques fines taches tremblantes, quelques rappels de cette pompe alors si généreusement répandue qu'elle fourmillait jusque dans les clairières et les halliers, et il vous semblait voir apparaître, cause de tout ce remuement, à travers taillis et futaies, la figure d'un cavalier de très haute stature, vêtu de lambeaux d'un habit superbe dont les rubans et les galons métalliques décousus lui faisaient comme une chevelure de ternes flammes, sur un cheval dont transparaissaient à demi les os

113

noirs semblables à d'humides ramures de hêtre se carbonisant, à travers ses chairs flottantes, ses fibres détachées, ses lanières de peau claquantes qui s'ouvraient et se refermaient, la figure de ce grand veneur dont vous aviez même l'impression d'entendre la célèbre plainte : « M'entendez-vous ? »

Puis il y a eu les abords de Paris, les murs gris, les cabines des aiguilleurs, l'entremêlement des rails, les trains de banlieue, les quais et l'horloge.

Au-delà de la fenêtre sur laquelle les gouttes de pluie s'espacent de plus en plus, vous apercevez bien plus nettement que tout à l'heure, sous une tache claire dans ciel, des maisons, les poteaux, la terre, des gens qui sortent, une charrette, une petite automobile italienne qui croise la voie au-dessus de vous sur un pont. Dans le corridor viennent deux jeunes gens déjà vêtus de leurs manteaux, avec leurs valises à la main. Passe la gare de Sénozan.

L'ecclésiastique a retiré son ticket de son porte-monnaie qu'il remet dans la poche de sa soutane après avoir fait le compte de sa fortune, puis il boutonne son manteau noir, serre autour de son cou son écharpe de tricot, met sous son bras son porte-documents gonflé qu'il essaie en vain de fermer complètement, tandis que passent derrière lui les premières rues de Mâcon, puis, se tenant à la barre de métal, levant bien haut ses grands souliers, il passe devant la dame en noir, entre le militaire et le petit garçon, entre l'Italien qui tourne la page de son journal et vous, sort, reste immobile devant la vitre jusqu'à l'arrêt complet.

Qu'y a-t-il entre ces deux feuilles de cuir médiocre en dehors de son bréviaire ? D'autres livres ? Des livres de classe peut-être s'il est professeur dans un collège, s'il va y rentrer déjeuner dans quelques

114

instants et qu'un cours l'attend à deux heures avec des garnements dans le genre d'Henri ou Thomas, ou des devoirs à corriger, des dictées toutes zébrées de crayon rouge : nul, très faible, zéro, souligné, avec des points d'exclamation, des analyses « A rapporter avec la signature de vos parents », des narrations « Vous écrivez une lettre à l'un de vos amis pour lui raconter vos vacances » (non, il y a déjà trop longtemps qu'ils sont rentrés ; c'est toujours le premier sujet de l'année), « Imaginez que vous êtes le représentant à Paris d'une maison de machines à écrire italiennes, vous écrivez à votre directeur romain pour lui expliquer que vous avez décidé de prendre quatre jours de vacances », « Des idées mais pas de plan », « Attention à l'orthographe », « Vous faites des phrases trop longues », « En dehors du sujet », « Jamais vous ne ferez admettre à votre directeur italien des raisons pareilles », ou bien : « Imaginez que vous êtes monsieur Léon Delmont et que vous écrivez à votre maîtresse Cécile Darcella pour lui annoncer que vous avez trouvé pour elle une situation à Paris », « On voit bien que vous n'avez jamais été amoureux » ; et lui, que sait-il de cela ?

Peut-être qu'il en est dévoré, qu'il est écartelé entre son désir, ce salut qu'il pressent pour lui ici-bas, et la terreur de son divorce avec l'Eglise, qui le laissera si démuni.

« Imaginez que vous voulez vous séparer de votre femme ; vous lui écrivez pour lui expliquer la situation », « Vous ne vous êtes pas mis dans la peau du personnage ». « Imaginez que vous êtes un père jésuite ; vous écrivez à votre supérieur pour lui annoncer que vous allez quitter la Compagnie. »

Quelqu'un a ouvert une des fenêtres du corridor, et l'on entend assez distinctement la voix dans le haut-parleur qui récite : « ... Chambéry, Saint-Jean-

115

de-Maurienne, Saint-Michel-Valloire, Modane et l'Italie, en voiture s'il vous plaît... »

Ces voyageurs sans manteaux ni valises, ce doit être ceux qui reviennent du wagon-restaurant, le premier service terminé, et parmi eux voici en effet les jeunes mariés qui rentrent, tandis qu'à terre un employé fait claquer les portes du wagon et que le train s'ébranle, elle oscillant entre les filets comme un jeune bouleau dans le vent.

La veuve pèle une pomme rouge qu'elle a choisie dans le panier, en passe les quartiers l'un après l'autre au petit garçon et pose bien soigneusement les épluchures sur un morceau de journal déchiré, étalé sur ses genoux, qu'elle replie quand tout est fini, froisse en forme de boule et jette sous la banquette, après y avoir essuyé la lame de son canif qu'elle referme et range dans son sac à main, puis elle se glisse jusqu'au coin de la fenêtre, à la place que l'ecclésiastique a quittée, et le petit garçon s'éloigne de vous, suçant ses doigts, mâchant son fruit dont l'odeur remplit encore tout le compartiment.

Passe la gare de Pont-de-Veyle. Dans le corridor, deux jeunes gens accoudés à l'une des barres de cuivre devant une vitre allument mutuellement leurs cigarettes. Sur le tapis de fer chauffant, le soulier gauche jaune clair à semelle de crèpe du jeune époux recouvre presque entièrement la tache de même couleur que dessine le morceau de biscuit écrasé.

Plus d'un mois après votre rencontre dans le train, comme vous l'aviez presque oubliée, au soir d'une journée de septembre ou d'octobre encore très chaude, où le soleil avait été superbe, vous aviez dîné seul dans un restaurant du Corso avec un vin des plus médiocres malgré son prix exorbitant, après avoir dû régler un certain nombre de questions plutôt épineuses chez Scabelli, vous étiez allé pour vous détendre voir vous ne savez plus quel film français

116

dans le cinéma qui est au coin de la via Merulana en face de l'auditorium de Mécène, et devant le guichet vous l'avez rencontrée qui vous a dit bonjour avec simplicité, avec qui vous êtes monté, si bien que l'ouvreuse, comprenant que vous étiez ensemble, vous a donné deux fauteuils contigus.

Quelques minutes après le début du spectacle, le plafond s'est ouvert lentement, et c'est cela que vous considériez, non point l'écran, cette bande bleue du ciel nocturne s'élargissant pleine d'étoiles au milieu desquelles un avion passait avec ses feux de position rouge et vert tandis que de légers souffles d'air descendaient dans cette caverne.

A la sortie, vous l'avez priée d'accepter un rafraîchissement, et dans le taxi qui vous amenait à la via Veneto, par Sainte-Marie Majeure et la rue des Quatre-Fontaines, vous lui avez dit votre nom, votre adresse parisienne et celle où l'on pouvait vous joindre à Rome ; puis, sous l'excitation merveilleuse de la claire foule élégante, vous lui avez demandé de venir déjeuner avec vous le lendemain au restaurant Tre Scalini.

C'est pourquoi le matin, avant même d'aller au siège central de chez Scabelli, vous êtes passé à la grande poste envoyer un télégramme pour avertir Henriette que vous ne seriez pas à Paris avant le lundi, puis, un peu avant une heure, depuis une table de la terrasse, vous l'avez vue venir de l'autre bout de la place où des petits garçons se baignaient dans la fontaine des Fleuves, minuscules à côté des géants éclatants, et si vous aviez connu à ce moment-là les poèmes de Cavalcanti, vous auriez dit qu'elle faisait trembler l'air de clarté.

Elle s'est assise en face de vous, posant son sac et son chapeau sur une chaise de rotin à côté d'elle, posant ses longues mains sur la nappe parfaitement blanche où des fleurs entre vos verres s'agitaient très doucement dans l'ombre délicieuse qui vous protégeait, vous approuvait, vous incitait, tombant des hautes maisons anciennes et séparant ce qui avait été un cirque impérial en deux régions bien tranchées.

Tous deux vous regardiez le spectacle de ce peuple traversant le seuil du soleil sans interrompre gestes ni discours, allumant ou éteignant les couleurs de ses vêtements, faisant soudain jaillir des cheveux et des robes noirs plis et reflets inattendus, révélant dans ce qui n'était que flammes blanches une prodigieuse diversité de nuances.

Ensemble vous avez fait l'éloge de cette place, de cette fontaine, de cette église aux deux clochers elliptiques, chants amœbées, parlant pour la première fois entre vous des monuments de Rome, commençant par ceux du dix-septième siècle, et c'est elle, désirant vous montrer des « coins charmants », qui vous a guidé tout l'après-midi dans une longue promenade bientôt tendre, vous faisant passer devant toutes les églises de Borromini que vous ne connaissiez pas encore.

Sur le tapis de fer chauffant la boule de papier journal roule jusqu'aux pieds de l'Italien. Le jeune militaire, dont le manteau couleur de foin est maintenant sec, se lève et sort. Un homme qui marche dans le même sens que le train passe la tête, puis s'en va, sûr qu'il s'est trompé.

Tout était comble et pourtant on était en hiver ; c'était dans cette région-ci, entre Mâcon et Bourg, à peu près à cette heure-ci ; vous aviez déjeuné au premier service et vous étiez à la recherche de vos deux places de troisième ; Henriette prétendait toujours que c'était plus loin et elle avait raison, pourtant vous ouvriez toutes les portes (aisément, déjà vous n'avez plus votre force d'alors), vous passiez la tête et la retiriez comme ce monsieur après avoir constaté votre erreur.

Vous avez failli faire de même pour votre compartiment, car tous ses occupants avaient changé : il y avait maintenant entre autres une famille avec quatre enfants qui s'étaient installés aux places que vous aviez quittées, rangeant soigneusement sur l'étagère au-dessus d'eux les livres que vous y aviez laissés pour les marquer.

Vous avez attendu dans le corridor, regardant les champs, les vignes et les bois noirs, le ciel très bas, très sombre au-dessus, la neige qui a commencé à tomber à Bourg, les flocons s'écrasant sur les vitres, collant aux cadres, jusqu'à Chambéry où vous avez pu vous rasseoir. Henriette près de la fenêtre et vous à côté d'elle, comme les deux jeunes mariés, mais face à la marche.

La neige qui avait cessé de tomber couvrait toutes les montagnes, tous les arbres, tous les toits des maisons et des gares sous le ciel laiteux, et la buée se condensait sur le verre froid qu'il fallait essuyer perpétuellement.

Après le passage de la frontière dans la nuit, le chauffage mal réglé étant tout juste suffisant, vous vous êtes emmitouflés tous deux dans vos manteaux, et elle a dormi la tête contre votre épaule.

Un autre homme, qui marche dans le sens inverse de celui du train, passe la tête par la porte et puis s'en va. Le jeune militaire revient et se rassied. Involontairement, il donne un coup de pied dans la boule de papier journal qui oscillait sur le tapis de fer et la chasse sous la banquette.

Au voyage suivant, vous l'aviez prévenue de votre arrivée par la première lettre que vous lui eussiez écrite, bien différente de celles d'aujourd'hui, le style étant passé de « Chère Madame » à « Chère

119

Cécile », puis aux petits surnoms d'amants, le *vous* ayant fait place au *tu*, les formules de politesse aux envois de baisers.

Vous avez trouvé sa réponse en arrivant à l'Albergo Quirinale comme vous le lui aviez demandé, vous priant de venir l'attendre à la sortie du palais Farnèse, pour qu'elle pût vous mener, si cela vous amusait, dans un petit restaurant qu'elle connaissait au Trastevere.

Le pli était pris ; chaque fois vous l'avez revue ; bientôt ce fut l'automne puis l'hiver ; vous aviez parlé de musique, elle vous a procuré des places de concert ; elle s'est mise à étudier pour vous les programmes des cinémas, à organiser tous vos loisirs à Rome.

Sans qu'elle s'en rendît compte alors, sans l'avoir cherché (vous l'avez appris tous les deux ensemble en étudiant votre Rome l'un pour l'autre), elle avait mis votre première promenade commune sous le signe de Borromini ; depuis, vous avez eu bien d'autres guides et patrons ; ainsi, comme vous aviez longuement feuilleté un jour dans une petite librairie d'occasions précieuses, près du palais Borghese, celle-là même où Cécile vous a acheté peu de temps après votre fête la Construction et la Prison qui ornent votre salon, quinze place du Panthéon, un volume de Piranèse consacré aux ruines, les mêmes sujets à peu près que ceux des toiles imaginaires rassemblées dans le tableau de Pannini, dans l'hiver vous êtes allés considérer, interroger l'un après l'autre tous ces amas de briques et de pierres.

Un soir enfin — vous étiez allés sur la via Appia, vous y aviez eu fort froid à cause du vent, vous y aviez été surpris par le coucher du soleil près du tombeau de Cecilia Metella ; on apercevait la ville et ses remparts dans une brume pourpre poussiéreuse —, elle vous a proposé ce que vous attendiez depuis plusieurs mois, de venir prendre le thé dans sa maison, et vous avez franchi le seuil du cinquante-six via Monte della Farina, vous avez monté ces quatre hauts étages, vous avez pénétré dans l'appartement de la famille da Ponte avec ses buffets noirs, ses fauteuils recouverts de housses en macramé, ses calendriers publicitaires dont un de la maison Scabelli, et ses images pieuses, vous êtes entré dans sa chambre si fraîchement, si différemment arrangée avec sa bibliothèque de livres français et italiens, ses photographies de Paris, son couvre-lit à rayures de couleurs.

Il y avait une grosse réserve de bois fendu à côté de la cheminée et vous lui avez dit que vous vous chargiez d'allumer le feu, mais c'est une chose dont vous aviez perdu l'habitude depuis la fin de la guerre ; il vous a fallu longtemps.

Il faisait chaud maintenant ; enfoncé dans un des fauteuils, vous avez commencé à boire son thé qui vous réconfortait merveilleusement ; vous vous sentiez tout envahi d'une délicieuse fatigue ; vous regardiez les flammes claires et leurs reflets sur les pots de verre et de faïence, dans les yeux tout proches des vôtres de Cécile qui avait enlevé ses souliers et s'était allongée sur le divan, beurrant appuyée sur un coude, une tranche de pain grillé.

Vous entendiez le bruit du couteau sur la mie durcie, le ronflement dans le foyer ; il y avait cette fine odeur de deux fumées à la fois ; de nouveau vous aviez toute votre timidité de jeune homme ; le baiser vous apparaissait comme une fatalité à laquelle il vous était impossible de vous soustraire ; vous vous êtes levé brusquement et elle vous a demandé : « Qu'est-ce qu'il y a ? »

La regardant sans lui répondre, sans plus pouvoir détacher vos yeux des siens, vous vous êtes approché d'elle doucement avec l'impression de tirer un immense poids derrière vous ; assis près d'elle sur le divan, votre bouche a eu encore quelques terribles centimètres à franchir, votre cœur était serré comme un linge humide qu'on essore.

Elle a lâché le couteau qu'elle tenait d'une main, le pain qu'elle tenait de l'autre, et vous avez fait ce que font ensemble les amoureux.

Sur le tapis de fer chauffant, vous voyez un pépin de pomme sauter d'un losange à un autre. Dans le corridor le garçon du wagon-restaurant fait tinter de nouveau sa clochette. Passe la gare de Polliat.

Le jeune militaire se lève, descend avec précaution cette boîte de contreplaqué teinte au brou de noix avec sa poignée de métal, son unique bagage, et sort, bientôt suivi de l'Italien qui s'en va dans la direction opposée, masqué au bout de quelques pas à vos yeux par deux femmes d'un autre compartiment qui s'éloignent derrière lui tandis que paraissent les premières maisons de Bourg, de telle sorte qu'il n'y a plus maintenant en face que les deux jeunes mariés au-dessous de leurs deux grandes valises semblables en beau cuir clair, avec une étiquette fixée à la poignée sur laquelle est vraisemblablement écrit le nom de la ville où ils se rendent, peut-être en cette Sicile où vous désireriez aller si vous pouviez célébrer par un voyage vos fausses noces, vos demi-noces avec Cécile, trouvant là-bas presque l'été.

Outre ses affaires de toilette avec tout cet outillage compliqué pour les ongles dont elles se servent, il doit y avoir dans la sienne des robes claires sans manches découvrant ses bras nus qui se doreront, ses bras qui demeuraient si bien cachés dans ce Paris qu'ils ont quitté en même temps que vous, et le demeureront jusqu'à la fin de leur trajet, même s'ils font escale à Rome, même s'ils s'y arrêtent une journée entière et ne repartent que par le train du soir, pour arriver épuisés après vingt-quatre heures encore d'un roulement plus bruyant et moins rapide que celui-ci, d'un balancement plus brutal, de secousses plus fréquentes et plus violentes, à Palerme ou à Syracuse, où dès qu'ils auront mis les pieds, que ce soit le soir ou le matin, ils verront la mer splendide et dorée comme un tableau de Claude, avec ses profondeurs vertes et violettes, ils respireront l'air délicieux plein d'odeurs, ce qui les lavera, les détendra si bien qu'ils se regarderont l'un l'autre comme deux vainqueurs venant d'accomplir un exploit ; il doit y avoir un costume de bain et de grandes serviettes en tissu éponge avec lesquelles ils s'essuieront le soir ou le lendemain, que ce soit lundi ou mardi (à ce moment déjà vous serez sur le chemin du retour, vous aurez déjà repassé la frontière à Modane), avant de s'étendre sur le sable.

La femme en noir a terminé son déjeuner maintenant puisque le petit garçon est en train de sucer un bonbon à la menthe ; elle ouvre la fenêtre, sur laquelle il n'y a plus que quelques gouttes, pour jeter les papiers, tandis que les quais presque vides s'immobilisent, les wagons de bois, les fils dans le ciel, les rails sur la terre qui leur répondent, devant l'horizon de petites constructions grises.

Comme le tintement de la clochette s'approche de nouveau, une fois debout, respirant longuement l'air humide, vous jetez un coup d'œil sur les étiquettes des deux valises où en effet est inscrit le mot Syracuse, sur les quatre photographies dans les coins : montagnes, bateaux, cité de Carcassonne, et l'arc de triomphe de l'Etoile au-dessus de votre place que vous marquez, après l'avoir repris sur l'étagère, par le roman que vous avez acheté au départ de Paris gare de Lyon, puis vous sortez.

V

En entrant, vous écrasez dans le cendrier fixé au chambranle le reste du cigare que vous venez de fumer, vous vous penchez vers le roman qui marquait votre place sous la photographie de l'arc de triomphe de l'Etoile, vous le saisissez maladroitement entre deux doigts de la main gauche, et voici qu'il vous échappe comme une secousse un peu plus violente vous fait tituber si fort que vous vous retenez de justesse à la banquette.

Vous ne pensiez pas que cette demi-bouteille de Mâcon aurait pu vous faire tant d'effet ; il est vrai qu'il y a aussi ce cigare, le verre de cognac, le porto avant le repas que vous n'avez pu vous empêcher de demander, ce que vous ne faites jamais d'ordinaire quand vous êtes seul, et puis la fatigue, bien sûr, de cette semaine parisienne écourtée où il vous a fallu régler plus rapidement encore que d'habitude les affaires courantes chez Scabelli, où il vous a fallu mobiliser tant d'énergie pour prendre enfin cette si grave décision sur le prochain arrangement de votre vie, pour garder néanmoins le silence chez vous, pour continuer à faire bonne figure au milieu de cette famille qu'il vous est devenu encore plus difficile de supporter depuis que vous savez avec une quasi-certitude que vous allez bientôt la quitter, bien loin que les choses vous fussent devenues presque indifférentes, comme vous l'auriez imaginé, à partir du moment où vous les avez sues si provisoires.

Le charmant Thomas, avec ses yeux ronds, vous regarde aplanir et épousseter de votre main les pages du livre qui se sont pliées et salies sur le sol de fer.

Ainsi vous recommencez à jouer à ce jeu qui vous est familier, donner un nom à chacun de vos compagnons de voyage, mais celui-ci convient plutôt mal à ce petit garçon qui s'agite sur sa place, puisqu'il est bien plus jeune que votre fils maintenant ; il vaudrait mieux le baptiser André, par exemple ; la femme qui le prend par la main et le fait sortir sera Madame Polliat ; quant au jeune couple, non, pas d'allusions littéraires, simplement Pierre et, voyons, Cécile est exclu, mais Agnès conviendrait très bien, Sant'Agnese in Agone, l'église de Borromini sur la piazza Navona.

Vous refermez le livre et vous le déposez sur l'étagère, puis vous vous asseyez au moment où l'Italien rentre, le visage beaucoup plus rouge que tout à l'heure, à qui vous allez donner un de ces prénoms à l'antique peut-être dont ils sont si friands, Amilcare ? cela est bien peu romain, Nerone ? Traiano ? Augusto ?

Et qui vous dit qu'il soit Romain ? Combien voulez-vous parier avec vous-même qu'il s'arrêtera à Turin pour le dîner que sa femme lui tiendra chaud (il a une alliance lui aussi), pasta, chianti (ou peut-être qu'il s'est caché de sa femme, qu'il lui a dit qu'il ne rentrerait que le lendemain, et qu'il ira retrouver quelqu'un d'autre), ou bien à Gênes, à la rigueur, pour se coucher. Vous vous souvenez de ce tympan roman de la cathédrale avec le martyr sur le gril, et à Turin aussi il y a cette coupole de Guarini sur arcs entrecroisés qui est dédiée à saint Laurent, donc Lorenzo conviendrait bien dans les deux cas.

Déjà Madame Polliat ramène son neveu et l'assied à côté du panier d'où elle tire le sac de bonbons à la menthe presque vide.

125

Vous l'imaginez originaire d'une ville des Alpes humide et noire, avec un père, caissier à la banque, qui rentrait le soir excédé et trompait sa femme avec des serveuses de café, protestante, toute la famille le dimanche se rendant au temple et nasillant des cantiques, ayant passé son brevet élémentaire, fait pendant des années des gammes sur un piano droit, étant allée à Lyon pour la première fois à dix-huit ans accompagner sa mère, ayant pris des leçons de danse données par le professeur de chant dans les salons de la mairie, ayant rencontré au bal du nouvel an un étudiant en médecine qui revenait passer les vacances dans sa famille, qui l'a emmenée dans un café, qu'elle a revu, qu'elle a conduit jusqu'à la gare où elle a pris un ticket de quai, où elle a suivi des yeux le dernier wagon qui s'enfuyait,

ayant commencé à lui écrire des lettres en cachette, ce qui s'est su, de telle sorte qu'il y a eu une explication devant le piano, qu'on a décidé de prendre des renseignements, très favorables, si bien que la correspondance est devenue officielle,

s'étant mise alors à lire des romans, ce qui a transformé son style, ayant acheté un bâton de rouge à lèvres qu'elle a enfermé dans son sac comme un talisman, et de temps en temps, toute seule dans sa chambre, faisant des essais de maquillage.

On a attendu qu'il ait fini ses études pour les fiançailles, qu'il ait fait son service militaire pour le mariage, après lequel ils ont fait leur voyage de noces à Paris.

Le cabinet médical est bien parti, puis la guerre est venue et son mari est mort sans lui laisser d'enfant ; depuis elle n'est plus sortie de sa ville que pour aller à Bourg retrouver son frère aîné qui y est employé de banque, espérant devenir caissier, qui a deux garçons et trois filles ; André, le plus jeune, a été un peu

126

malade, et comme le médecin a dit qu'il avait besoin de repos, on a décidé qu'il irait chez sa tante.

Passe la gare de Chindrieux. De l'autre côté du corridor, à travers la vitre qui n'est plus piquée maintenant que d'une dizaine de gouttes d'eau qui s'évaporent, sous le ciel gris très bas, le lac étale son platine.

Vous longerez le bord de la mer, et comme quelqu'un aura demandé d'éteindre, si vous avez réussi à trouver dans un compartiment une place de coin, peut-être pourrez-vous, soulevant un peu le rideau près de votre tempe, apercevoir les reflets de la lune sur les vagues sous le ciel nocturne qui sera toujours clair après cette belle journée.

Tout sera dit, tout sera fait, tout sera préparé, les dates même seront à peu près fixées ; vous serez complètement réconciliés, ah, bien plus que réconciliés, plus unis que jamais vous n'avez pu l'être ; il n'y aura plus en vous cette inquiétude rongeante qui persiste malgré toutes vos raisons d'espérer.

Fatigué, mais d'une tout autre fatigue, car le séjour là-bas vous aura tellement détendu, vous n'aurez plus cette fois de difficultés à dormir, malgré l'inconfort, même si toutes les places sont prises, tandis que ce soir, certes, vous aurez un sommeil agité.

Le train s'arrêtera à Civitavecchia, vous devinerez peut-être dans la nuit le passage de la gare de Tarquinia, puis vos yeux se fermeront et vous vivrez alors d'avance, délivré de tout cauchemar, un peu de cette vie prochaine dont ce voyage vous aura ouvert les portes ; en rêve vous explorerez cette contrée dont votre dure décision vous aura fait franchir la frontière.

A Gênes, avant le jour, l'agitation des quais vous éveillera ; vous irez vous raser au bout du corridor, prendre votre petit déjeuner au wagon-restaurant, et vous en serez déjà revenu lorsque le train arrivera à Turin.

Puis vous escaladerez peu à peu les Alpes dont les sommets seront éblouissants de neige illuminée de plein fouet par le soleil matinal, vous traverserez des forêts toutes blanches aux flancs des grandes vallées abruptes, et le compartiment sera envahi par la réverbération, par la résonance claire et fraîche de la lumière, baignant de solennelle gaieté tous les voyageurs, même ceux qui auront le plus mal dormi, mais parmi tous ces visages aucun ne traduira plus de joie reposée, plus de libération, plus de triomphe que le vôtre, et les douaniers eux-mêmes à Modane vous apparaîtront comme des humains.

Sur l'autre versant, bien sûr, le ciel sera moins clair, et tandis que vous déjeunerez vous verrez sans doute tomber la neige, ou vous traverserez des nuages, les vitres se brouillant à cause de la condensation, puis quand vous descendrez cela deviendra de la pluie, de nouveaux les forêts seront noires, et le ciel de plus en plus gris.

Bientôt vous approcherez de cette région-ci, de ce lac que vous longerez dans l'autre sens, sous votre valise dans laquelle le linge propre bien repassé qui la remplit maintenant, et que vous aurez sur le corps, sera remplacé par celui que vous portez maintenant et qui sera sale et froissé.

Au-delà de la fenêtre sur laquelle les gouttes d'eau ont maintenant disparu, vous voyez ralentir, s'arrêter, la gare d'Aix-les-Bains, et passer la locomotive dans l'autre sens, puis tous les wagons du Rome-Paris, du train même que vous aurez pris lundi soir et qui passera ici mardi après-midi à cette heure-ci.

Comme vous regardiez cette valise ouverte sur la table dimanche dernier, dans votre chambre à l'Albergo Quirinale qui donnait sur la bruyante via Nazionale avec les crissements de ses tramways et les démarrages de ses vespas qui vous avaient déjà réveillé plusieurs fois au cours de la matinée, avec la manche chiffonnée qui s'en échappait de la chemise avec laquelle vous aviez fait le voyage de Paris à Rome, comme vous n'en aviez plus de propre, comme celle que vous alliez mettre, c'était celle que vous aviez enlevée avant de vous endormir en revenant du cinquante-six via Monte della Farina, étendue avec le reste de vos vêtements sur une chaise près du lit, vous vous êtes dit, comme vous vous l'étiez dit plusieurs fois en de semblables occasions, qu'il vous faudrait au voyage suivant apporter avec vous non seulement une mais deux chemises de rechange, ce que vous avez encore oublié de faire.

Déjà le soleil éclairait les deux derniers étages de la maison d'en face ; vous avez replié ce bras rebelle, fermé le couvercle, tout préparé pour pouvoir ne passer qu'un instant dans cet hôtel au moment où vous viendriez la reprendre pour vous diriger vers la gare.

Vous étiez resté si longtemps la veille au soir avec Cécile sans arriver à la quitter, sachant bien qu'il vous était impossible de dormir là jusqu'au matin (mais à ce moment tout cela vous paraissait tellement absurde), qu'il était déjà près de dix heures lorsque vous êtes descendu dans la rue.

Cécile, vous le saviez bien, se serait réveillée bien plus tôt que vous, elle aurait certainement pris son petit déjeuner lasse de vous attendre ; c'est pourquoi vous êtes entré dans un bar prendre un *caffè latte* et de ces gâteaux fourrés de confiture que l'on appelle croissants en Italie, sans vous presser, de telle sorte qu'il était déjà près de onze heures lorsque vous êtes arrivé au cinquante-six via Monte della Farina, toute la famille da Ponte étant à la messe, trouvant Cécile toute seule fort mécontente qui avait tout préparé pour vous, thé, toasts, etc., puisque vous lui aviez dit la veille que cela vous ferait plaisir... Mais vous lui aviez dit tant de choses la veille à mi-voix, et cela aussi vous l'aviez oublié.

Sur le tapis de fer chauffant il y a deux pépins de pomme immobiles tout à côté de votre pied gauche.

Il y a un peu plus d'un an, un peu plus tôt dans la saison, un dimanche soir, vous aviez pris le thé lentement, la fenêtre et les persiennes grandes ouvertes, un morceau de la corniche de la maison d'en face éclairé par le soleil rouge diminuant de plus en plus, assis l'un à côté de l'autre, tous les deux le dos appuyé au mur, avec l'odeur du pain grillé dans l'air, sa tête penchée sur votre épaule, ses cheveux touchant votre cou, votre bras passant par-derrière sa taille.

Les bruits de la rue sont devenus de plus en plus distincts, le pan de ciel au-dessus des toits de plus en plus sombrement rose, puis, entre les tresses des nuages qui se dénouaient, les premières étoiles sont apparues.

Les murs étaient dorés par la lumière des lampadaires avec, de temps en temps, le passage d'un phare, et dans la chambre où il faisait de plus en plus obscur, à votre poignet luisaient les points phosphorescents de votre montre.

Vous aviez encore le temps jusqu'au train de vingt-trois heures trente que vous deviez prendre tous les deux puisqu'elle avait enfin décidé son voyage à Paris avec vous, mais la fraîcheur vous a soudain fait frissonner.

130

A la lumière de la lampe au-dessus de son petit fourneau, de son petit évier dans le placard qui lui sert de cuisine, vous avez essuyé les assiettes et les tasses qu'elle venait de laver, puis vous avez fermé la fenêtre tandis qu'elle achevait de préparer sa valise ; vous aviez fait porter la vôtre à la consigne.

Le corso Vittorio Emmanuele avait son agitation coutumière, mais de l'autre côté les rues étaient étonnament silencieuses, la piazza Navona presque vide, la fontaine des Fleuves coulant dans la nuit, toutes les tables des cafés et restaurants étant rentrées.

Dans un compartiment de troisième classe comme celui-ci, au coin couloir face à la marche, vous l'avez regardée s'endormir, la tête penchée sur votre épaule, dès qu'on eut éteint la lampe, comme si le train lui était aussi familier que sa chambre du moment que vous étiez là, et le lendemain vous avez déjeuné ensemble à une table où par bonheur vous étiez seuls, parlant de votre première rencontre.

Sur le tapis de fer chauffant, dans le quadrilatère délimité par vos deux pieds et ceux de l'Italien en face de vous, les deux pépins de pomme sont écrasés sur une rainure, un peu de leur pulpe blanche sortant par les déchirures de leur mince écorce.

Sur la petite table ronde, juste à la hauteur du divan recouvert de cette magnifique couverture à bandes de couleurs vives que vous lui aviez achetée lors d'un passage précédent, parfaitement tendue, qu'elle a froissée en s'y jetant, genoux pliés, s'appuyant le dos sur le mur, ses cheveux s'écrasant sur la photographie de l'Arc de triomphe parisien, nuages très noirs et très ténus sur le grand ciel de nuages blancs qui surmonte le médiocre monument napoléonien, se défaisant de ses pantoufles avec le

131

bout de ses orteils, étalant sur la bigarrure ses pieds nus dont les ongles conservaient encore quelques écailles du rouge de la veille (elle ne pourra plus faire ainsi à Paris en cette saison),

sur la petite table basse, recouverte d'une nappe damassée aux initiales non point de son ancien mari qui n'était pas assez riche pour s'offrir un trousseau de linge de maison entièrement nouveau, mais à celles de ses parents ou même de ses grands-parents comme elle vous l'avait expliqué à l'occasion d'un autre petit déjeuner sur cette table (vous avez oublié les détails),

il y avait la théière d'argent bien frottée que vous saviez à demi-pleine de thé froid, avec le pot à lait de faïence outre-mer, le sucrier de verre, les deux grandes tasses fines dont l'une avait le fond sali, avec cette petite flaque beige qui y restait piquetée d'une dizaine de points noirs, une assiette à fleurs sur laquelle s'étalaient quatre tranches de pain grillé, l'appareil nickelé à côté qui avait servi à les faire, le ravier plein de beurre, la coupelle de confiture,

et sur le métal de cette théière, un éclat de soleil fort vif, brillant comme une étoile au milieu de toute cette pénombre, car les volets étaient justes entrouverts, et seul un rayon pénétrait.

« Tout est froid maintenant. Veux-tu que j'aille mettre de l'eau sur le feu ? »

Mais il était clair qu'elle ne se dérangerait pas pour cela, le buste raide, les lèvres sans sourire ; d'ailleurs, vous n'aviez nulle envie de thé.

« Je sais bien que je suis en retard ; je pensais que tu aurais rangé tout cela ; j'ai pris un café. »

Vous avez ouvert les persiennes en grand, et tous les objets sur la table se sont mis à briller ainsi que ses ongles ; vues de la place où vous étiez, les vitres recouvrant les deux photographies parisiennes au-dessus du lit étaient devenues des miroirs.

Au-delà de la fenêtre, la gare d'Aix-les-Bains se remet en branle, s'en va.

Alors, après avoir longé le lac du Bourget, au milieu du court après-midi de fin novembre, vous reconnaîtrez au passage cette station de Chindrieux. Le soleil, ou plus exactement sa lumière, car le soleil lui-même, la frontière franchie, vous ne le verrez plus, baissera de plus en plus ; à Bourg ce sera déjà le crépuscule, à Mâcon le ciel sera noir, et toutes ces villes, tous ces villages, que de chances il y a que vous n'en aperceviez les lampes, les reverbères et les enseignes qu'à travers des vitres couvertes de gouttes de pluie.

Donc vous ne verrez rien de la Bourgogne ; la nuit humide et froide s'appesantira sur toutes choses et vous pénétrera vous-même tandis que vous vous rapprocherez de ce Paris où vous attendra une semaine bien plus dure encore que la précédente, car maintenant que les choses seront définitivement décidées, il faudra les taire aussi soigneusement que possible jusqu'à ce qu'elles se réalisent, il faudra vivre encore auprès de cette femme, Henriette, au milieu de votre famille comme si rien ne s'était passé, attendre sous le masque d'une silencieuse tranquillité l'arrivée de Cécile à Paris.

Eh quoi, êtes-vous donc si faible ? Ne vaudrait-il pas mieux, honnêtement, dès votre retour tout lui dire ? Votre détermination est-elle si fragile qu'elle soit à la merci des récriminations, des plaintes, des tentatives de séduction dont vous saviez bien qu'elles surgiraient ?

Non, ce ne sont pas les larmes d'Henriette que vous craignez ; pleurera-t-elle seulement ?

Mais non, sa réaction sera bien plus insidieuse et

133

bien plus terrible : il y aura ce silence, il y aura ce mépris non seulement dans son regard mais dans tout son corps, dans le moindre de ses gestes, dans la moindre de ses attitudes ; au bout d'un certain temps, elle vous demandera : « Jusqu'à quand restes-tu ici ? » et vous ne pourrez que partir.

Alors ce sera la vie d'hôtel solitaire à Paris, chose que vous redoutez entre toutes, et dans cette situation vous serez vulnérable à ses moindres attaques, à ses moindres ruses, et Dieu sait si elles sont subtiles, si elle connaît les défauts de votre armure et de votre constitution.

Au bout de quelques semaines, vous reviendriez mendiant chez elle, définitivement vaincu, à ses yeux, à vos yeux, aux yeux de Cécile que vous n'oseriez même plus revoir.

Non, toute explication prématurée compromettrait le succès de cette évasion que vous avez si minutieusement montée.

Il est indispensable pour que vous puissiez réussir que vous preniez pleinement conscience de l'étendue de votre faiblesse, que vous preniez toutes les précautions pour vous en protéger, et par conséquent il n'y a qu'une solution, ce silence, ce mensonge encore pendant des semaines et peut-être des mois ; vous imaginer fort, ce serait assurer votre perte.

Mais que cette décision-là est humiliante, dure, que dicte la prudence pour le triomphe de l'amour, si dure que vous avez grand besoin de l'affermir encore, que toutes ces raisons surtout, irréfutables et déplaisantes, il vous faudra vous y accrocher de plus en plus solidement mardi soir à mesure que vous approcherez de Paris, car enivré par ce sentiment de force et de courage que vous auront donné ces quelques jours avec Cécile, par cette proximité du bonheur, vous risquerez fort de vous laisser emporter par le désir d'en finir une fois pour toutes.

Il faudra donc que vous vous prépariez à les affronter, ces semaines et ces mois de mensonge, que vous renforciez cette volonté de vous taire, d'attendre, que vous entreteniez et surveilliez soigneusement votre flamme interne, que vous organisiez toutes vos ressources intimes en vue de ce long combat de résistance, tandis que vous dînerez au wagon-restaurant, regardant au travers des vitres noires peut-être brodées de milliers de gouttes de pluie dans chacune desquelles traînera une égarante lueur, surgir de l'ombre absolue, au passage des fenêtres du train éclairé, les talus couverts de feuilles pourrissantes, les fragments des troncs par centaines dans la forêt de Fontainebleau entre lesquels vous vous imaginerez entrevoir l'immense queue grise d'un cheval, semblable à une écharpe de brume déchiquetée par les branches nues et aiguës, entendre son galop par-delà le bruit des essieux et cette plainte, cet appel, cette objurgation, cette tentation : « Qu'attendez-vous ? »

De l'autre côté du corridor, à travers les deux vitres sèches mais sales, vous n'apercevez plus le ciel mais simplement la pente avec des maisons qui s'étagent et se disséminent, avec sur une petite route sinueuse un cycliste qui descend à toute vitesse, les pans de son imperméable grisâtre volant horizontaux derrière lui. Passe la gare de Voglans.

Madame Polliat se lève, redresse son chapeau noir devant la glace, renfonce dans ses cheveux une épingle à tête de jais, demande à Pierre de l'aider à descendre sa valise de paille, et il confie son Guide bleu à Agnès qui met son doigt entre les pages en le fermant pour qu'il retrouve aisément son passage à la fin du livre, tandis que les deux signets, les deux minces rubans bleus inutilisés pendent et se balancent doucement dans l'oscillation générale du train, dans ce léger rythme insistant qu'apportent les secousses à chaque interruption du rail.

Madame Polliat a rassemblé tous ses colis sur la banquette, dans ce coin près de la fenêtre face à la marche qu'elle occupait depuis la sortie de l'ecclésiastique, boutonne le manteau de son neveu André qui se laisse faire, serre bien sa petite écharpe, sort un peigne de son cabas pour lui mettre en ordre les cheveux, vous cachant ainsi le visage d'Agnès et celui de Pierre qui s'est rassis, qui a dû reprendre son livre, ou plutôt non, qui doit, étant donné le mouvement de son bras gauche que seul vous voyez, se pencher au-dessus des genoux de sa femme pour regarder à travers la vitre sale les premières maisons de Chambéry.

Comment se sont-ils connus tous les deux ? Se sont-ils rencontrés dans un train comme Cécile et vous, ou bien étaient-ils étudiants ensemble comme Henriette et vous ? Non, cela est bien improbable, lui dans une grande école d'ingénieurs, elle aux Arts décoratifs ou à l'Ecole du Louvre, ou préparant une licence d'anglais, ils se sont vus pour la première fois à une réception chez des amis communs ; il l'a fait danser, non qu'il dansât très bien lui-même, mais il a réussi à lui enlever cette timidité, ce manque de confiance en elle-même qui la paralysait, et tout le monde l'a remarqué ; elle en a ri ; on a commencé à la taquiner sur ce sujet ; elle faisait effort pour ne pas rougir, mais chaque fois elle sentait la chaleur qui lui montait aux joues.

Quand il l'a revue, c'était l'été ; il s'est bien rendu compte qu'au moment où il est entré dans la pièce elle a presque sursauté ; il l'a entraînée dans une chambre plus calme ; ils sont sortis sur le balcon donnant sur un boulevard parisien ; au-dessous d'eux les automobiles mêlaient leurs phares et les

136

feuilles agitées des platanes faisaient un bourdonnement qui de temps en temps devenait plus fort, comme un soupir. Ah, elle le savait bien, qu'elle était amoureuse, qu'elle y était entrée de plain-pied, dans ce domaine qu'elle avait tant vu briller de loin, comme inaccessible, dans tous les livres et les films, et elle se demandait s'il était possible que lui, ce Pierre, ce si beau jeune homme, elle l'ait conquis, alors qu'il y avait tant d'autres filles qui ne demandaient comme elle qu'à le servir ; elle n'osait pas trop y croire, elle voulait se garantir d'une trop forte déception, ne disant rien, ne le regardant même pas, et lui ne savait pas quoi faire.

Comme vous connaissez cela : ils sont allés vénérer pieusement dans les clubs ou aux séances de la cinémathèque ces bandes mêmes que vous aviez vues dans les salles de quartier avec Henriette ; il l'a menée une ou deux fois dans les caves, dans les restaurants ; ils en ont parlé à leurs parents ; ils se sont mariés à l'église hier ; ils étaient si fatigués le soir, il y avait eu tant de mouvement dans l'appartement, tant d'amis à saluer.

Mais maintenant, comme tout va bien, comme ils se sont reposés malgré leur peu de sommeil cette nuit, comme ils se sentent loin déjà de tous ces meubles en désordre,

et comme dans le fond de leur cœur, avec quelle sincérité, ils se jurent d'être fidèles l'un à l'autre ! Combien de temps vont-elles durer, ces illusions ?

Ah, s'ils savaient les raisons de votre voyage, si vous leur racontiez comment vous aussi vous étiez à leur âge, au moment de votre voyage avec Henriette, comme vous vous imaginiez vous aussi que cette entente continuerait sans défaillance, avec les enfants entre vous qui sont venus, dont vous pensiez qu'ils allaient vous lier plus encore, et ce qui s'est passé,

137

comment tout cela s'est détérioré, ce pour quoi vous êtes là, ce qu'il vous a fallu décider pour en finir, pour vous délivrer, votre visage, votre silhouette très légèrement recroquevillée, immobile, ne leur apparaîtraient-ils pas terrifiants ?

Ne devriez-vous pas la troubler, leur quiétude, le leur dire, qu'il ne faut pas qu'ils s'imaginent avoir gagné, que vous l'aviez cru vous aussi avec toute la sincérité dont vous étiez capable alors, qu'il leur faut dès maintenant se préparer à se séparer, détruire entre eux tous ces préjugés qui viennent de leur milieu semblable au vôtre et qui, au moment des difficultés telles que celles que vous traversez, retarderont si longuement leur décision, leur délivrance, quand il se sera produit dans cette Agnès ce qui s'est produit dans votre Henriette, quand ce mépris inexplicable aura envahi tous ses gestes, l'aura transformée pour lui en cadavre, quand il lui faudra à lui aussi chercher une autre femme pour essayer de recommencer, une autre femme qui apparaisse toute différente, comme la jeunesse gardée ?

Le train est arrêté. Madame Polliat, énergique, a baissé la fenêtre ; le quai est de ce côté-là. Elle confie ses bagages à Pierre, lui demande de les lui passer quand elle sera descendue, entraîne son neveu André, s'excuse, glisse ses pieds traînants entre les vôtres et ceux du signor Lorenzo.

Deux jeunes gens dans le corridor d'à peu près seize et dix-huit ans la laissent passer, puis entrent, en blousons de cuir à fermeture éclair, tenant leurs serviettes de classe.

Vous apercevez la main de cette veuve, qui se tend vers la valise de paille, vers le cabas, vers le panier d'où sont sorties tout à l'heure tant de victuailles, cette main sèche, agrippeuse. Vous ne pouvez pas voir le petit garçon à côté d'elle qui n'est peut-être

138

pas son neveu ; elle n'est peut-être pas veuve, elle ne s'appelle pas Madame Polliat, et il y a bien peu de chance pour que son prénom soit André.

Aux deux places qu'ils occupaient les frères s'installent, le plus jeune auprès de la fenêtre ouverte, leurs serviettes au-dessus d'eux dans le filet, ouvrant la fermeture de leurs blousons, et Agnès, qui les regarde, voudrait avoir des garçons comme eux, beaux et vifs, se disant : lorsque Pierre aura l'âge de ce monsieur qui me regarde, lorsque nous serons déjà de vieux mariés, alors j'aurai des fils comme ceux-là, seulement plus élégants encore, car nous aurons su leur donner une éducation bien meilleure que celles qu'ils peuvent recevoir dans je ne sais quelle école de Chambéry.

Deux ouvriers italiens qui parlent bruyamment déchargent leurs sacs à dos, les gardent sur leurs genoux ; maintenant toutes les places sont prises.

Dans l'air se mélangent trois conversations en deux langues que vous ne cherchez pas à démêler, au travers desquelles émerge l'inintelligible voix du haut-parleur qui annonce le prochain départ.

Voici le bruit familier qui recommence avec le balancement et la fuite des choses extérieures vers vous, vers cette ligne immense qui passe par votre banquette où elles deviennent invisibles ; voici le vent qui s'engouffre et sèche l'air d'un coup. Pierre referme la fenêtre.

Au moment où vous sortez de la ville, le contrôleur frappe avec sa pince sur le carreau. Chacun s'est tu et s'exécute.

Passe la gare de Chignin-les-Marches. Au-delà de la fenêtre il y a déjà un peu de neige sur les forêts de plus en plus noires qui couvrent les pentes.

Penché, dans ce très beau soleil matinal

139

d'automne, vous regardiez au-dessous de vous une lourde charrette chargée de charbon de bois prendre difficilement son virage. Il est vrai que l'hiver arrive même à Rome et que très probablement ce prochain week-end ne sera pas favorisé par une température aussi clémente que le précédent ; cette chambre où vous habiterez en principe sera glaciale, et dans celle de Cécile à côté il y aura un bon feu presque tout le jour.

Vous avez senti sa main se glisser sur votre crâne déjà un peu chauve ; accoudée à côté de vous elle vous disait :

« Sais-tu que tout cela est vraiment trop stupide ! Quel dommage que tu sois aussi obligé que tu le dis de louer à chaque voyage une chambre dans ce ridicule Albergo Quirinale et d'y retourner toutes les nuits comme si tu étais un écolier interne, ou un soldat dans une caserne qui fait le mur, mais qui doit se trouver le lendemain matin présent pour l'appel.

« Il est vrai que c'est un peu ça malgré toutes tes protestations. Comment peux-tu continuer encore ce mensonge avec elle, si du moins tout cela est véritablement un mensonge comme tu le prétends, si ce n'est pas toute ton attitude vis-à-vis de moi qui en est un.

« Ne proteste pas ; je sais bien que tu m'aimes et que tu es sincère quand tu me dis qu'il t'est de plus en plus difficile de la souffrir ; je le sais bien, ne me dis rien, je sais par cœur tout ce que tu vas me dire, qu'en ce cas-là ce n'est pas d'elle qu'il s'agit, mais de la maison Scabelli qui n'admettrait pas... Mais oui, tu me l'as déjà expliqué, et je ne te fais ces reproches que pour me moquer de toi, pour me venger de toi et de ton manque de courage que je te pardonne pourtant entièrement.

« Mais si un jour tu pouvais te dégager de tout cela, eh bien, le locataire de la chambre à côté, celle sur laquelle donne cette porte fermée par cet antique énorme verrou, j'ai appris ce matin qu'il quittait la maison cette semaine ; il suffirait que je demande aux da Ponte qu'ils te la louent ; ils accepteraient certainement (tu es mon cousin, n'est-ce pas ?) et nous serions tous les deux si tranquilles.

« Je l'ai entendu sortir tout à l'heure ; je suis sûre qu'il n'est pas encore rentré ; nous n'y jetterons qu'un coup d'œil. »

Elle a tiré le verrou qui résistait un peu ; elle a ouvert la porte dont les gonds se sont mis à grincer.

Les persiennes étaient encore fermées ; on voyait le grand lit de fer défait, une valise ouverte et toutes sortes de cravates et de chaussettes éparpillées sur la commode, près de la cuvette de tôle, sur son trépied, avec son broc et son seau.

Et vous imaginiez ce qui se passera demain, sans vous douter alors que vous le réaliseriez si tôt, sans avoir encore formé le projet de le réaliser jamais, vous l'imaginiez comme une possibilité très lointaine dans laquelle vous vous complaisiez un instant pour vous conformer au caprice de Cécile, vos propres affaires dispersées sur les meubles, sur ces vieux fauteuils tendus de velours cramoisi, dans un désordre vraisemblable, sous cet édredon et ces couvertures les draps mis pour vous que vous ne saliriez pas, que vous ne salirez pas, que vous froisserez seulement pour faire croire que vous y avez couché, cette porte restant ouverte toute la nuit.

Sur le tapis de fer chauffant, dans les traces boueuses laissées par les souliers humides de ceux qui viennent du dehors, semblables à des nuages très menaçants de neige, vous considérez la constellation de minuscules étoiles de papier rose ou carton brun qui viennent d'être découpées dans les billets.

Le contrôleur avait vérifié les vôtres. Vous étiez rentré dans votre compartiment avec Cécile. Vous étiez assis l'un à côté de l'autre comme Pierre et Agnès, ne disant rien, vous lisant un livre comme lui, un livre que vous aviez laissé pour marquer votre place et que vous aviez repris en entrant, vous ne savez plus quel livre exactement, mais dans lequel il s'agissait de Rome sûrement, et de temps en temps vous lui montriez un passage.

Mais bientôt vos yeux n'ont plus suivi les lignes, et dans cette région que vous traversez en ce moment, tandis que vous regardiez à travers le carreau les monts qui passaient dans l'autre sens, vous vous demandiez : pourquoi cela ne peut-il pas durer toujours ainsi, pourquoi suis-je toujours obligé de la quitter ? Il y a eu un grand pas de fait ; j'ai réussi à ce qu'elle soit avec moi ailleurs que dans Rome, notre vie commune a réussi pour une fois à déborder de ces étroites limites dans lesquelles nous étions obligés de la consigner ; à tous les autres voyages la Stazione Termini était le lieu de la séparation, de l'au-revoir, nous avons pu enfin pousser cette frontière ; pendant tout ce séjour à Paris où d'ordinaire je souffre tant d'être loin d'elle, d'en être séparé par cette distance et ces montagnes, je saurai qu'elle est là, je pourrai la voir de temps en temps.

Certes, il y avait là pour vous un grand bonheur, le sentiment d'une victoire, mais il s'y mêlait cette tristesse que c'était seulement un premier pas et que vous ne saviez pas le moins du monde quand vous accompliriez les autres, que la séparation n'était reculée que provisoirement, la frontière franchie que pour une fois, qu'au prochain voyage tout recommencerait comme avant, qu'à la Stazione Termini, il faudrait que vous vous quittiez, que ce n'était qu'une exception et non un véritable changement.

Et vous n'y songiez pas auparavant, à ce si grave changement ; vous étiez satisfait de cette double vie ; vous rêviez à Paris de vos journées romaines, mais il ne vous était pas encore venu sérieusement à l'idée que vous pourriez changer vos journées de Paris.

Or cette possibilité, voici qu'elle s'imposait à votre esprit maintenant, cette possibilité qui vous est apparue d'abord comme une terrible tentation folle, puis qui s'est lentement infiltrée dans toutes vos pensées, à laquelle vous vous êtes peu à peu habitué, qui a hanté tous vos moments, qui vous a rendu Henriette si haïssable.

Ce trajet de Rome à Paris, tous deux côte à côte, quelle imprudence ! Tout se déroulait auparavant si calmement, et maintenant, non, cela ne pourrait plus suffire, et vous saviez que c'était ce qu'elle pensait elle aussi, que cette possibilité allait la hanter elle aussi, qu'elle ferait tout, avec un art consommé, pour parvenir à ce que cela dure non point toujours, mais aussi longtemps, mais aussi souvent que les exigences du métier, de la position sociale, le permettraient, cette possibilité de s'imposer à vous toute seule enfin, d'atteindre enfin et de vous faire atteindre à cet amour magnifique et pur, à cette liberté nouvelle dont votre aventure jusqu'à présent n'avait pu offrir qu'une bien piètre image, toujours brisée, toujours par bribes, toujours n'atteignant qu'une partie de vous.

Et cette possibilité, au bout d'un an, elle va se réaliser, vous avez décidé de la réaliser, vous êtes en train de la réaliser.

Vous avez quitté Chambéry ; vous avez vu passer Voglans ; vous vous êtes arrêté à Aix-les-Bains ; vous êtes sortis tous les deux dans le corridor regarder le lac.

143

Un homme dans la porte avance la tête, regarde à droite et à gauche, s'aperçoit qu'il s'est trompé de compartiment, s'éloigne et disparaît.

A la Stazione Termini, à cette frontière où s'arrêtait d'ordinaire votre vie commune avec Cécile, à cette frontière que vous avez réussi à franchir avec elle provisoirement il y a un an, vous étiez arrivé un peu moins de trois ans auparavant, à cette époque où vous n'étiez encore jamais passé par la via Monte della Farina, où Rome représentait pour vous la solitude, un matin d'hiver, avant que le soleil ne fût levé, en compagnie d'une Henriette que le voyage avait fatiguée, que vous aimiez encore ou du moins dont vous ne saviez pas encore que vous commenciez à vous détacher parce qu'il n'y avait personne alors avec qui la comparaison s'imposât, d'une Henriette en qui évidemment déjà le mépris avait commencé son œuvre de durcissement et d'isolation, de vieillissement et de destruction mais qui vous pardonnait tout à cause de ce voyage tant de fois retardé, qu'elle avait tant eu envie de refaire, à cause de cette ville qu'elle avait tant eu envie de revoir, où elle aussi comme vous maintenant elle cherchait un rajeunissement qui ne lui a pas été apporté, le nœud de ce fil avec l'avant-guerre pendant laquelle elle l'avait vue pour la dernière et seule fois, de ce fil qui s'était tellement embrouillé et détérioré déjà,

vous avez pris un taxi jusqu'à l'Albergo Quirinale où vous aviez retenu pour l'occasion une chambre matrimoniale plus grande, plus belle, plus confortable que toutes celles pour célibataires que vous y avez eues depuis, une chambre que vous avez un peu regrettée chaque fois que depuis vous avez demandé votre clé au portier, ce qui fait que cet établissement

144

est un peu, comme Cécile l'a fort bien aperçu (mais vous ne vous en rendez compte que maintenant), une forteresse d'Henriette dans Rome, qui vous oblige sournoisement, discrètement, chaque fois que vous y remettez les pieds, pas tellement lorsque vous y rentrez en pleine nuit, mais le matin quand vous vous réveillez et que vous prenez peu à peu conscience du mobilier qui vous entoure, à tourner votre pensée dans sa direction, ne serait-ce que pour la haïr de venir vous poursuivre ainsi.

Elle était heureuse de signer son nom à côté du vôtre. Vous avez demandé que l'on vous monte un petit déjeuner. Les persiennes étaient encore fermées. Il faisait très froid dehors, mais le chauffage pour une fois marchait assez fort. Elle s'est étendue sur le lit après avoir enlevé ses chaussures, et vous avez attendu tous les deux que le jour vînt.

Hélas, elle s'en était fait une telle joie, de ce séjour si longtemps retardé, elle en espérait tant, vous y retrouver vous que depuis des années, chaque jour, elle avait un peu plus perdu, qu'ainsi s'abolirait cette distance entre vous deux qui s'accentuait à chacun de vos retours parce que chacun représentait une nouvelle déception réciproque, parce que chaque fois plus amère encore la différence s'affirmait entre cette vie plus libre et plus heureuse dont l'air romain vous avait donné l'espérance, et l'oppression, la charge parisienne sous laquelle elle s'enfonçait, parce que chaque fois vous lui apparaissiez vous trahir un peu plus vous-même à Paris dans cette occupation de plus en plus fructueuse financièrement, encore que cela ne dépassât point, certes, des limites fort contraignantes, et dont vous vous efforciez de plus en plus de vous cacher l'absurdité, abandonnant à chaque fois, à chaque nouvelle relation commerciale que vous invitiez à dîner, un peu plus de votre fierté et de

145

votre sens ancien, prenant peu à peu leurs rires bas, leurs lieux communs moraux ou immoraux, leurs expressions pour désigner les employés, les concurrents, la clientèle, vous avilissant, vous aplatissant devant ce système qu'autrefois du moins vous saviez réprouver, avec lequel autrefois vous ne faisiez au moins que pactiser, dont vous pouviez vous détacher au moins en paroles, et puis, pendant un certain temps, au moins dans vos paroles avec elle, vous y livrant maintenant un peu plus aveuglément chaque fois en prétendant toujours que c'était à cause d'elle, que c'était pour qu'elle pût être mieux installée, avoir ce bel appartement, pour que les enfants fussent mieux habillés, pour qu'elle n'eût rien à vous reprocher comme vous lui disiez autrefois, avec ironie au début, vous éloignant de plus en plus de vous et d'elle.

Et elle le savait bien, qu'aux images des rues romaines avec leurs jardins et leurs ruines, s'accrochait pour vous tout un rêve dont la puissance s'accroissait prodigieusement, le rêve de tout ce à quoi justement vous aviez renoncé à Paris, que Rome était pour vous le lieu de l'authenticité, que vous y aviez développé toute une partie de vous-même à laquelle elle n'avait point part, et c'était à cette lumière qu'elle désirait être introduite par vous.

Il n'y avait qu'un seul malheur, c'était que tout cela n'était alors que songe et charme, restait dans le vague, antérieur à l'expression ; vous ne saviez rien reconnaître, vous n'aviez rien étudié, vous n'y aviez point apporté de passion, vous étiez incapable d'en rien expliquer.

Ah, elle s'imaginait que vous la connaissiez incomparablement mieux, cette ville, que votre amour pour elle avait cette instruction que seule Cécile a été capable de vous apporter ; c'est pourquoi, lorsque vous

vous promeniez dans les rues avec elle cet hiver-là, vous ne saviez rien répondre à tant de questions qu'elle vous posait, vous révélant à chaque insuffisance l'extrême fragilité de ce refuge que vous aviez cru vous constituer, à côté de vous, cherchant à comprendre, vous demandant de l'aide, abandonnée de vous, vous apparaissant bientôt comme l'impossibilité de jamais atteindre ce dont ces rues romaines d'ordinaire vous semblaient une si certaine promesse, de jamais pouvoir vérifier ni même véritablement entendre cette parole qu'elles vous proféraient et qui vous paraissait devoir être si facile à interpréter, comme une version latine sur laquelle on jette un coup d'œil distrait, pourvu que l'on prît soin de l'examiner à loisir.

Devant votre silence, votre impuissance, elle s'est lassée ; soudain tout ce qu'elle avait tant aimé autrefois elle aussi elle s'est mise à le détester, et dès la fin du premier jour, vous le sentiez bien dans ses yeux tirés, elle aurait voulu s'en aller, vous auriez voulu qu'elle fût absente, pour que tout à nouveau vous parût aisé dans Rome.

La neige s'est mise à tomber, la première, la seule fois que vous l'ayez vue à Rome, non point en gros flocons comme celle qui brouille maintenant le paysage de la montagne, mais fondante, rendant les rues tellement boueuses, devenues tout d'un coup silencieuses et vides, avec les quelques passants s'y hâtant en refermant le col de leur manteau.

Enrhumée, il a même fallu qu'elle restât au lit tout le dimanche, et le lendemain vous avez dû passer presque toute la journée chez Scabelli, si bien qu'elle en a été réduite à sortir seule, ne sachant où aller, errant d'église en église avec ennui, récitant dans chacune une dizaine de son chapelet.

Elle voulait à tout prix voir le pape, ce à quoi vous

vous refusiez ; vous n'avez pas cherché à l'en empêcher ; et quand elle est revenue, elle était toute mal à
l'aise, mais ses yeux brillaient d'une sorte de fana-
tisme. Vous ne vous retrouviez plus que pour les
repas comme à Paris, et pour la nuit ; le départ a été
un soulagement pour vous deux.

Si seulement ce voyage avec Henriette n'avait pas
eu lieu ainsi stupidement en plein hiver, en pleine
vague de froid, parce qu'il y avait si longtemps
qu'on le remettait, parce que vous l'aviez décidé par
agacement, pour en finir... Mais n'y aurait-il pas eu
moyen d'y découvrir quelque merveille, dans cette
neige et cette brume et cette pluie, si seulement vous
aviez alors déjà connu Cécile, si déjà elle vous avait
guidé dans l'exploration de cette ville et de cet aspect
de vous-même qui s'y nourrissait ?

Mais l'auriez-vous tant aimée, cette Cécile, s'il n'y
avait pas eu avant votre rencontre ce voyage malencontreux ? Mais si vous l'aviez déjà connue alors,
vous seriez-vous ainsi détaché d'Henriette, seriez-
vous maintenant dans ce train ?

Bien sûr, tout alors se serait déroulé autrement, et
peut-être que depuis longtemps...

Un vieil Italien avec une longue barbe blanche
jette un regard à travers la porte.

Il y avait une fine brume sur le lac, et puis les nuages se sont épaissis, la pluie s'est mise à tomber de
plus en plus drue, brouillant les vitres.

Vous vous êtes rassis dans le compartiment tous
les deux, vous avez repris votre livre et elle s'est penchée sur votre épaule ; mais vous n'avez pas pu vous
remettre à lire parce que vous sentiez que non seulement ce franchissement de la frontière n'était que
provisoire, mais aussi qu'il était beaucoup moins

148

effectif que vous ne vous l'étiez imaginé, que vous seriez pendant ces quelque quinze jours bien moins avec Cécile que vous pouviez l'être à Rome, que vous ne pourriez la voir que de temps en temps bien plus furtivement encore, que la frontière, même pour cette fois, n'était que reculée, non abolie, que le lieu de la séparation serait à Paris au lieu d'être à Rome, à la gare de Lyon en fait, dès votre arrivée, au lieu que ce soit à la Stazione Termini dès votre départ.

Vous aviez fermé votre livre, Cécile s'était plongée dans le sien, penchant sa tête vers lui pour y voir parce qu'il ne faisait pas très clair avec la pluie qui tombait sur le Jura, le soir qui tombait sur la Bourgogne, son corps ne touchant plus le vôtre. Vous ne disiez rien ni l'un ni l'autre.

Ah, déjà (maintenant vous vous en rendez compte ; alors il n'y avait que cette gêne, ce sentiment d'angoisse inexplicable qui vous envahissait comme si peu à peu quelque chose, un démon de lassitude et de froid, vous dérobait à vous-même ; maintenant seulement vous vous en rendez compte, car vous aviez bien oublié tout cela depuis, car vous vous étiez bien gardé ces dernières semaines de rappeler à vous ce genre de souvenirs, car vous n'en aviez pas le temps, de si nombreux soucis vous accaparaient à la fois ; il a fallu cette pause dans votre vie que constitue ce voyage clandestin, ce voyage que pour une fois vous ne faites pas pour la maison Scabelli, où les soucis de ses affaires ne vous préoccupent plus, il a fallu cette vacance pour qu'ils viennent vous assiéger, car vous ne vouliez pas considérer ces jours derniers tout ce qui aurait pu le moins du monde vous faire douter de l'existence, de la réalité de cette issue qu'enfin vous décidiez d'atteindre, de la proximité de ce bonheur et de ce renouvellement),

déjà cela ne durait plus, déjà cela se défaisait, se

149

détendait, se détériorait, déjà la séparation avait commencé, et non seulement la frontière n'avait pas été franchie même provisoirement, non seulement elle n'avait été que reculée, mais elle l'avait été bien moins encore que vous ne vous obstiniez à le penser, à vrai dire elle n'avait fait que s'étirer : au lieu que l'adieu prît place à la Stazione Termini, en quelques instants vite dépassés, il s'allongeait durant tout ce voyage, vous vous quittiez l'un l'autre lentement, douloureusement, fibre à fibre, sans vous apercevoir clairement de ce qui se passait, et bien que vous fussiez toujours assis l'un près de l'autre, chacune des stations que vous rencontriez, Culoz, Bourg, puis Mâcon et Beaune, signifiaient un peu plus de distance entre vous comme toutes les autres fois.

Impuissant, vous assistiez à cette trahison de vous-même et comme à l'intérieur de votre compartiment les conversations italiennes avaient peu à peu fait place aux françaises avec des intervalles de silence, à l'intérieur de votre tête les images des rues romaines, des maisons romaines, des visages romains qui les peuplaient tout autour de celui de Cécile, à chaque nouveau kilomètre perdaient un peu plus de terrain devant celles d'autres visages autour de celui d'Henriette et de tous ceux de tous vos enfants, d'autres maisons autour de votre appartement, quinze place du Panthéon, et d'autres rues.

Lorsque après Dijon vous êtes allés dîner tous les deux au wagon-restaurant, il y avait dans vos regards ce pathétique appel de ceux qui se sentent déjà emportés tous deux dans une perdition solitaire loin de l'autre ; par vos paroles enthousiastes mais brèves, par vos protestations de bonheur étudiées, vous tentiez d'écarter ou de recouvrir cette infidélité, cet exil, qui glissaient de plus en plus opaques entre vous, mais déjà vous étiez comme le fiancé qui serre inutilement dans ses bras le cadavre de son amie, cette présence mensongère ne faisant qu'accentuer la douleur et l'évidence de sa perte, déjà commençait sa métamorphose en ce fantôme qu'elle allait être pour vous tout au long de son séjour à Paris.

A la fenêtre du corridor, comme les rectangles de faible lumière projetés par les lampes du train découvraient très rapidement des troncs, des talus et des feuilles mortes, vous lui avez parlé dans le dessein d'exorciser ces ombres qui s'épaississaient autour d'elle, parlé sans vous arrêter, attendant à peine ses réponses, comme si le moindre silence intervenant risquait de précipiter sa disparition, vous laissant tout d'un coup en présence d'une autre, d'une femme inconnue à qui vous ne sauriez plus quoi dire, lui racontant notamment la légende du grand veneur hantant les futaies et les rochers obscurs en lançant à tous les échos ce même appel que l'on ne comprend pas très bien, comme s'il s'exprimait avec une prononciation très ancienne, probablement : « Où êtes-vous ? », et vous avez ainsi tenu jusqu'à la gare.

Sur le tapis de fer chauffant, le pied gauche de Lorenzo Brignole en se déplaçant bouleverse et recouvre en partie la petite constellation d'étoiles roses et brunes, projette la boule de papier journal, que ses pérégrinations compliquées sous la banquette viennent d'amener dans cette région, de l'autre côté de la rainure sur laquelle on fait glisser la porte, frontière du compartiment.

Il ne faut plus penser à ce vieux voyage à Paris avec Cécile ; il ne faut plus penser qu'à demain à Rome.

« Même si je pouvais m'arranger pour venir uniquement pour toi, car pour m'installer ici il faudrait vraiment que je vienne à l'insu de la maison Scabelli...

— Eh quoi, ne peuvent-ils pas admettre que tu loges une fois chez des amis ? As-tu peur qu'ils veuillent vérifier ton adresse, qu'ils prennent des renseignements sur le standing de l'immeuble ?

— Ils le feraient certainement, s'arrangeant peut-être pour que je n'en sache rien, ni toi, mais cela n'est même pas sûr, et je veux éviter la chose à tout prix... Même alors, les da Ponte...

— Allons, ne les fais pas plus naïfs qu'ils ne sont, dans cette ville où il leur est si facile, pour se mettre en règle avec leur conscience catholique, d'aller marmonner le matin quelques prières dans une de ces innombrables églises à indulgence *toties quoties* à deux pas, au Gesù par exemple. As-tu donc sincèrement jamais cru que nous réussissions à tromper complètement ces vieux regards aigus ? Ils savent tout sur notre compte et ils bénissent tout. Ils ont envoyé, n'en doute pas, un de leurs petits-enfants te suivre pour savoir où tu travaillais, où tu habitais. Il leur suffit, mais évidemment cela est indispensable, que certaines apparences soient respectées : si une voisine vient les voir et que nous soyons au-dehors, la vieille grand-mère ou sa sœur lui montrera tout l'appartement, en particulier nos deux chambres, et il faudra qu'elle puisse expliquer que tu es mon cousin, que tu as couché dans ce lit-là et que cela colle avec l'état des lieux, car la visiteuse elle aussi sera perspicace, fouineuse, toute prête à parler. Ils veulent que nous nous cachions d'eux dans la mesure de nos moyens, parce qu'ils veulent être sûrs que les précautions sont bien prises.

« Va donc, je suis bien certaine de leur accord, pourvu que nous sachions nous comporter comme nous l'avons fait jusqu'à présent ; bien loin de nous gêner, ils veilleraient sur nous, tous, même les petits-enfants et les neveux qui ne viennent que de temps en temps, auxquels on ne dirait rien naturellement, mais qui devineraient tous, qui sentiraient la chose dans l'air, qui savent tous se taire aussi bien qu'ils savent parler, qui nous garderaient et nous envieraient. »

Vous étiez tous les deux dans l'embrasure de la porte, entre la pièce claire et la pièce obscure, et elle vous murmurait tout cela non point à votre oreille mais à votre bouche, ses lèvres touchant de temps en temps les vôtres.

« Depuis des années que je vis ici, qu'ils sont bons pour moi, malgré la familiarité qu'ils ont pour moi, malgré ces immenses discours qu'ils se croient obligés de me tenir les uns après les autres et qui me lassent, il y a de nombreuses régions dans leurs pensées, notamment en ce qui concerne leurs idées religieuses, sur lesquelles je ne suis pas encore parvenue à me faire une opinion bien nette.

« Comme il est loin, de toute façon, leur catholicisme, qu'ils s'en doutent ou non (mais je crois qu'ils s'en doutent et que c'est pour cela que je me sens si bien chez eux), de celui que répandent ces régiments de prêtres semblables à d'énormes mouches hésitantes parcourant le visage de Rome.

« En tout les cas, ils savent (cela se voit ; si tu les connaissais comme moi, tu t'en rendrais bien compte à la façon dont ils nous regardent lorsque nous sortons et que je les salue à travers la porte vitrée de leur cuisine), ils savent que nous avons la conscience tranquille, ou du moins ils le croient (mais non, ce n'est pas un reproche que je te fais ; je sais bien que toi aussi tu le crois ou du moins que tu t'efforces de le croire, et je m'empresse d'ajouter, pour que cette ombre d'agacement quitte tes yeux, que tu y réussis quelquefois, je voudrais pouvoir dire de plus en plus souvent ; mais oui, c'est vrai que tu as fait des progrès, que j'ai été bonne à quelque chose depuis ces deux années que nous vivons ensemble, si rarement, que je t'ai bien aidé, avoue-le, à ressembler à cet homme libre et sincère que malgré tout tu rêves d'être, malgré ton appartement parisien), ils croient que nous avons la conscience tranquille, il leur importe peu que ce soit au moyen de leurs indulgences ou autrement. Ah, comme cette complicité profonde et sage te servirait ! »

Alors le baiser est venu, enfin, comme tout accablé ; puis elle s'est détachée de vous, elle a refermé cette porte dont les gonds ont grincé de nouveau, elle a renfoncé le verrou.

« Mais dans quelques semaines évidemment, si tu ne t'es pas décidé, si tu ne leur demandes pas de te la réserver, ils la loueront à quelqu'un d'autre, dans quelques semaines ou dans quelques jours...

— Quand part-il ?

— Jeudi, je crois, ou vendredi. Ah, je sais bien que j'ai parlé comme une folle ; je me suis laissée emporter, cela ne m'arrive pas si souvent. Je sais bien qu'à ton prochain voyage il te faudra encore me quitter chaque nuit pour aller te coucher à ton hôtel, tandis que de l'autre côté de ce mur il y aura un nouveau je ne sais qui. Je crois qu'il est temps d'aller déjeuner. »

Le corso Vittorio Emmanuele avait son agitation coutumière, la porte de l'église Sant'Andrea della Valle était ouverte et de l'autre côté les petites rues étaient grouillantes de gens qui revenaient de la messe, de jeunes filles en robes blanches, de jeunes gens en costumes bleu clair, de vieilles dames en robes noires, de séminaristes affairés avec des ceintures de toutes couleurs.

Sur la piazza Navona débarrassée de toutes les tables que vous y aviez encore vues à votre précédent passage, d'innombrables groupes discutaient, et tout autour, redonnant à l'immense espace allongé sa destination primitive de cirque, trois ou quatre vespas chargées chacune de deux ou trois personnes se poursuivaient avec des rires et des cris.

La fontaine des Fleuves ruisselait de soleil. N'eût été la fraîcheur de l'air, on se serait cru encore au mois d'août. Vous êtes entrés au restaurant Tre Scalini.

Au-delà de la fenêtre de plus en plus embuée, vous sentez que tombe toujours la neige, mais un peu moins drue. Passe une gare dont vous ne pouvez lire le nom.

Vous vous redressez, courbatu, déjà fatigué, songeant qu'il va falloir subir encore toute une nuit à cette place dure. Vous regardez votre montre : il n'est que trois heures et demie, encore près d'une heure avant la frontière, encore quatorze heures avant l'arrivée. Voici que passe un court tunnel.

Un des deux garçons veut sortir, c'est le plus âgé, c'est Henri, c'est ainsi que sera Henri dans un ou deux ans, mais mieux mis, plus élégant, parce que vous lui avez donné une bien meilleure éducation, certes un peu moins costaud, mais ce n'est pas cela qui le gênera avec les diplômes qu'il aura, et le fait que vous soyez séparé de sa mère ne vous empêchera pas de continuer à le voir quand vous voudrez, quand cela vous plaira à tous les deux, au lieu que cela soit cette pesante obligation chaque soir à table, au lieu que ce soit dans cette pesante et bruyante cohabitation, de continuer à surveiller ses études, de le pousser dans la vie un peu plus tard, de lui donner tout l'appui possible,

ne l'empêchera pas de vous rendre visite quand vous serez installé avec Cécile, de venir déjeuner chez vous, de vous emmener voir de quelle façon il aura

155

arrangé sa chambre, quinze place du Panthéon, un jour où il saura qu'Henriette est sortie ;

le fait que vous soyez séparé de sa mère ne vous empêchera pas au bout d'un certain temps, vous savez que cela ne pourra pas vous en empêcher, de venir la voir quelquefois ; vous vous cacherez de Cécile.

Voici que passe un autre tunnel un peu plus long.

Il faut fixer votre attention sur les objets que voient vos yeux, cette poignée, cette étagère, et le filet avec ces bagages, cette photographie de montagnes, ce miroir, cette photographie de petits bateaux dans un port, ce cendrier avec son couvercle et ses vis, ce rideau roulé, cet interrupteur, cette sonnette d'alarme,

sur les personnes qui sont dans ce compartiment, ces deux ouvriers italiens, le signor Lorenzo Brignole, Agnès et Pierre qui commencent à bâiller un peu et se replongent courageusement dans leurs lectures après s'être donné de petits baisers sur les tempes, sur ce garçon, le plus jeune des deux, qui essuie la buée sur la vitre avec sa manche,

afin de mettre un terme à ce remuement intérieur, à ce dangereux brassage et remâchage de souvenirs ;

ce n'est plus à Henri qu'il faut penser, mais c'est à ce jeune homme qui vient de sortir, ou à son frère près de la fenêtre à qui Thomas ne ressemblera sûrement pas dans quelques années, et que vous pourriez appeler André maintenant que le neveu de la veuve est sorti et que ce prénom reste libre, Sant'Andrea della Valle, un prénom que vous avez toujours aimé et que vous auriez sûrement donné à votre troisième fils (mais après Jacqueline vous n'avez plus voulu d'autre enfant), à ces deux garçons qui doivent rentrer dans leur village de montagne après avoir passé une semaine dans une école technique ou plutôt

156

commerciale de Chambéry, une semaine qui s'est terminée cette fois le vendredi à midi, parce qu'il s'est passé quelque chose chez eux ? parce que leurs parents ont téléphoné le matin pour qu'ils reviennent ? ou bien simplement parce qu'ils remontent tous les soirs et qu'aujourd'hui, un professeur étant malade, les cours de l'après-midi ont été supprimés ?

Voici que passe encore un tunnel ; le lampadaire du plafond s'allume.

L'ouvrier italien à côté de vous dénoue les cordons de son sac, en sort un écrin qu'il ouvre pour montrer un collier de perles de verre noir à son compagnon, cadeau pour sa femme ou pour son amie ? Vous vous efforcez de suivre leur conversation, mais c'est un dialecte auquel vous n'êtes pas habitué.

Voici que l'aîné des garçons rentre. Il n'y a plus de paysage ; il y a les vitres qui deviennent noires avec des reflets parce que l'on passe dans un tunnel, puis blanches comme de la neige.

Allez donc fumer une cigarette dans le corridor en essuyant de temps en temps la buée de la fenêtre avec votre manche, et regarder.

Vous reprenez sur l'étagère le roman inutilisé et vous le déposez sur la banquette.

VI

Il faut rentrer ; la police française va passer.

En écrasant votre mégot dans le cendrier, vous constatez qu'il ne vous reste plus que huit cigarettes, puis vous prenez le livre sur la banquette et vous le remettez sur l'étagère. Tous vos gestes dénotent une grande nervosité.

Le passeport du signor Lorenzo est vert, ceux d'Agnès et Pierre tout neufs, bleus, cartonnés, ceux des deux ouvriers italiens qui se sont mis à la place des deux garçons, déjà un peu plus usés, mais c'est le vôtre certainement qui a fourni le plus d'usage, de modèle ancien, brun, à couverture mince, que vous avez depuis 1950, en ayant fait déjà deux fois prolonger la validité.

Comme le train est arrêté, la chaleur est devenue plus lourde. Vous savez que vous êtes à Modane, mais les vitres entièrement embuées vous empêchent de rien voir du paysage qui doit être couvert de neige.

Quand le douanier français distrait s'est éloigné, Agnès et Pierre échangent un regard de soulagement. Dans son uniforme gris-vert, avec ses bottes tachées de boue froide, l'Italien oblige les deux ouvriers à ouvrir leurs sacs qu'ils ont laissés aux places où ils étaient assis tout à l'heure, et vous assistez au déballage des chemises, des chaussettes et des petits cadeaux, tandis que le signor Lorenzo considère la

158

scène d'un air dégoûté, se servant comme d'un éventail de son passeport ouvert, à l'intérieur duquel vous apercevez par intermittences sa photographie, sur lequel vous réussissez à lire à l'envers son nom : Ettore Carli.

Celui qui est à côté de la fenêtre s'appelle Andrea, mais vous n'avez pas le temps de déchiffrer plus loin ; le patronyme de l'autre se termine par... etti.

Ces formalités achevées, après des bruits de portières et de sifflet, le train s'ébranle, puis s'arrête avec une forte secousse, puis c'est le vrai départ maintenant, l'entrée dans le tunnel du Mont-Cenis.

Tout d'un coup la lumière s'éteint ; c'est l'obscurité complète, sauf le point rouge d'une cigarette dans le corridor avec son reflet presque imperceptible, et le silence sur cette base de respirations très fortes comme dans le sommeil et du bourdonnement des roues répercuté par l'invisible voûte.

Vous regardez les points, les aiguilles verdâtres de votre montre ; il n'est que cinq heures quatorze, et ce qui risque de vous perdre, soudain cette crainte s'impose à vous, ce qui risque de la perdre, cette si belle décision que vous aviez enfin prise, c'est que vous en avez encore pour plus de douze heures à demeurer, à part de minimes intervalles, à cette place désormais hantée, à ce pilori de vous-même, douze heures de supplice intérieur avant votre arrivée à Rome.

La lumière vous est rendue et les conversations reprennent, mais vous en êtes de plus en plus séparé comme par une grille de bruit et de migraine ; les vitres deviennent peu à peu grises, puis tout d'un coup blanches.

Soudain vous apercevez le coin d'une gare qui passe, dont vous savez bien que c'est celle de Bardoneccia, à travers cette fenêtre claire que vient de tracer au milieu de l'autre la main de Pierre armée d'un mouchoir, et du côté du corridor aussi vous commencez à deviner quelque chose, l'épaisseur, l'opacité de la buée diminuant les formes des monts qui se détachent sur le ciel.

Mardi prochain, lorsque harassé par votre voyage en troisième classe vous aurez ouvert avec votre clé la porte de l'appartement, quinze place du Panthéon, vous trouverez Henriette en train de coudre à vous attendre, qui vous demandera comment s'est passé ce séjour, et vous lui répondrez : « Comme tous les autres. »

C'est alors qu'il vous faudra prendre garde de ne pas vous trahir, car elle vous observera terriblement, et sans doute il est vain d'espérer qu'elle puisse croire cette phrase-là ; ne le sait-elle pas déjà, que ce n'est pas un voyage comme les autres ? Parviendrez-vous à lui masquer ce sourire de triomphe que vous aurez, à la laisser suffisamment dans l'ignorance, dans l'incertitude de ce qui s'est passé exactement, de ce que vous aurez décidé ? Il le faudra ; il le faudrait ; cela serait beaucoup plus sûr ainsi.

Mardi prochain, lorsque vous serez arrivé à Paris, quinze place du Panthéon, dès qu'elle vous aura vu elle saura que ses craintes, que vos désirs vont se réaliser ; il ne sera pas besoin de lui dire, il n'y aura pas moyen de le lui cacher, et à ce moment-là elle fera tout pour vous arracher des détails, elle vous demandera quand Cécile doit arriver, mais cela, vous ne le savez pas vous-même, vous ne le saurez pas encore à ce moment-là, vous lui direz que vous n'en savez rien, ce qui sera la vérité pure, mais justement elle ne vous croira pas, elle vous harcèlera de questions parlées ou muettes, et il n'y aura qu'un moyen pour vous d'en sortir, ce sera de lui expliquer point par point comment se sont passées les choses.

Il aurait mieux valu certes qu'elle n'en sût rien,

qu'elle ne se doutât de rien avant l'arrivée de Cécile, mais comme elle saura déjà...

Mardi prochain, lorsque vous trouverez Henriette en train de coudre à vous attendre, vous lui direz avant même qu'elle vous ait demandé quoi que ce soit : « Je t'ai menti, comme tu t'en es bien douté ; ce n'est pas pour la maison Scabelli que je suis allé à Rome cette fois-ci, et c'est en effet pour cette raison que j'ai pris le train de huit heures dix et non l'autre, le plus rapide, le plus commode, qui n'a pas de troisième classe ; c'est uniquement pour Cécile que je suis allé à Rome cette fois-ci, pour lui prouver que je l'ai choisie définitivement contre toi, pour lui annoncer que j'ai enfin réussi à lui trouver une place à Paris, pour lui demander de venir afin qu'elle soit toujours avec moi, afin qu'elle me donne cette vie extraordinaire que tu n'as pas été capable de m'apporter et que moi non plus je n'ai pas su t'offrir ; je le reconnais, je suis coupable à ton égard, c'est entendu, je suis prêt à accepter, à approuver tous tes reproches, à me charger de toutes les fautes que tu voudras si cela peut t'aider le moins du monde à te consoler, à atténuer le choc, mais il est trop tard maintenant, les·jeux sont faits, je n'y puis rien changer, ce voyage a eu lieu, Cécile va venir ; tu sais bien que je ne suis pas une si grande perte, ce n'est pas la peine de fondre en larmes ainsi... »

Mais vous savez bien qu'elle ne pleurera nullement, qu'elle se contentera de vous regarder sans proférer une parole, qu'elle vous laissera discourir sans vous interrompre, que c'est vous tout seul, par lassitude, qui vous arrêterez, et qu'à ce moment-là vous vous apercevrez que vous êtes dans votre chambre, qu'elle est déjà couchée, qu'elle est en train de coudre, qu'il est tard, que vous êtes fatigué de ce voyage, qu'il pleut sur la place...

Mardi prochain, lorsque vous entrerez dans sa chambre, en effet vous lui raconterez tout ce voyage et vous lui direz : « J'étais allé à Rome pour prouver à Cécile que je la choisissais contre toi, j'y étais allé dans l'intention de lui demander de venir vivre avec moi définitivement à Paris... »

Alors terrorisée s'élève en vous votre propre voix qui se plaint : ah, non, cette décision que j'avais eu tant de mal à prendre, il ne faut pas la laisser se défaire ainsi ; ne suis-je donc pas dans ce train, en route vers Cécile merveilleuse ? ma volonté et mon désir étaient si forts... Il faut arrêter mes pensées pour me ressaisir et me reprendre, rejetant toutes ces images qui montent à l'assaut de moi-même.

Mais il n'est plus temps maintenant, leurs chaînes solidement affermies par ce voyage se déroulent avec le sûr mouvement même du train, et malgré tous vos efforts pour vous en dégager, pour tourner votre attention ailleurs, vers cette décision que vous sentez vous échapper, les voici qui vous entraînent dans leurs engrenages.

Celui que vous appelez Pierre, et dont vous n'avez pas eu le temps tout à l'heure de voir le véritable nom sur son passeport, ne regarde plus à travers la vitre, car on entre dans un tunnel et le bruit de la longue machine qui vous emporte redevient sourd comme s'il se formait dans votre propre corps ; au-delà de la fenêtre on ne voit plus que le reflet brouillé de ces objets et ces visages.

Il était quatorze heures trente-cinq ; le soleil entrait par la gauche dans la Stazione Termini ; il est impossible qu'il fasse aussi chaud, aussi clair, demain, après-demain et lundi. C'était un dernier oasis d'été, magnifiant, dorant encore le superbe automne romain qui va pâlir.

Comme un nageur qui retrouve après des années la

Méditerranée, vous vous êtes plongé dans la ville, allant à pied, votre valise à la main, jusqu'à l'Albergo Quirinale où vous attendaient les sourires empressés des garçons.

Vous n'étiez pas en vacances, cette fois-là ; vous aviez rendez-vous chez Scabelli à trois heures, et il vous a fallu y rester jusqu'à plus de six heures et demie, puis il n'y a pas eu moyen de refuser d'aller prendre un verre, pour profiter de ce si beau temps, à l'une des terrasses de la via Vittorio Veneto, tandis que Cécile vous attendait, car cette fois-là, comme pour tous vos autres voyages normaux, vous l'aviez prévenue de votre arrivée, lui donnant rendez-vous, à sa sortie de l'ambassade, dans ce petit café de la piazza Farnese comme à l'habitude, mais à l'habitude vous y étiez toujours à six heures avant elle.

Quand vous y êtes enfin arrivé, naturellement il était vide. Non, on n'avait rien dit pour vous ; et cette dame avec qui vous aviez l'habitude de venir, on l'avait vue sans doute, mais elle n'était pas restée longtemps et l'on ne savait pas de quel côté elle s'était dirigée.

Via Monte della Farina, sa fenêtre était allumée. C'est la vieille Mme da Ponte qui vous a ouvert, et elle a crié aussitôt : « Signora, signora, e il signore francese, il cugino. »

« Ah, enfin tu es là ; je me demandais si tu avais dû remettre ton voyage, ce qui se passait. »

Elle n'avait pas enlevé son manteau : vous êtes descendus immédiatement, vous embrassant dans l'escalier obscur.

Cécile savait où elle vous menait, un petit restaurant dans le Trastevere qui faisait en ce moment les délices de ses collègues et qu'elle voulait essayer, mais passer par l'île du Tibre n'était évidemment pas le plus court chemin, puis vous vous êtes embrouillés dans les ruelles, aussi n'êtes-vous pas monté dans sa chambre en revenant.

Voici la sortie du tunnel, le bruit du train devient plus sec, mais la nuit est déjà presque tombée et, à travers les vitres sur lesquelles la buée a presque disparu, vous commencez à apercevoir dans la montagne, à différentes hauteurs, des petites lumières qui s'allument. Sur le tapis de fer chauffant vous avez l'impression que les losanges forment une grille au travers de laquelle monte l'air chaud d'une fournaise obscure.

C'était à peu près ce moment de l'année ; c'était la nuit et il pleuvait ; vous êtes sortis de la gare de Lyon tous les deux sans dire un mot ; c'était la fatigue et le froid après ce trop long voyage.

Il y avait tant de monde sur le trottoir qu'il vous a fallu attendre le taxi un certain temps. Comme cela était différent de cet accueil joyeux d'une ville, de votre ville, de cette ville dont elle surtout attendait tant, qu'elle désirait tant revoir encore une fois, dont vous étiez pour elle l'ambassadeur et presque le prince, de telle sorte qu'elle ne pouvait s'empêcher d'éprouver de la déception à vous y voir perdu soudain dans la foule, aux prises avec ces minimes désagréments, si insupportables à la longue, dont elle espérait que votre seule présence la protégerait.

Vous l'avez accompagnée jusqu'à l'hôtel que vous aviez choisi pour elle, dans le quartier Latin, mais pas trop près naturellement de la place du Panthéon, pour qu'Henriette ne la rencontrât pas trop souvent, très calme et assez confortable, rue de l'Odéon.

En principe, elle aurait dû monter dans sa chambre pour se rafraîchir un peu, puis descendre vous retrouver afin que vous alliez terminer la soirée ensemble dans quelque café agréable de Saint-Germain-des-Prés, mais elle en avait assez, et vous aussi vous vous étiez fait quelques illusions sur vos forces et votre allant, si bien que vous vous êtes quittés dans la rue, vous donnant rendez-vous au lendemain, à la sortie de votre bureau cette fois pour le déjeuner.

A pied, votre valise à la main, vous avez remonté la rue Monsieur-le-Prince, et c'était comme si vous débarquiez dans une ville étrangère où vous n'auriez connu personne, à la recherche d'un logement ce qui vous ramenait bien des années en arrière, au temps où vous n'étiez ni riche (dans la mesure où l'on peut dire que vous l'êtes), ni marié, comme si tout d'un coup tout ce qui formait votre assise, votre solidité, votre apparence, vous avait abandonné, et cette rue vous apparaissait extraordinairement longue. Vous n'avez respiré, vous n'avez repris votre assurance qu'après avoir traversé le désert de la place du Panthéon, en pénétrant dans l'ascenceur.

Henriette, en vous entendant tourner la clé dans la serrure, est sortie du salon où elle était en train de coudre.

« Ton train a eu du retard ?

— Non, pas du tout, mais j'ai dû aller conduire à son hôtel une dame avec qui je suis en relations à Rome. Elle a toujours été très aimable pour moi ; poliment, je crois qu'il faudrait que nous l'invitions ; elle m'a déclaré qu'elle désirait beaucoup faire ta connaissance, celles des enfants, etc. Voyons, un soir de la semaine (elle est là pour une quinzaine de jours) ; lundi ou mardi nous n'avons personne ; je lui téléphonerai pour lui demander ce qu'elle préfère et je te dirai sa réponse.

« Décidément je ne prendrai plus ce train trop fatiguant qui fait gagner si peu de temps à Rome (un après-midi, un dîner) ; la prochaine fois, je leur ai dit, si l'on veut que je dîne à Rome, eh bien je ne partirai que le jour suivant. A propos, demain je ne déjeune pas. »

Dans la montagne et la campagne, de l'autre côté de la vitre de plus en plus transparente, sous le ciel de plus en plus sombre, s'allument de plus en plus de villages, mais le train entre dans un tunnel et son bruit est redevenu sourd. Au-delà de la fenêtre, le reflet de la porte à côté de vous donne maintenant sur une fuite de rocs noirs.

Les vespas et les trams vous ont éveillé dans votre chambre étroite et bruyante à l'Albergo Quirinale. Vous avez ouvert les volets et attendu le lever du jour.

Le programme chez Scabelli n'était pas très chargé ; vous n'avez pas eu de difficulté à vous trouver, à une heure juste, au petit bar de la piazza Farnese.

Il y avait eu un week-end consacré à Borromini, un autre sous le signe du Bernin, un pour le Caravage, Guido Reni, les fresques du haut Moyen Age, les mosaïques paléochrétiennes ; il y en avait eu surtout pendant lesquels vous vous efforciez d'explorer diverses phases de l'Empire, celui de Constantin (son arc de triomphe, la basilique de Maxence, les fragments de son colosse au musée du Capitole), celui des Antonins, celui des Flaviens, celui des Césars (leurs temples, leurs palais sur le Palatin, la maison dorée de Néron), pendant lesquels vous tentiez de reconstituer à partir des immenses ruines dispersées les monuments tels qu'ils pouvaient être dans leur jeunesse, l'image de la ville telle qu'elle avait été dans sa pleine audace ; aussi, quand vous vous pro-

166

meniez sur le Forum, n'était-ce pas seulement parmi les quelques pauvres pierres, les chapiteaux brisés, et les impressionnants murs ou soubassements de briques, mais au milieu d'un énorme rêve qui vous était commun, de plus en plus solide, précis et justifié à chaque passage.

Une fois vos pérégrinations, vos pèlerinages, vos quêtes vous avaient menés d'obélisque en obélisque, et vous saviez bien que, pour continuer cette exploration systématique des thèmes romains, il vous aurait fallu aussi aller, une fois, d'église Saint-Paul en église Saint-Paul, de San Giovanni en San Giovanni, de Sainte-Agnès en Sainte-Agnès, de Lorenzo en Lorenzo, pour essayer d'approfondir ou de cerner, de capter et d'utiliser les images liées à ces noms, portes de bien étranges découvertes à n'en pas douter sur le monde chrétien lui-même si fallacieusement connu, sur ce monde encore en train de s'écrouler, de se corrompre, de s'abattre sur vous, et des ruines, des cendres duquel vous cherchiez à vous échapper dans sa capitale elle-même, mais vous n'osiez pas trop en parler à Cécile, sachant qu'elle refuserait de vous comprendre, par peur de la contagion, par superstition toute romaine.

Le mois précédent, la clé de vos déplacements avait été Pietro Cavallini, et vendredi dernier vous disiez dans le petit bar de la piazza Farnese, avant d'aller déjeuner sur le Largo Argentina (car, un jour de semaine comme celui-là, vous ne pouviez pas trop vous éloigner), qu'il était étrange de ne jamais vous être mis, Isis et Horus remembrant leur Osiris, à la poursuite des fragments de Michel-Ange, à rassembler ainsi les signes de son activité dans cette ville.

Alors elle s'est mise à rire :

« Je vois bien où tu veux en venir : la Sixtine, naturellement ; tu veux me forcer par cette ruse à mettre les pieds dans ce Vatican que j'abhorre, dans cette cité cancer qui s'accroche au côté de la splendeur et de la liberté romaines, cette poche de pus stupidement dorée.

« Tu es pourri de christianisme jusqu'aux moelles, malgré toutes tes protestations, de dévotion la plus sotte ; la moindre cuisinière romaine a l'esprit plus libre que toi.

« Oh, je m'attendais bien à ce que cela vînt un jour, mais je crains trop cet insinuant poison qui m'a privée de tant de choses et qui maintenant me prive de toi, pour faire la folie de pénétrer, surtout avec toi, dans ces murs maudits où tout encouragerait ta lâcheté. »

Elle était admirable ainsi, riant d'elle-même et de sa fureur, vous embrassant pour s'assurer de son pouvoir sur vous, et il était bien impossible, bien inutile de lui expliquer qu'elle n'y était pas du tout, d'essayer de lui donner des idées raisonnables.

« Mais nous pouvons voir le Moïse, si tu y tiens, et sais-tu qu'il y a à Sant'Andrea della Valle, tout à côté de chez moi, une chapelle où sont rassemblées des copies anciennes de ses principales statues ? »

C'est surtout le changement dans le bruit du train qui vous avertit de la fin du tunnel. Agnès pianotant d'une main sur la mince plaque de métal où il est écrit : « e pericoloso sporgersi », étouffe un long bâillement. Passe, tous bureaux allumés, avec une lanterne éclairant l'écriteau, la gare d'Ulzio Claviere.

Beretti ou Peretti, ou Cerutti, non, Ceretti, c'était « etti » que vous avez pu lire sur son passeport, sort en s'excusant, croise une femme vêtue d'un long manteau de fourrure blanche, une Italienne très certainement, avec des souliers très fins et très blancs, et Andrea son compagnon prend son sac à côté de vous et le pose sur ses genoux, probablement parce qu'il sait, parce qu'il sent qu'il approche, vraisemblablement parce que c'est à Turin qu'ils vont descendre tous les deux.

Agnès et Pierre demandent à l'employé en veste bleue deux tickets pour le premier service, et vous un pour le second, par habitude, pour que l'après-dîner ne soit pas trop long avant qu'on se décide à éteindre le lampadaire, avant que la perle bleue dans son centre diffuse ses sombres rayons apaisants. Vous avez faim, mais vous êtes mal à l'aise ; vous avez faim, mais vous n'avez pas d'appétit et, ce qu'il vous faudrait, c'est un peu de vin ou d'alcool ; c'est une faim mêlée d'ennui et de dégoût, et certes il vous vaut mieux attendre d'avoir vraiment faim.

Et Faselli, non Fasetti, ou Masetti, rentre en s'excusant et se rassied auprès d'Andrea, puis met sur ses genoux son sac à dos qui était entre Pierre et Lorenzo qui, lui, n'a pas retenu de table pour le repas, cette fois, qui descendra donc à Turin où sa femme l'attend pour mettre la *pasta* dans l'eau bouillante dès qu'elle l'entendra tourner dans sa serrure cette clé qu'il tient dans sa main, attachée au même anneau que la pince avec laquelle il se cure les ongles, cette femme qui doit avoir l'âge d'Henriette, où sa fille l'attend aussi, un peu plus âgée que Madeleine (car il a dû se marier plus tôt que vous), qui doit déjà lui causer des difficultés.

Celle-ci met le couvert en l'attendant, ou plutôt non, elle n'est pas là, elle a prétexté qu'elle allait dîner chez une amie, alors que c'est chez un ami, et sa mère lui a déclaré que « vraiment, le jour où son père rentrait de son voyage en France... », ce qui a provoqué une crise de larmes.

Canetti ou Panetti ouvre une poche de son sac, y prend un couteau, du pain et du beurre, passe une tartine à Andrea qui déplie un paquet contenant de très minces rondelles de salami.

Ils vont sortir tous les trois, ces Italiens ; ils marcheront ensemble sur le quai, à peu près du même pas, jusqu'au guichet, et là, les deux ouvriers diront au revoir à Lorenzo cordialement et bruyamment comme s'ils se connaissaient depuis longtemps, puis leurs chemins divergeront et ils n'auront probablement pas d'occasions de se revoir, se croisant peut-être un jour ou l'autre dans la rue sans se remarquer.

Demain matin, à son bureau, il aura du courrier en retard et il ne rentrera pour déjeuner que vers une heure, ayant forcé sa secrétaire à rester avec lui pour lui taper ses lettres sur une Scabelli vieux modèle qu'elle lui demande de changer depuis déjà un an, d'une humeur massacrante tous les deux, et ce doit être cette perspective, en plus de la fatigue et de la faim, qui tend ses traits tout à l'heure si calmes.

Ayant examiné ses ongles, il remet son trousseau de clés dans sa poche, lève vers vous un regard un peu inquiet, comme si vous ressembliez à son patron, comme s'il craignait votre jugement sur ce petit nettoyage (lié à quelque chose qu'il tient secret ? qu'il a eu l'impression de trahir ? Ses mains, les a-t-il si bien préparées pour quelqu'un d'autre que sa femme, quelqu'un d'autre qui va l'attendre au guichet et avec qui il ira dîner dans un des restaurants de la piazza San Carlo ?).

Ces yeux qu'il a levés vers vous, soudain vous y lisez l'étonnement et presque la pitié, comme si votre visage à vous avait changé, comme si vous aviez les traits tirés, les yeux hagards, comme si vous aviez vieilli de plusieurs années depuis la dernière fois qu'il vous avait considéré avec un peu d'attention ; il se détourne.

L'employé du wagon-restaurant, agitant sa cloche,

croise une femme en robe noire, une Italienne au dos voûté comme une maigre sibylle de Cumes, comme la vieille Mme da Ponte. Pierre ferme le livre qu'il ne lisait plus depuis longtemps, se lève, arrange sa cravate devant la glace, enjambe vos pieds.

Passe la gare de Bussolino avec ses lumières au milieu de la nuit qui s'obscurcit. Agnès sort à son tour. Le train entre dans un tunnel et son bruit s'enfonce.

Vous avez réglé les consommations en vous retournant vers elle et en lui disant : « Nous avons peut-être le temps d'y aller avant de déjeuner », mais la porte de la grande église était close lorsque vous êtes arrivés au corso Vittorio Emmanuele, si bien que vous n'avez pu y entrer que le soir, mais il faisait si obscur dans cette chapelle que vous n'avez pour ainsi dire rien vu.

Le soleil était déjà couché ; il s'était levé un vent froid qui faisait jaillir sur les rails de tramways des tourbillons de poussière violette ; vous vous hâtiez, voulant passer par Saint-Pierre-aux-Liens avant le dîner parce que l'heure vous semblait propice. Vous vous souveniez d'avoir vu le Moïse (était-ce lors de ce voyage avec Henriette ?) au milieu d'une obscurité presque totale, éclairé, seul, violemment, de telle sorte que ses cornes semblaient véritablement des cornes de lumière.

La grande porte était fermée, la nuit tombait sur Rome avec des étoiles qui s'allumaient au-dessus du Vatican, au-dessus de cette espèce de vapeur qui montait des rues où les lampes et les enseignes s'éveillaient entre les toits s'assombrissant, au-dessus de cette grande rumeur ponctuée de coups de freins et de crissements d'aiguillages, et il y avait une autre rumeur suintant des vantaux, faite de notes d'orgue

171

et de chants étouffés, indiquant qu'il y avait à l'intérieur une cérémonie en cours.

Vous avez fait le tour, traversé le jardin du couvent ; c'était le salut du saint sacrement, l'autel était illuminé de cierges et d'ampoules ; il y avait des nuages d'encens et des femmes agenouillées dans la profondeur de la nef qui marmonnaient ; plusieurs étrangers étaient là, debout, regardant le Moïse dont le marbre semblait couvert d'huile ou de graisse jaune fondante comme la statue d'un dieu romain d'autrefois.

Cécile vous a tiré par la main, et vous vous êtes retrouvés dans l'ennuyeuse via Cavour.

« Il faudra y retourner demain, a-t-elle dit.

— Mais nous aurons tant d'autres choses à voir.

— Lesquelles, si nous enlevons et nous l'enlevons, tes prophètes, tes sibylles, ton Jugement, ta Création ?

— Eh bien, Sainte-Marie-des-Anges, par exemple, dans les thermes de Dioclétien, avec la Chartreuse.

— Avec cette horrible statue de saint Bruno par je ne sais quel sculpteur français.

— Houdon ; il vaut mieux le voir à Paris. Il faut dire que ce Bruno est un des plus navrants de tous les saints en ce qui concerne les arts.

— Et le reste ?

— Je n'en sais rien ; il ne m'inspire pas confiance.

— Parce qu'il y en a qui te l'inspirent ; tu devrais éviter les saluts du saint sacrement comme la peste, ou bien alors va en voir un, en sentir, en savourer un dans ta chère église Saint-Pierre, la grande, pour t'en guérir une fois pour toutes ; mais ne compte pas que je t'accompagne, je t'attendrai dans une *trattoria* pour te réconforter après cette atroce expérience, et puis je veillerai sur ton sommeil peuplé d'énormes saints Brunos, une partie de la nuit seulement... Embrasse-moi.

— Pas ici ; dans la *pizzeria*. »

Il y avait des ouvriers attablés jouant aux tarots, l'un déjà fin saoul.

« Et puis un Christ à la colonne, je crois, à Sainte-Marie-sur-la-Minerve, la seule église gothique de Rome.

— Une des plus laides du monde ; c'est dans notre quartier, nous pourrons y aller juste en sortant du palais Farnese.

— Après quoi nous irons déjeuner près de la porta Pia, mais il n'y a qu'un seul côté qui soit de lui...

— Nous vérifierons cela tout à l'heure dans mon Guide bleu d'avant-guerre ; et puis il y a autre chose, quelque chose que je n'ai jamais vu, dans une villa, assez loin je crois, une *pieta*, cela ne te dit rien ? »

Aussi, le lendemain, avez-vous pris un taxi pour la villa Sanseverino, mais, quand vous êtes arrivés devant sa porte, vous avez vu qu'on ne l'ouvrait que le lundi de dix à douze.

Vous avez donc eu tout le temps de considérer le Moïse tranquillement à San-Pietro-in-Vincoli, bien avant l'heure du salut, bien avant le coucher du soleil, seuls dans la nef vide et très froide, sans projecteur ; la statue était là comme un fantôme dans un grenier et, surtout, vous sentiez en allant d'un lieu à l'autre, d'une œuvre à une autre, que quelque chose d'essentiel vous manquait, quelque chose qui était à votre disposition mais qu'il vous était interdit de voir à cause de Cécile, dont vous ne vouliez pas lui parler, mais dont vous saviez bien qu'elle y pensait aussi, hantés tous les deux par ces prophètes et ces sibylles, par ce Jugement absent, conscients tous deux de l'absurdité de vos promenades cette fois, silencieux tous deux sans avoir nul besoin d'exprimer l'accord de votre déception, de vous dire l'un à l'autre : « Oui, le Moïse, mais en dehors... » puisque vous ne saviez que trop bien tous les deux ce qu'il y avait d'autre à Rome que ce Moïse, goûtant honteusement, douloureusement l'amertume de ce qui ne pouvait être nommé que votre lâcheté à tous les deux, et même devant la porte fermée de la villa San Sanseverino, si vous avez eu bien sûr un mouvement d'humeur, vous vous êtes tus rapidement, trop certains que, si émouvante fût-elle, cette *pieta* n'aurait pu arranger les choses, combler le vide.

Tandis qu'elle faisait la cuisine, via Monte della Farina, vous allongé sur le divan feuilletant le numéro d'*Epoca*, elle s'est retournée en s'essuyant les mains avec un torchon à raies de trois couleurs :

« Il y a des jours où j'en ai tellement assez de Rome...

— Quand seront tes prochaines vacances ?

— Oui, ce ne sera que pour des vacances ; toi, tu n'es ici que pour les vacances, dans cette pièce ; tu ne viens à Rome que pour Scabelli, tout à l'heure tu vas retourner dans ton Albergo. Si seulement je pouvais avoir confiance en toi, si seulement tu pouvais me donner une preuve... »

(c'était pour la lui donner, cette preuve, que vous aviez pris le train de ce matin à huit heures dix) ; et comme vous étiez couchés tous les deux, la lampe éteinte, vos yeux regardant de temps en temps les chiffres lumineux de votre montre à votre poignet, comme elle vous murmurait : « Ne viens pas trop tard demain matin, je ferai du thé et des toasts », vous lui avez fermé la bouche en l'embrassant, mais le lendemain matin vous aviez oublié.

Au-delà de la fenêtre, la surface de la terre est maintenant tout aussi noire que ses profondeurs (le train ne fait plus le même bruit que dans le tunnel), et dans le ciel il n'y a plus maintenant que quelques

174

traînées vertes, quelques nuages que l'on distingue encore et entre lesquels apparaissent quelques étoiles, comme sur les collines les lumières de toutes les maisons, les phares des autos sur les routes.

A Paris, quand Cécile était en vacances alors que vous ne l'étiez pas, à peu près à cette époque-ci de l'année, après les longues minutes dans votre bureau jusqu'à midi, comme si vous étiez non le directeur mais un employé, vous l'avez retrouvée en bas sous la pluie à vous attendre, dans un imperméable jaune clair avec capuchon, les mains dans les poches, les pieds écartés.

« Quel temps !

— Tu ne m'embrasses pas ?

— Pas ici, pas dans ce quartier, ma chérie. Je suis désolé que tu sois restée sous la pluie ; la prochaine fois...

— Eh, que m'importe ? Tu seras bien obligé de déjeuner avec ta femme les autres fois...

— Pas tous les jours.

— Mais presque.

— Pas seulement avec ma femme ; il y aura des déjeuners d'affaires aussi, comme à Rome.

— Il en restera encore moins pour moi.

— Tu es ici pour deux semaines...

— Je sais, cela sera vite passé. Nous reprendrons le train...

— N'y pense pas encore. Où allons-nous ?

— C'est toi qui me diriges ici.

— Nous n'avons que l'embarras du choix. As-tu un désir ?

— Mène-moi, je voudrais que ce soit une aventure.

— La rive droite, la rive gauche ?

— La rive droite, c'est ton travail, la rive gauche, c'est ta femme, difficile de décider.

— Alors nous irons dans les îles. Je ne sais pas ce qu'il y a, mais on trouvera sûrement. Voici la voiture. »

Après les guichets du Louvre, à droite, à travers la vitre pluvieuse, derrière le profil de Cécile qui se détendait, ont passé l'arc de triomphe du Carrousel et au loin, très vague, l'obélisque de la Concorde, puis, comme vous suiviez la Seine, les tours de Notre-Dame grises au-dessus des toits.

Vous vous êtes installés dans un petit restaurant donnant sur un quai, avec des nappes à carreaux rouges et blancs.

« J'ai parlé de toi à Henriette...

— Comment ?

— Oh, je ne lui ai rien dit, ne t'inquiète pas. Je croyais que tu avais envie de la connaître, de voir ma maison, mes enfants, et puis n'étions-nous pas tombés d'accord qu'étant donné qu'il faudrait bien un jour qu'elle sache... Car il le faudra bien, n'est-ce pas ?

— Oui, bien sûr, il le faudra bien.

— Que puisqu'il faudra bien qu'un jour ou l'autre elle sache, il vaudrait mieux profiter de cette occasion pour la préparer tout doucement, car nous avons toujours dit que nous voulions éviter un drame, n'est-ce pas ?

— Oui, oui, nous l'avons toujours dit.

— Alors il est nécessaire que vous vous rencontriez. Tu l'apprécieras, tu verras ; tout se passera très bien ; elle reconnaîtra tes qualités, de telle sorte que, un jour, quand il faudra lui expliquer, eh bien, tout sera beaucoup plus simple.

— En effet, tout sera beaucoup plus simple, pour toi.

— Pourquoi te moques-tu de moi ? Est-ce moi qui ai eu cette idée ? J'aurais bien gardé ton passage à

176

Paris absolument secret ; c'est toi qui m'as répété qu'il n'y avait pas de raison de se formaliser, que tout cela était très simple au fond et qu'il fallait le regarder en face, qu'il me fallait absolument quitter ces vieilles façons de penser venant de cette éducation religieuse et bourgeoise dont je ne parvenais pas à me débarrasser ? Ne me l'as-tu pas dit cent fois ? Alors je lui ai parlé d'une dame romaine, je lui ai dit ton nom (je ne sais plus si je lui ai dit ton nom), que tu m'avais rendu de grands services, que nous devrions t'inviter, que ce serait poli...

— Et qu'est-ce qu'elle en a pensé ?

— Je ne sais pas ce qu'elle en a pensé. Elle m'a dit lundi ou mardi, ce qui te conviendrait le mieux. Bien sûr qu'il y a en elle de la méfiance, mais il y a aussi de la curiosité, et elle doit se dire, avec son éducation religieuse et bourgeoise... car c'est elle qui a une éducation religieuse et bourgeoise, et elle ne cherche nullement à s'en débarrasser, au contraire, cela ne fait que s'accentuer, se resserrer, s'obscurcir, depuis des années ; elles n'était pas comme cela lorsque j'ai fait sa connaissance, et c'est à cause de cela que je ne puis plus la supporter et que j'ai tellement besoin de toi parce que tu es une libération, tu le sais bien ; mais il faut bien aussi que j'essaye d'être le moins cruel possible avec elle, parce qu'il y a les enfants, parce que... tu sais bien pourquoi, et, si je t'aime tant, c'est parce que tu comprends très bien tout cela, que c'est toi qui m'as dit tout cela, que tout cela te paraît simple et me paraît simple à moi aussi dès que je me retrouve avec toi, alors qu'avec elle... oh, elle ne dit rien, surtout en ce moment elle ne dit rien, mais elle n'a besoin de rien dire ; avec elle, tout est tellement, absurdement et mortellement compliqué, tu me comprends bien ?

— Je comprends très bien.

— Alors pourquoi m'obliges-tu à m'expliquer avec tant de mal ? Naturellement, si tu ne veux pas venir, rien de plus simple, elle ne se formalisera nullement.

— Bien sûr que si, je veux venir, que je veux la voir, cette maison, ces fenêtres qui donnent sur la coupole du Panthéon, tes meubles, tes livres, tes enfants, ta femme, bien sûr que je veux savoir quel est son visage, quel est ce silence, quel est ce sourire méprisant et raide que tu ne m'as pas souvent décrit (car tu ne m'en as pas parlé souvent à Rome, laissant toute ta vie parisienne dans une espèce de lointain comme si tu voulais qu'elle n'existât pas, du moins pour moi, comme si tu voulais ne rien d'autre pour moi que celui que je rencontre hélas si rarement), pas souvent mais avec des mots et des réticences, des crispations que je n'oublie pas, comment elle est faite, cette femme pour que tu y tiennes tant.

— Ne sois pas jalouse, tu n'as aucune raison d'être jalouse.

— Je ne suis pas jalouse ; comment pourrais-je être jalouse alors que je sais bien que je te rajeunis ; il me suffit de te voir à Rome, et de voir quel homme tu es ici à Paris. Je ne suis pas jalouse, puisque j'irai l'affronter, le monstre dans sa tanière.

— Un monstre ? Une pauvre femme malheureuse qui voudrait me faire couler avec elle dans son ennui.

— J'irai la voir, la pauvre femme, tu peux lui dire, j'irai lundi ; elle me recevra, je jouerai bien mon rôle, je ferai la grande dame, très simple, je l'observerai, elle m'observera, nous serons aimables.

— Tu seras aimable.

— Nous serons aimables toutes les deux. Tu verras comme je la connais bien. Je te traiterai comme une relation lointaine, comme quelqu'un à qui j'ai rendu un service en effet.

178

— Elle ne devinera rien ?

— Elle n'en laissera rien paraître.

— Il ne faudra pas rire.

— Tu n'auras pas envie de rire. Tu n'auras pas la tentation de me tutoyer, je suis tranquille. Tu as beau être monsieur le directeur, tu es un enfant, au moins quand tu es avec moi, et c'est pour cela que je t'aime, parce que je voudrais te transformer en homme, ce qu'elle n'a pas su faire, malgré les apparences. Elle n'a réussi qu'à te transformer à demi en vieillard, et cela, tu ne l'admets pas, c'est normal. Tu nous laisseras faire. Nous saurons nous tenir. Tout se passera très bien. Je l'apprécierai, tu verras. Elle reconnaîtra mes qualités. Tandis que tu seras sur des charbons ardents, nous nous dirons des gentillesses. A la fin, je lui déclarerai que sa soirée a été charmante ; alors, elle m'invitera à revenir, et j'accepterai. Tu vois que malgré tout ce que tu as l'air de croire je ne la hais point le moins du monde ; t'en ai-je jamais donné les marques ?

— Ainsi, c'est entendu pour lundi ?

— C'est entendu. »

Vous n'aviez plus rien à vous dire. Il fallait attendre cette rencontre. Il fallait enfin attaquer ces hors-d'œuvre qui avaient été apportés là depuis longtemps. Il vous fallait vous dépêcher, l'heure avait tourné. Vous grignotiez vos olives en regardant à travers les vitres l'eau couler sur la quinze chevaux noire avec l'abside de Notre-Dame dans le fond.

Sur le tapis de fer chauffant, vous avez l'impression que les losanges ondulent comme les écailles sur la peau d'un grand serpent. Seules les lumières des maisons dans la campagne, des automobiles et des gares, percent maintenant les reflets dans les vitres, pointant d'accents fugitifs l'image renversée de ce

179

compartiment derrière le profil du plus jeune ouvrier italien.

Enfin le ciel s'éclaircissait après ce lever du jour si gris, si froid de la Méditerranée juste avant Gênes, après cette nuit pénible dont vous gardiez de la raideur, pendant laquelle vous aviez traversé, sous une pluie battante, la campagne romaine sans une lumière, sauf les gares de temps en temps, toujours quasi désertes, avec simplement un remue-ménage de chariots, quelques interjections venant de personnages invisibles ou s'éloignant sur le quai pluvieux avec des lanternes oscillantes, pendant laquelle vous n'aviez pour ainsi dire pas dormi, regardant très souvent votre montre, calculant les heures qui vous restaient avant le jour, avant le passage de la frontière, avant la tombée de la nuit prochaine, l'arrivée à Paris, le moment où vous pourriez enfin vous coucher dans l'appartement du quinze place du Panthéon, vous chantonnant à vous-même la liste des gares que vous commenciez déjà à savoir par cœur, du moins en ce qui concerne les principales, les arrêts, et certaines autres marquées dans vos projets par quelque incident minime, ou dans le cours de l'histoire entière par quelque événement ou monument, regardant le sommeil agité d'Henriette qui peu à peu s'était rapprochée de vous, s'était serrée contre vous pour éviter le froid, avait laissé tomber sa tête contre votre épaule, ses cheveux que vous caressiez comme cela ne vous était pas arrivé depuis longtemps, depuis la guerre peut-être, comme vous aviez rêvé de le faire dans une Rome ensoleillée les premières fois que vous aviez parlé de ce voyage, il y avait déjà plusieurs années, la caressant en vous disant que désormais ce serait peut-être seulement dans son sommeil que vous pourriez la posséder vraiment, être

180

véritablement auprès d'elle, que cette Rome qui devait vous unir, maintenant, après ce malencontreux séjour, après cette reprise manquée de votre voyage de noces, elle se trouvait entre vous, énorme, pour vous séparer, cette Rome à laquelle vous vous sentiez si terriblement attaché (jamais vous n'aviez éprouvé avec autant de force cette attirance qu'en vous éloignant d'elle cette fois, après en avoir été privé et séparé par cette femme que vous caressiez en la haïssant), cette Rome que vous désiriez maintenant tellement connaître et approfondir, maintenant qu'il vous avait été montré, par cette femme au sommeil agité, qui se plaignait en marmonnant sur votre épaule, que vous étiez incapable d'en rien dire, par cette femme qui se plaignait de son amère déception et qui avait été certes incapable de vous aider en quoi que ce soit parce qu'en ce domaine elle attendait tout de vous, en ce domaine où elle avait senti peu à peu qu'elle était exclue, et où elle attendait d'être introduite par vous afin de vous retrouver tel qu'elle vous avait connu autrefois, lors de votre premier voyage à tous les deux avant la guerre.

Enfin le ciel s'éclaircissait, les nuages se dispersaient, car si la pluie s'était arrêtée depuis Pise, ils étaient restés lourds et bas comme ceux de Paris à cette époque de l'année, dénaturant le paysage et la couleur de la mer absolument plate, et dans le compartiment silencieux, sauf cette constante basse des roues et des rails, cette constante vibration de tous les objets de métal, chacun ouvrait les yeux, détendait ses mains, tordait le cou à droite et à gauche et grattait ses cheveux hérissés.

Enfin, le soleil aigu de l'hiver avait percé cette croûte de triste laine pleine d'échardes ; enfin, vous aviez commencé à vous parler ; elle vous avait dit :

« Nous avons mal choisi notre moment pour aller à Rome. »

181

Et vous saviez que c'était un effort pour vous pardonner, une façon d'éviter de vous déclarer que vous aviez mal choisi ce moment intentionnellement, pour lui ôter l'envie de venir vous gêner une nouvelle fois, qu'elle tâchait d'effacer ces quelques jours, sachant bien au fond d'elle-même que c'était impossible, puisque l'échec de ce voyage, cette séparation qu'il avait apportée n'était que la confirmation et l'accentuation de cet échec qu'elle sentait en vous et vous reprochait, de cette séparation entre vous qu'elle n'avait que trop bien senti se dessiner depuis des années et qu'elle avait cru pouvoir enrayer par l'intermédiaire de cette ville où elle devinait que se réfugiait votre être ancien et durable, mais dans un rêve seulement, c'était le drame, c'était l'évidence désormais, dans un rêve qui ne cherchait même pas à s'expliciter, de telle sorte qu'elle avait raison dans son mépris.

Enfin, des profondeurs de son regard vous atteignait un de ses sourires ; elle cherchait à franchir l'abîme d'un seul bond, à réunir les lèvres de la plaie ; elle vous parlait de Paris, des enfants qui vous attendaient chez ses parents ; la communication reprenait, l'habituelle, celle qui ne vous suffisait plus ni à l'un ni à l'autre, mais c'était déjà quelque chose et il fallait absolument, alors, qu'au moins cela reprît, puisque vous n'aviez rien d'autre, pas encore le moindre choix.

Vous aviez dépassé Turin ; c'était ce paysage-ci, maintenant recouvert par la nuit, que vous traversiez, brillant quelques instants dans le soleil, ces collines, couvertes de neige, et bientôt les montagnes, mais comme vous gagniez de l'altitude en franchissant tous ces tunnels, les vitres se sont tendues de buée qui s'est transformée en givre, et toute cette ampleur de vallées et de villages que vous venez d'apercevoir disparaissant dans le crépuscule s'est cachée derrière une forêt blanche serrée dans laquelle l'ongle d'un enfant dessinait lettres et figures.

Et de l'autre côté de la frontière, après le passage de la douane, lorsque les vitres ont recouvré leur transparence, c'était la neige, puis la pluie dans le Jura, puis déjà la nuit à Mâcon, tous ces kilomètres se succédant avec une telle lenteur, la fatigue reprenant sa tyrannie, le visage d'Henriette sa dureté et son souci.

Traversant les bois de Fontainebleau où le grand veneur vous criait : « Etes-vous fou ? », comme vous aviez hâte d'être enfin à Paris, dans votre chambre, dans votre lit ! Et, lorsque vous vous y êtes étendus tous les deux, elle vous a murmuré :

« Je te remercie, mais j'en ai tellement plein les jambes, ce voyage était tellement long ! »

Elle s'est retournée sur l'oreiller et s'est endormie tout d'un coup.

Or, vous le savez bien, ce dont elle vous a remercié, ce n'est pas de l'avoir emmenée à Rome, car vous ne l'y aviez point véritablement amenée, mais de l'avoir ramenée à Paris où, si désormais elle allait définitivement s'éloigner de vous, elle avait du moins ces enfants, ces meubles, ces murs, ces habitudes, cette assise.

Un homme dans la porte, un vieillard, regarde à droite et à gauche, détournant violemment sa tête barbue comme Ezéchiel, considère un instant son reflet très précis, qui tremble dans la vitre, à peine percé de quelques lumières lointaines qui passent.

Il y a eu le samedi où certes vous avez éprouvé un grand plaisir à vous revoir, à vous embrasser.

« Tu te réhabitues à ton Paris ?

— Dès la seconde nuit j'y étais habituée. Je me retrouve dans ces rues comme si je ne les avais jamais quittées. Tout a changé, bien sûr, depuis le temps, la couleur des boutiques et leur affectation souvent ; je retrouve un libraire rouge où j'avais laissé une mercière noire et grise, mais c'est comme si c'était une parure de fête pour m'accueillir.

— Et moi qui voulais t'y conduire, te faire découvrir tout ça comme tu me découvres Rome.

— C'est bien ce que j'attends de toi.

— Mais si tu connais déjà tout ?

— J'ai tout oublié, j'ai tout à revoir ; je ne me rappelle les choses que lorsque je les retrouve devant mes yeux, vieillies ou rajeunies. Je suis certaine que tu connais quantités de lieux remarquables où je n'ai jamais mis les pieds...

— Comment savoir lesquels ?

— Incroyable question ! Conduis-moi ; où que tu me mènes, je découvrirai quelque chose que j'ai aimé, quelque chose dont je rêve confusément à Rome, ou alors une raison nouvelle de regretter d'y retourner si vite, car quand tu n'es pas là j'y suis seule, maintenant que j'ai fait cette folie de m'attacher à toi. »

Vous descendiez l'avenue de l'Opéra par ce beau jour d'arrière-automne.

« Il y a les nouvelles salles du Louvre que tu ne connais sûrement pas, mais nous n'allons tout de même pas passer cet après-midi dans un musée.

— Nous sommes bien des habitués de la villa Borghèse et du palais Barberini.

— Mais c'est à Rome.

— Ne devrais-je pas être à Paris comme toi quand tu viens à Rome ?

— Il faudrait alors étudier cette ville avec le même soin.

184

— Que j'y vienne beaucoup plus souvent, que j'y reste beaucoup plus longtemps, que j'y sois installée. C'est pourquoi je me fie à ton goût, à tes moindres désirs. Depuis quand les as-tu vues ?

— Un an au moins, peut-être deux, je ne sais plus.

— Et aujourd'hui tu as envie d'y retourner parce que je suis là, et parce que je suis là tu n'oses pas y retourner de peur que je m'ennuie ; je ne suis pourtant pas si fermée à la peinture ; qu'est-ce que cette crainte soudaine, ce scrupule, comme si tout d'un coup je te paraissais une inconnue ? N'avons-nous pas des goûts bien proches ? Lorsque tu es à Rome, tu me dis avec une voix qui se gonfle d'enthousiasme, avec des yeux qui brillent comme à l'annonce d'un proche délice, avec un sérieux qui se refuserait à considérer la moindre futile objection : il faut absolument aller voir telle église, telle ruine, telle pierre au milieu des champs ou encastrée dans les maisons ; ne t'ai-je point toujours suivi, non seulement docile, mais passionnée ?

— C'est simplement qu'il te serait si facile d'aller voir cela sans moi.

— Et pourquoi voudrais-tu que je le voie sans toi ? Pourquoi donc te gêner pour moi ?

— Pourquoi te montrer si cruelle quand je ne cherche qu'à te faire plaisir ? Ai-je vraiment besoin de te le dire, que jamais tu ne saurais m'être une gêne ?

— Jamais ? Nulle part ?

— Que c'est tout le reste qui est une gêne, Henriette qui nous sépare même quand tu es auprès de moi à Paris. Alors, si toi aussi tu te mets à compliquer les choses, comment pourrais-je avoir l'air naturel ? »

C'est ainsi qu'après le repas vous avez traversé ces salles sans presque rien vous dire, sauf devant les statues romaines, les paysages de Claude Lorrain, les deux toiles de Pannini que vous avez amoureusement détaillées.

Longtemps après l'avoir quittée, le soir dans votre lit près d'Henriette qui dormait déjà, vous vous êtes aperçu que vous aviez oublié la proposition que vous lui aviez faite de la mener en voiture dans la banlieue le lendemain, que vous lui aviez dit simplement « à lundi ».

Et, le lundi, elle ne vous en a point parlé. Elle était très élégante. Toutes deux se sont mesurées du regard à son entrée dans le salon, se sont observées comme deux lutteuses qui s'apprêtent à s'empoigner, et, dans l'attente de cet éclat que vous redoutiez tant, votre main tremblait si fort en servant les vins que vous avez fini par tenir les verres pour les remplir selon la recommandation inscrite sur les menus du wagon-restaurant, comme si toute la salle vibrait, comme si l'on risquait une grande secousse, un freinage brutal à l'entrée d'une gare.

Madeleine et Henri, seuls à table avec vous (Thomas et Jacqueline avaient dîné à la cuisine et s'étaient couchés), regardaient la dame et vous regardaient, l'admiraient, ne soufflaient mot, faisaient effort pour se bien tenir, coupant leur viande en tout petits morceaux, mangeant lentement, s'essuyant soigneusement la bouche avant de boire une gorgée, décontenancés par votre inhabituelle maladresse, sentant qu'il y avait dans cette invitée quelque chose de tout à fait particulier pour vous, que c'était elle qui vous mettait en cet état, se rendant compte que vous étiez inquiet, sur le qui-vive ; ne comprenant pas les raisons de votre crainte, ils la partageaient d'autant plus.

Seule Henriette semblait ne s'apercevoir de rien, souriait, sonnait, donnait des ordres à la domestique, ne faisant pas une erreur, aussi aimable que Cécile, et, comme vous ne disiez rien, parlant presque autant qu'elle, presque aussi bien qu'elle, de Rome, de ses voyages à Rome, lui posant toutes sortes de questions sur sa famille, son installation, son métier, réussissant à lui faire dire des choses que vous ne connaissiez pas encore.

Et cet éclat que vous redoutiez tant n'est pas venu. Vous vous êtes rendu compte peu à peu qu'il n'y avait pas seulement de l'habileté dans cette conversation, du déguisement dans ces sourires, de la politique dans cet intérêt qu'elles se marquaient l'une à l'autre, qu'en effet elles ne se haïssaient point, étant en présence, que ces deux adversaires s'appréciaient et que, ce qui transparaissait maintenant dans leurs regards, c'était une sincère estime réciproque, n'ayant d'autre raison de se détester que vous-même, quasi paralysé dans votre angoisse et votre mutisme, si bien que peu à peu leur attention se détournait de vous, leurs pensées s'éloignaient de vous, se rapprochant toutes les deux, formant un accord, une alliance contre vous.

Avec une sorte d'horreur vous avez assisté à ce prodige : Cécile, votre secours, vous trahissait, passait du côté d'Henriette ; au travers de leur jalousie quelque chose comme un mépris commun se faisait jour.

Alors vous êtes intervenu, espérant mettre fin à cette atroce entente. Ah, le danger, ce n'était point une bataille entre les deux, incapables de supporter plus longtemps leur masque de bienséance, mais que ce masque devînt le visage même, la sincérité de Cécile.

Henriette, au milieu de ce château fort qu'était pour elle votre appartement, ne renoncerait à aucune de ses prérogatives, et c'est pourtant cela que vous aviez espéré en y amenant sa rivale, qu'elle cédât du terrain, reconnût sa défaite, la considérant comme juste devant la beauté, la jeunesse conservée, l'esprit, le pouvoir vivifiant de sa rivale. Non, elle vous méprisait mais n'accepterait pas de vous abandonner.

Qu'allait-il advenir de vous si elle réussissait à convaincre Cécile que vous ne valiez pas la peine d'être arraché à ses griffes ? Et c'était ce qui commençait à avoir lieu, à peine, à peine, ce n'était qu'une ombre commençant à naître mais qui grandirait inévitablement, irrémédiablement si ces deux femmes restaient ensemble. Henriette finirait par avoir la victoire, non point dans un combat, mais par une contamination de son adversaire, non point contre elle, mais contre vous ; toutes deux vous accableraient, toutes deux désolées et déçues ; toutes deux se liguant auraient raison de vous, ruine, cadavre conservant l'apparence de vie, continuant à remplir ses insignifiantes, ses odieuses tâches, toutes deux pleurant silencieuses et haïssantes, sur le désastre de leurs espoirs et le mensonge de votre amour.

Quelle blessure, lorsque toute détendue Henriette sur le palier a supplié Cécile de revenir trois jours plus tard et que celle-ci a accepté avec une chaleur, hélas, indubitablement sincère, quoi qu'elle en ait cru elle-même ! Mais vous ne pouviez pas lui crier : « N'accepte pas, je ne veux pas que tu reviennes ! » et quelques instants plus tard, dans la voiture, comme vous la rameniez à son hôtel, rue de l'Odéon, la chose était déjà faite, réglée, il n'y avait plus à y revenir.

« Surtout ne te crois pas obligée pour jeudi soir, il nous sera bien simple de trouver une excuse.

— Mais pas du tout ; nous n'avons pas tellement d'occasion de nous voir ici, ce système est un des

188

plus simples. Tu vois, ne te l'avais-je pas dit : tout s'est très bien passé, nous nous sommes quittées bonnes amies, et j'ai même réussi à obtenir d'elle cette nouvelle invitation, ce que je considère comme un petit tour de force.

— Tu as été merveilleuse.

— Elle aussi, n'est-ce pas ? Elle a les idées bien plus larges que toi, et il te faut quitter tes illusions : tu n'as plus tellement d'importance pour elle. Ce n'est pas toi, c'est elle-même qui m'invite, et ce n'est pas pour te faire plaisir, mais non, ce n'est pas parce qu'elle t'adore tellement qu'en renonçant à toi elle baise les pieds de celle qui te prend à elle, c'est en toute simplicité. Mais, ne t'en rends-tu donc pas compte, qu'elle te laisse toute liberté ? »

Vous avez arrêté la voiture ; c'était la porte de l'hôtel.

Vous aviez envie de lui dire : « Cécile, je t'aime, je voudrais passer la nuit avec toi », et puis, non, ce n'était pas possible, vous n'étiez pas à Rome ; il aurait fallu louer une chambre...

Elle vous a embrassé sur le front. Elle est revenue plusieurs fois chez vous. Vous vous accoutumiez à la voir auprès d'Henriette. Vous vous disiez que tout cela n'avait pas d'importance. Vous n'aviez pas le temps d'y penser. Les choses se passaient à peu près bien ainsi pour l'instant, n'était-ce pas l'essentiel ? La dernière semaine, vous ne vous êtes pas une seule fois rencontrés seuls ; elle avait renoué connaissance avec une partie de sa famille et vous aviez vraiment beaucoup de rendez-vous aux heures des repas.

Sur le tapis de fer chauffant les losanges vacillent, se détachent les uns des autres, et les rainures qui les séparent semblent des fissures qui ouvrent sur un feu acide ; ils s'incurvent, dressant leurs pointes qui s'effilent, puis tout redevient noir avec les miettes qui sautillent et les salissures, les taches de boue, les bribes écrasées de nourriture, le bord des vieux papiers qui tremble sous les banquettes. Les reflets sur les vitres sont de plus en plus déchiquetés par les lampes extérieures, c'est la banlieue de Turin. Au fond du corridor encore vide, vous apercevez Agnès qui s'approche.

Le signor Lorenzo enfile son manteau gris, mais les deux autres Italiens, les deux ouvriers, restent tranquillement à leurs places, leurs sacs fermés sur leurs genoux, les bras croisés continuant leur conversation, s'amusant.

Vous vous dites : il y a un an, juste un an ; j'avais oublié non pas notre voyage, mais la façon dont il s'était passé exactement, parce que je ne pensais plus qu'au retour, et qu'au retour les choses s'étaient à peu près arrangées.

Le signor Lorenzo prend sa valise verte, enfile ses journaux dans la poche de son manteau, laisse entrer Agnès qui vous sourit ; Pierre, qui la suivait, le laisse sortir.

Le quai bondé ralentit, comme les rails qui brillent, les lampadaires, la voûte obscure, les pancartes clamant Torino, les porteurs qui courent en criant, la femme qui pousse une voiture de rafraîchissements.

Vous avez soif, mais vous boirez tout à l'heure ; vous avez faim, mais il faut attendre la sonnette de l'employé qui ne va pas tarder puisque les deux époux sont déjà de retour.

Vous vous dites : je ne sais plus quoi faire ; je ne sais plus ce que je fais ici ; je ne sais plus ce que je vais lui dire ; si elle vient à Paris, je la perds ; si elle vient à Paris tout sera perdu pour elle et pour moi ; si je la fais entrer chez Durieu, je l'apercevrai tous les jours de la fenêtre de mon bureau, je serai forcé de l'abandonner avec une situation bien moins bonne que celle qu'elle a à Rome où elle connaît beaucoup de monde, malgré tout. Il ne faut pas y penser. Il faut fixer les yeux sur ces deux jeunes gens heureux qui viennent de dîner, qui ont la chaleur du vin et du repas sur leur visage, qui se sont repris par la main.

Comment allez-vous dormir cette nuit, Agnès et Pierre ? Est-ce que ces deux ouvriers italiens vont bientôt descendre ? Alors vous pourrez vous allonger si personne d'autre ne monte, et même, pour que vous soyez confortablement étendus lorsque je reviendrai du wagon-restaurant, j'irai m'installer dans un autre compartiment. Allez-vous rester dans ce même train jusqu'à Syracuse ?

Comme ces journées seront belles pour vous ! Comme vous vous promènerez au bord de la mer, l'un avec l'autre en pleine entente jour et nuit, en plein émerveillement continu, pensant le mur de la solitude enfin écroulé, tandis que moi, pendant ces quelques jours, demain samedi· alors que vous roule-rez peut-être encore, épuisés mais ravis, découvrant Naples, guettant les ruines de Paestum, dimanche où déjà peut-être vous serez installés dans la ville de Denys le Tyran, dans un exquis hôtel très simple avec une fenêtre donnant sur des jardins tout verts, et lundi encore, que ferai-je, à quel saint, quelle sainte me vouerai-je ?

Quand vous en reviendrez, de ces vacances, quand vous vous retrouverez à Paris entre les rouleaux de cette vie dure qui vous reprendra, qui vous laminera, où vous installerez-vous ? Dans dix ans, que restera-t-il de vous, de cette entente, de cette joie qui nie la fatigue, qui en fait une délicieuse liqueur que vous commencez déjà à savourer ? Qu'en restera-t-il lors-que les enfants seront venus, lorsque vous, Pierre, vous aurez avancé dans votre carrière peut-être aussi stupide que la mienne ou pire, lorsque vous aurez sous vos ordres quantités d'employés que vous paierez trop peu parce qu'il faut bien que la boîte marche et que, vous, ce n'est pas la même chose, lorsque vous aurez cet appartement dont vous rêvez, quinze place du Panthéon ? Y aura-t-il dans vos regards la même sollicitude, ou bien cette défiance, Agnès, que je connais trop, ou bien cet évitement de vous-même, Pierre, que je surprends dans mon miroir en me rasant et dont vous ne serez délivré provisoirement, pour quelques jours seulement chaque fois, quelques jours de rêve romain, que par une Cécile que vous serez incapable de ramener à votre séjour d'attache ?

Un vieil homme avec une longue barbe blanche comme Zacharie entre, suivi d'une vieille femme avec un nez un peu crochu comme la sybille persique.

Donc Agnès et Pierre ne seront pas seuls, et vous viendrez les regarder dormir inconfortablement, vous débattant vous-même parmi les mauvais rêves que vous entendez déjà souffler et hurler derrière les portes de votre tête, derrière ce grillage dessiné sur le tapis de fer qui les retient à peine, qu'ils ébranlent et commencent à tordre, perdu parmi les lambeaux de ce projet que vous croyiez si solide, si parfaitement agencé, bien loin d'imaginer que toutes ces fissures, à l'occasion de miettes et de poussières, de tout un essaim d'événements insectes conjugués, savamment érodant les écrous, les écrans de votre vie quotidienne et de ses contrepoids, que toutes ces déchirures irrémédiablement allaient s'y dessiner, vous livrant aux démons non de vous seulement, mais de tous ceux de votre race. Pourquoi ce souvenir fatal vous a-t-il été si bien rendu alors que vous auriez pu vivre tous deux, dans l'ignorance, au moins pour quelque temps... ?

Et ce Zacharie, cette Sybille, que viennent-ils faire en ce train ? Comment s'est passée leur vie ? Où vont-ils ? Vous accompagneront-ils jusqu'à Rome de ce regard qui ne dormira point ?

Ils ont une vieille valise noire ; ils ont enlevé leurs chapeaux ; il a peut-être été professeur ou employé dans une banque. Ils ont dû avoir des enfants. Ils ont perdu un fils à la guerre. Ils vont au baptême d'une petite-fille. Ils n'ont pas l'habitude de voyager.

Ah non, ils ne vont pas commencer à parler ! Qu'ils me laissent en paix ! Que cette sonnerie arrive !

Ils ne parlent déjà plus ; ils ont les mains croisées sur le ventre ; ils sont assis tout droits, raides, vêtus de noir.

Voici le tintement ; le train est immobile encore. Vous mettez le livre sur votre place. Vous vous appuyez au chambranle en quittant le compartiment.

TROISIEME PARTIE

VII

Ce n'était qu'un malaise passager ; n'êtes-vous pas de nouveau sûr et fort, avec encore en vous la chaleur de ce vin et de cet alcool, l'odeur de ce dernier cigare, malgré cette somnolence bien sûr qui est la bienvenue, parce que vous n'avez pas pris de café contrairement à votre habitude, par surcroît de prudence, voulant éviter toute raison supplémentaire d'insomnie, d'être repris dans ces lacis de réflexions et de souvenirs qui pourraient vous amener vous ne savez quel catastrophique changement d'humeur et de projets, malgré cette sorte de vertige intérieur qui subsiste, qui vous reprend, malgré ce malaise, ce dépaysement qui vient du voyage et auquel vous n'auriez pas pensé être toujours aussi sensible, ce qui vous montre bien que vous n'êtes pas si vieux, si fini, si blasé, si lâche que tout à l'heure vous aviez tendance à vous le laisser croire ?

En compagnie de ces six calmes voyageurs toujours à leurs places, silencieux tous, ne lisant plus, le vieux, la vieille, Agnès et Pierre, et ces deux ouvriers italiens auxquels vous aviez donné des noms dont vous ne vous souvenez plus, vous allez pouvoir maintenant calmement vous remettre à examiner cette affaire à laquelle vous n'avez pas voulu penser pendant le repas, usant contre vous-même de cette ruse :

194

penser que ce voyage était comme les autres, aux frais et à l'intention de Scabelli, réfléchissant aux affaires en cours comme si vous alliez avoir à en parler demain matin dans l'immeuble de la via del Corso, ou bien fixant votre attention comme un cuisinier ou un ethnologue sur cette nourriture italienne que vous aimez et que vous allez retrouver pour quelques jours quand bien même vous ne retrouveriez rien d'autre, écoutant ces conversations italiennes à votre table ou aux tables voisines parce qu'il n'y avait presque plus de Français, et que ceux qui étaient là, on ne les entendait plus, fatigués pour la plupart déjà par cette journée de chemin de fer, en cette langue italienne que vous aimez sans malheureusement la savoir bien parler,

considérer le problème de votre voyage, de la décision que vous aviez prise, du sort de Cécile, de ce qu'il faudra dire à Henriette, maintenant que vous êtes rassasié, reposé raisonnablement, et non plus dans cette espèce de désarroi qui vous avait envahi, aveuglé, égaré loin de la route que vous aviez choisie, dans les ténèbres froides et honteuses, dépouillant de son sens tout votre être présent, le fait que vous étiez ici à cette place marquée par le livre non lu,

à cause de la faim seulement, de la fatigue et de l'inconfort seulement, parce que vous ne pouvez plus à votre âge vous permettre des fantaisies de jeune homme (je ne suis pas vieux, j'ai décidé de commencer à vivre, j'ai repris des forces, tout cela est passé),

à cause de cet effritement de vous-même, de tous ces craquements apparaissant à la surface de votre réussite, si bien qu'il était grand temps de le franchir, ce pas, si bien qu'attendant quelques semaines encore vous ne l'auriez peut-être pas trouvé, ce courage qu'il vous a fallu, et la preuve en est que tout à l'heure, dans ce compartiment, oui, tout menaçait de s'abolir, calmement, raisonnablement, ne plus y penser, car cela est fait, le pas est franchi, je suis ici, il faut vous le redire encore : je vais à Rome, pour Cécile seule, et si je vais m'asseoir à cette place, c'est à cause d'elle, parce que j'ai eu le courage de décider cette aventure.

Mais pourquoi restez-vous debout dans l'embrasure à vous balancer selon le mouvement qui se poursuit, votre épaule heurtant le montant de bois presque sans que vous vous en rendiez compte ? Pourquoi vous êtes-vous figé ainsi comme un somnambule dérangé dans son périple, hésitez-vous à entrer dans ce compartiment comme si toutes ces pensées de tout à l'heure allaient se ressaisir de vous dès le moment où vous serez assis de nouveau à cette place que vous avez choisie au départ comme celle qui vous revient ?

Tous les regards se sont concentrés sur vous, et vous voyez dans la fenêtre en face de vous votre image qui se balance comme celle d'un homme ivre prêt à tomber, jusqu'au moment où, à travers les nuages qui se séparent, la lune apparaît et vous efface.

Pourquoi ne pas l'avoir lu, ce livre, puisque vous l'aviez acheté, qui vous aurait peut-être protégé contre tout cela ? Pourquoi, même maintenant que vous êtes assis, que vous l'avez entre les mains, ne pouvez-vous pas l'ouvrir, n'avez-vous même pas envie d'en déchiffrer le titre, tandis que Pierre se lève et sort, que dans la vitre la lune monte et s'abaisse, ne regardez-vous que le dos de ce livre dont la couverture devient comme transparente, dont les pages blanches au-dessous, c'est comme si elles se feuilletaient d'elles-mêmes devant vos yeux, avec des lignes de lettres dont vous ne savez pas quels mots elles forment ?

196

Et pourtant, dans ce livre, quel qu'il soit, puisque vous ne l'avez pas ouvert, puisque même maintenant vous n'avez pas la curiosité d'en regarder ni le titre ni l'auteur, dans ce livre qui n'a pas été capable de vous distraire de vous-même, de protéger votre décision contre l'érosion de vos souvenirs, cette apparence de décision contre tout ce qui la minait, ce qui la niait, vos illusions,

pourtant dans ce livre, puisque c'est un roman, puisque vous ne l'avez pas pris tout à fait au hasard, qu'il n'est pas absolument n'importe lequel parmi tous les livres qui se publient mais qu'il appartient, par la situation même qu'il occupait dans l'étalage de cette bibliothèque de gare, à une certaine catégorie, par son titre, par le nom de son auteur que vous avez oubliés maintenant et qui vous sont indifférents mais qui, au moment de l'achat, vous rappelaient quelque chose,

que vous n'avez pas lu, que vous ne lirez pas, il est trop tard,

vous savez qu'il y a des personnes qui ressemblent dans une certaine mesure aux gens qui se sont succédé tout au cours du voyage à l'intérieur de ce compartiment, qu'il y a des décors et des choses, des paroles et des instants décisifs, que tout cela forme une histoire,

dans ce livre que vous aviez acheté pour qu'il vous distraie et que vous n'avez pas lu justement parce que pendant ce voyage-ci vous désiriez pour une fois être vous-même en totalité dans votre acte, et que, s'il avait pu vous intéresser suffisamment dans ces circonstances, ç'aurait été qu'il se serait trouvé dans une conformité telle avec votre situation qu'il vous aurait exposé à vous-même votre problème et que par conséquent, bien loin de vous distraire, bien loin de vous protéger contre cette désintégration de votre projet, de vos beaux espoirs, il n'aurait pu que précipiter les choses,

dans lequel il doit bien se trouver quelque part, si peu que ce soit, si faux que ce soit, si mal dit, un homme en difficulté qui voudrait se sauver, qui fait un trajet et qui s'aperçoit que le chemin qu'il a pris ne mène pas là où il croyait, comme s'il était perdu dans un désert, ou une brousse, ou une forêt se refermant en quelque sorte derrière lui sans qu'il arrive même à retrouver quel est le chemin qui l'a conduit là, car les branches et les lianes masquent les traces de son passage, les herbes se sont redressées et le vent sur le sable a effacé les marques de ses pas.

C'est le dos du livre que vous regardez, puis vos mains et les poignets de votre chemise que vous aviez mise neuve ce matin, mais qui sont sales déjà, et dont vous ne pourrez pas changer avant l'arrivée, avant que cette nuit, ce trajet soient achevés, dans la grande fatigue où vous vous sentirez avant l'aube de cette journée qui ne se réalisera que déformée, car, oui, vous pouvez bien vous le redire, cela est fait, le pas est franchi, mais non point celui-là que vous aviez pensé franchir en prenant ce train, un autre pas, l'abandon de votre projet sous sa forme initiale qui vous paraissait si claire et si solide, l'abandon de cette figure lumineuse de votre avenir vers laquelle vous aviez décidé que vous emporterait cette machine, une vie d'amour et de bonheur à Paris avec Cécile ; calmement, raisonnablement, il vous faut maintenant ne plus y penser, dans ce compartiment où Pierre vient de rentrer, s'assied auprès d'Agnès, lui donne un furtif baiser sur le front, regarde autour de lui tandis qu'elle baisse les yeux voulant dormir (mais la lumière va rester allumée encore un certain temps), rouvre son Assimil italien, recommence à lire avec elle, leurs lèvres formant les syllabes sans laisser sortir aucun son, le Guide bleu sur la banquette sautant un peu, tandis que le vieux Zacharie en habit noir vient de sortir de son gousset une grosse montre en argent qu'il ouvre, qu'il écoute (comment pourrait-il entendre son mouvement dans le grand mouvement, le grand bruit du train ?), qu'il regarde (vous voyez, vous aussi, qu'il n'est pas plus de neuf heures et demie), referme, rempoche, tandis que les deux ouvriers font un signe à leur ami qui passe dans le corridor et les presse de venir en tordant tout le torse et clignant d'un œil, se lèvent tous les deux, mettent leurs sacs à dos sur leurs places, disent « scusi, scusi » en passant devant vous, commencent à parler bruyamment dès qu'ils ont franchi le seuil, s'éloignent, entrent dans un autre compartiment.

La vieille Italienne à côté de vous a toujours les bras croisés sur son ventre, mais ses lèvres sont moins immobiles, comme si elle se marmonnait à elle-même quelque prière pour se protéger contre les dangers du voyage, ses traits usés se raidissant quelquefois comme si elle prononçait des imprécations contre les démons qui hantent les carrefours, son œil s'écarquillant soudain dans une espèce d'effroi et de détermination, puis elle se calme, sa paupière s'abaisse à demi, le mouvement de ses lèvres devient presque imperceptible, on se demande si ce n'est pas le balancement du train qui fait osciller sa mâchoire et trembler très légèrement les replis de sa vieille peau.

Quant à son mari en face de vous, lui aussi, son visage a commencé à s'émouvoir ; il vous regarde, se sourit à lui-même, se raconte une histoire comme si vous lui rappeliez quelqu'un, et tout à coup il y a une petite lueur de cruauté et de vengeance qui passe dans ses vieux yeux, comme s'il avait quelque chose à vous reprocher amèrement.

199

Passe la gare de Novi Ligure. Les ampoules tremblent à l'intérieur du globe. De l'autre côté du corridor, vous en apercevez le reflet qui se balance et se déforme devant les pentes noires semées de petites fenêtres claires.

Non, tout ne sera pas dit, tout ce que vous auriez voulu dire ne sera pas dit ; vous n'aurez pas réussi à préparer les choses aussi minutieusement que vous l'auriez voulu ; il y aura bien quelques dates qui seront fixées, mais non point justement celle où selon votre projet initial vous auriez dû abandonner Henriette, venir vous installer définitivement avec Cécile dans cet appartement auquel vous songiez.

Vous serez réconciliés sans doute, puisque vous serez revenu à Rome exprès pour elle, que vous lui aurez annoncé votre découverte de cette place à Paris qu'elle désirait, mais cette réconciliation ne sera qu'une apparence terriblement mince et fragile, et malgré cette réconciliation vous saurez, vous, que vous vous êtes éloigné d'elle ; il y aura toujours en vous cette inquiétude encore plus rongeante, car vous vous demanderez en tremblant comment tournera votre amour lorsqu'elle vous aura rejoint, séduite par cette situation que vous aurez fait miroiter à ses yeux, trompée, prise au piège de ces déclarations, de ces protestations que vous n'aurez pas manqué de renouveler, de renforcer dans votre bonheur poignant de vous retrouver avec elle à Rome si libre pendant ces quelques jours, tout à elle, d'autant plus passionné que l'avenir vous apparaît désormais si incertain, si plein de dangers et de déceptions.

Quelqu'un aura demandé d'éteindre. Après la gare de Civitavecchia, longeant le bord de la mer, déjà vous ressentirez d'avance toute la fatigue de ce voyage que vous n'aurez alors que commencé, mais le sommeil ne viendra pas, et vous chercherez en vain une position moins inconfortable, vous redressant à tous les arrêts, vous efforçant de chasser les mauvais rêves qui vous auront poursuivi de leurs encres et de leurs sarcasmes.

A Gênes, vous quitterez ce compartiment de troisième classe que vous aurez pris en horreur ; le jour ne sera pas encore levé, le rideau devant la fenêtre sera toujours baissé, dans le lampadaire la veilleuse bleue continuera de teindre de sa lueur les visages de ces hommes et de ces femmes qui respireront pesamment, le bouche ouverte, dans l'air épais, nauséabond.

Quand vous y reviendrez, la lumière acide d'un triste jour froid pluvieux forcera leurs yeux à s'ouvrir, et vous escaladerez peu à peu les Alpes en essayant de lire pour ne point trop penser à la façon dont se dérouleront ces événements mis en branle par vos paroles exaltées tout au long de ce séjour, un livre que vous tiendrez entre vos mains tandis que vous vous approcherez de la frontière, celui-ci même peut-être que vous n'aurez point achevé parce que vous aurez eu bien autre chose à faire dans vos soirées et que cette fois enfin, pour une fois, vous n'aurez pas eu besoin de retourner en pleine nuit, traînant la jambe et maudissant votre infortune, à l'Albergo Quirinale, celui-ci que peut-être vous n'aurez toujours pas commencé, ou un autre que vous aurez acheté à la Stazione Termini, ce livre que vous refermerez pour le passage de la douane, et où il faudrait qu'il soit question par exemple d'un homme qui soit perdu dans une forêt qui se referme derrière lui sans qu'il arrive, même pour décider de quel côté il lui convient d'aller maintenant, à retrouver quel est le chemin qui l'a conduit là, parce que ses pas ne laissent nulle trace sur les feuilles mortes accumulées dans lesquelles il enfonce, (entendant le galop d'un cheval qui semble s'approcher tout près puis disparaît, et en même temps une sorte de hurlement se répercutant, comme si le cavalier lui aussi était perdu et appelait à l'aide,

rencontrant soudain un grillage qui l'empêche de continuer, qu'il lui faut longer, sa respiration se faisant plus pénible, avec de la difficulté à tenir les yeux ouverts sous la pluie qui se met à tomber drue, assourdissante,

puis un personnage emmitouflé, armé, qui tire une lampe torche de sa poche, fouille les alentours, à travers les milliers de gouttes aperçoit ce visage harassé, ces mains qui se lèvent en tremblant,

trouve un livre glissé dans la ceinture, l'ouvre tandis que la pluie en lave les pages qui se dissolvent peu à peu et s'éparpillent, fuse d'un rire sifflant, puis se recroqueville à l'intérieur de sa logette semblable à une énorme motte de terre, laissant la voie libre),

dans ce livre que vous aurez refermé pour le passage de la douane, pour présenter aux employés votre passeport, une fois le tunnel passé, puis que vous recommencerez d'essayer de lire, descendant sur le versant français dans ces vallées encaissées toutes gluantes d'ombres, pour éviter de vous représenter avec trop de désagréable précision cette existence que vous serez sur le point de mener, ces journées de travail dans votre bureau à Paris, tandis que vous apercevrez de l'autre côté de la rue Danièle-Casanova Cécile travaillant au premier étage de l'agence de voyages Durieu, Cécile qui se sera imaginée en arrivant dans la ville de ses rêves que vous alliez vivre ensemble tous les deux cette merveilleuse aventure qu'elle vous avait fait inventer et se sera bientôt aperçue que, non, vous êtes incomparablement plus éloigné d'elle que lorsqu'elle était encore à Rome, couchant quelquefois ensemble mais ne sachant plus vous parler, vous jetant parfois un tel regard de haine et d'atroce déception qu'il faudra qu'elle parte, que vous vous arrangiez pour la faire renvoyer, si douloureusement, chaque fois que vous l'apercevrez, vous sera rejetée au visage la façon ridicule dont aura tourné votre plus grande tentative de libération,

dans lequel vous vous plongerez afin de ne pas y penser, parce qu'il sera trop tard pour y rien changer maintenant que vous longerez le triste lac, maintenant que vous lui aurez dit tous ces projets faits pour elle, et qu'elle en aura été tellement heureuse pour ces quelques jours, dans son ignorance, tellement qu'il aura été impossible de la persuader d'y renoncer, impossible de lui expliquer pourquoi sans qu'elle comprenne tout de travers, s'efforçant de vous redonner courage, accusant une fois de plus votre lâcheté, impossible de ne pas succomber à sa confiance, à sa reconnaissance, à sa surprise émerveillée.

A Bourg, ce sera déjà le crépuscule, à Mâcon, il fera nuit noire et vous repasserez dans votre tête les événements des jours précédents, de ces jours prochains, vous félicitant d'avoir réussi à lui taire que vous aviez trouvé pour elle une situation à Paris, que même des amis vous avaient proposé de vous prêter leur appartement, à le lui taire alors qu'elle vous l'aura redemandé tant de fois, à lui faire croire que, oui, vous aviez bien cherché, que vous vous étiez imaginé être tombé sur quelque chose, que c'était même à cause de cela que vous aviez préparé ce petit voyage à Rome incognito, mais qu'au dernier moment tout s'était effondré, que, oui, naturellement, vous alliez continuer à chercher, que vous aviez quelque chose en vue qui allait très vraisemblablement se décider, pour qu'elle soit heureuse, pour qu'elle en jouisse par avance, de cette transformation qui n'arrivera pas.

Ainsi vous n'aurez pas besoin de préparer votre combat avec Henriette, de songer à ce qu'il faudra lui dire ou lui taire, puisque, en ce qui la concerne, rien ne sera changé, et vous regarderez, au travers des vitres noires peut-être couvertes de milliers de gouttes de pluie, surgir de l'ombre absolue, au passage des fenêtres du corridor éclairé, les talus couverts de feuilles pourrissantes, les fragments des troncs par centaines dans la forêt de Fontainebleau, vous imaginant percevoir par-delà le bruit des essieux le lointain galop d'un cheval et ce sarcasme : « M'entendez-vous ? »

Puis dans la nuit parisienne où il pleuvra, harassé par ce voyage en troisième classe, vous arriverez seul à la gare de Lyon à vingt et une heures cinquante-quatre, mardi prochain, et vous hélerez un taxi.

De l'autre côté du corridor, dans une gorge qui ouvre l'horizon, au-dessus d'une petite route en lacets que tracent les phares de lointaines automobiles, la lune reparaît en écartant des nuages en forme de têtes d'oiseaux à grandes plumes et crêtes. Derrière la tête de ce vieillard en face de vous, dont les yeux ne sont pas tout à fait fermés et qui a l'air de se réciter à lui-même quelque long poème en vers réguliers, hochant les épaules à la fin de chaque strophe, la photographie des montagnes, que son chapeau noir cache en partie, forme une sorte d'auréole sombre dentelée. Au-delà de la fenêtre passe un long train de marchandises.

Vous ne vous étiez pas arrêté depuis Livourne ; c'était le Rome-express cette fois ; vous traversiez la Maremma et le soleil faisait briller les canaux entre les champs labourés, entre les arbres couverts de feuilles fauves de l'autre côté de la fenêtre du wagon-restaurant à votre gauche, et au moment où vous commenciez à apercevoir Grosseto vous avez croisé un long train de marchandises.

Puis l'Italienne en face de vous, une grande Romaine accompagnée de son mari qui passait son temps à tirer de sa poche un petit agenda relié de cuir violet clair dans lequel il notait, rayait, vérifiait nerveusement, tandis qu'elle, de ses grands yeux sombres, regardait tout autour d'elle, envoyait des sourires à tous les inconnus dont vous-même, vous a demandé si elle pouvait baisser le rideau, qui s'est mis à briller de mille points.

Vous admiriez ses mains très soignées tout en épluchant votre orange, pensant à Cécile à qui vous aviez donné rendez-vous à six heures et demie dans le bar de la piazza Farnese, dont vous vous demandiez où elle pouvait bien déjeuner en ce moment, chez elle ou dans lequel de ses petits restaurants préférés, pensant à vous sans doute, à ce que vous feriez le soir ensemble, espérant sans doute que cette fois vous lui apporteriez cette nouvelle qu'elle attendait, cette décision définitive à son égard qu'elle souhaitait vous voir prendre, l'annonce que vous aviez enfin trouvé cette situation à Paris qu'elle désirait tant.

De retour à votre compartiment de première classe où vous étiez seul, apercevant la mer de temps en temps, vous avez repris les lettres de Julien l'Apostat que vous aviez laissées sur l'étagère, mais vous avez gardé le livre entre vos mains sans l'ouvrir, regardant passer la gare de Tarquinia et la ville au loin avec ses tours grises devant les montagnes arides, par la fenêtre ouverte qui laissait entrer quelquefois une bouffée de sable avec l'air frais, puis fixant cette tache de soleil en forme de couperet qui s'étalait de plus en plus grande sur l'un des coussins.

La voie était libre ; de l'autre côté c'était une

haute prairie dont le vent séchait les immenses herbes dans l'aube.

Entre les touffes qui s'espacent, il aperçoit à l'horizon, derrière le voile de poussière, une découpure de montagnes dont un fossé les sépare, se révélant de plus en plus profond plus il s'approche, un canyon tout au fond duquel on devine un fleuve, dont il commence à descendre la paroi en s'accrochant aux quelques branches épineuses. Mais les plantes auxquelles il veut se retenir se déracinent ; les pierres sur lesquelles il veut poser les pieds s'effritent, se déchaussent, et roulent d'étage en étage jusqu'à ce qu'il ne puisse plus distinguer le bruit de leur chute au milieu du bourdonnement général qui vient d'en bas, comme la nuit tombe, comme le ruban du ciel devient violet.

Cette grande tache de soleil sur les coussins en face de vous qui s'était étalée lentement, gagnant fil après fil de leur épais tissu, à un détour de la voie s'est mise à couler jusqu'au sol tremblant, puis s'est retirée peu à peu du compartiment.

Vous saviez bien qu'il vous faudrait un jour ou l'autre en venir à une décision, mais vous ne vous doutiez pas encore que le moment était si proche ; sans nulle envie de rien précipiter, attendant que les choses se fissent toutes seules, qu'une occasion se présentât, que l'aventure prît sa nouvelle tournure d'elle-même,

sans songer à l'avenir de Cécile, sans organiser votre vie prochaine avec elle, ni réfléchir à vos relations présentes, ni remâcher vos souvenirs communs,

vos doigts tenant sur vos genoux le livre fermé des lettres de Julien l'Apostat dont vous aviez terminé la lecture, vous aviez l'esprit occupé avant tout par les affaires de la maison Scabelli, pour les maudire, pour essayer de les en bannir certes, mais leur

206

urgence, le peu de temps qui vous restait avant le rendez-vous que vous aviez à quinze heures trente, vous contraignaient à y revenir sans cesse, et le visage de Cécile n'apparaissait qu'entre ces chiffres, ces signatures, ces propositions de réorganisation de la branche française, ces projets de publicité, la voix, les gestes de Cécile que furtivement discernés à travers le bourdonnement des voix commerciales, l'écran des bordereaux et des chiffres de vente.

Il y avait d'abord cette barrière, cette frontière à franchir, et après cela il y aurait ce repos dans ses yeux, dans ses pas, dans ses bras, cette vacance, ce loisir, ce rajeunissement, cette nouvelle vue.

Vous n'aviez point le temps de vous désoler par avance de vos retours en pleine nuit, à l'Albergo Quirinale, ayant bien autre chose en tête, toute cette prose, ces problèmes absurdes, tout ce combat sans justification, tout ce labeur à quoi vous perdiez votre vie, sans autre résultat qui vous importât que d'avoir une place plus sûre, l'espoir d'une augmentation de traitement vous permettant de rendre plus aisée la vie de cette femme et de ces enfants si loin de vous,

car ce n'était point pour Cécile que vous étiez venu cette fois, elle n'était nullement l'unique raison de votre voyage comme aujourd'hui, c'étaient vos maîtres qui vous l'avaient payé et ordonné ; le bonheur de la voir, vous le leur dérobiez ; c'était votre grande vengeance contre la servitude dans laquelle ils vous maintenaient, l'avilissement auquel ils vous avaient réduit en vous forçant à vous battre perpétuellement pour eux, à défendre perpétuellement leurs obscurs intérêts, non les vôtres, si docile traître à vous-même.

Ah, de l'autre côté de cette région de honte active, de hâte contrainte que l'on essaie sous l'œil du gardien de camoufler en dévouement, que l'on essaie sous l'œil des autres dont on est soi-même gardien de

camoufler en enthousiasme, les insultant silencieusement s'ils s'y laissent prendre, comme elle vous
apparaissait délivrance, retour à votre nature authen-
tique, délassement, sourire et flamme, pure eau brûlante, cicatrisante et purifiante séparation de tout
cela, ses yeux comme une immense distance douce
vous enveloppant, ses yeux auxquels vous vous déso-
liez de ne pas plus penser tandis que se ressassaient
en votre tête les formules, les habiletés dont il vous
faudrait user pour vous défendre en l'entrevue prochaine, pour vous maintenir contre ces envieux gui-
gnant votre poste, pour servir cette cause qui n'était
pas la vôtre ni celle de personne véritablement, tandis que vous repreniez calme, courage, bonne apparence, plaisir de vivre, en contemplant les pins qui se
balançaient doucement dans la lumière !

Au-delà de la fenêtre, de ce reflet vibrant très précis du compartiment, dans lequel en avançant un peu
la tête vous pouvez vous voir vous-même au-delà de
cette vieille Italienne immobile, les yeux demi-
fermés, à peine un peu plus loin que cette image de
vous-même, comme si c'était une meule vous abra-
sant, comme si c'était une falaise de montagne, une
paroi de canyon le long de laquelle vous vous effon-
driez, vous devinez la roche dans laquelle est percé le
tunnel. Agnès dort, Pierre la regarde et au-dessus de
leurs cheveux qui s'entremêlent une des barques de la
photographie de Concarneau semble voguer. Sur le
tapis de fer chauffant, leurs pieds raclent et se balancent.

Mais cette fois c'est pour elle seule que vous êtes
venu, cette fois vous l'aviez enfin prise, cette décision qui s'est peu à peu fanée, calcinée au cours du
trajet, que vous ne parvenez plus à reconnaître, qui

continue à se transformer sans que vous parveniez à freiner cette hideuse déliquescence, cette fois vous ne l'avez pas lu, ce livre que vous tenez entre vos doigts, vous ne l'avez pas même ouvert, vous en ignorez, vous désirez en ignorer jusqu'au titre, parce que cette fois vous êtes en vacances, vous avez suspendu cette hâte extérieure qui vous tenait, parce que l'énorme écran du travail chez Scabelli ne s'interpose plus cette fois entre vous-même et votre amour, parce que, sans savoir au juste ce que vous faisiez, ce qui se passait, la situation ayant atteint progressivement un point critique, contraint d'apporter un bouleversement dans l'arrangement antérieur, de rompre avec cette routine qui s'était instaurée, vous vous êtes mis vous-même au pied du mur ; vous vous êtes trouvé dans la nécessité dès lors d'examiner un peu plus attentivement, d'un œil que la secousse avait rendu plus clair, l'organisation de cette vie prochaine que vous imaginiez encore ce matin si minutieusement, si complètement, si définitivement réglée, de réfléchir à votre situation présente, ouvrant ainsi la porte à tous ces souvenirs anciens que vous aviez si bien oubliés, remisés, dont quelque chose en vous (le peut-on appeler vous-même, puisque vous n'y pensiez point ?), mais dont ce quelque chose en vous qui justement réglait ce à quoi vous pensiez, vous imaginait si bien protégé, ce quelque chose en vous qui s'est trouvé débordé par la précipitation des événements, la nouveauté de ce voyage, tous ses aspects inhabituels, cette autre instance de vous-même qui réussissait jusqu'à présent tant bien que mal à se masquer et qui maintenant s'étale et s'avoue en s'affaiblissant, en disparaissant.

Ainsi s'impose maintenant la fin de ce malencontreux séjour, cette rencontre dans le train, le même qu'aujourd'hui, toujours à cause de cette damnée

question de classes et d'argent, bien après la gare de
Lyon où vous vous étiez donné rendez-vous sur le
quai, seulement en principe, puisqu'il y avait plusieurs jours que vous ne l'aviez pas vue, qu'elle avait
gardé son billet de retour depuis le précédent voyage,
bien après, parce que vous ne vous étiez pas levé suffisamment tôt, qu'il était déjà huit heures cinq
quand vous êtes sorti du taxi, n'ayant même plus le
temps de vous acheter des gauloises, attendant
jusqu'au dernier moment sur le quai où elle n'était
plus pour monter dans ce train qui s'ébranlait, très
plein, plus que cette fois-ci, avec ses couloirs encom-
brés dans lesquels vous vous faufiliez, examinant
tous les compartiments, vous disant que si vous ne la
trouviez pas, si elle n'était pas là, si elle avait retardé
son départ sans même vous en avertir, lasse de vous,
trop déçue par ce jour sous lequel vous, votre situation, lui étiez apparus à Paris, vous vous paieriez un
supplément de première classe pour pouvoir au
moins être sûr d'être assis,

vous installant dans le wagon-restaurant où l'on
servait le petit déjeuner (vous aviez déjà mangé, mais
vous étiez tout essoufflé), vous disant : que ferai-je à
Rome sans elle maintenant ? j'irai voir demain rue
Monte della Farina si elle est rentrée, et sinon j'y
retournerai tous les jours jusqu'à mon départ,
demandant une tasse de thé près de la fenêtre couverte de gouttes de pluie au travers de laquelle vous
contempliez les rails, leurs aiguillages, et les cailloux
entre les rails, plus ou moins rouillés,

puis, valise en main, reprenant votre exploration
dans l'autre moitié du convoi vers la machine,
l'entendant soudain crier : « Léon ! », vous retournant, restant dans l'embrasure tandis qu'elle vous
disait :

« J'ai cru que tu ne viendrais point, que tu avais

dû changer le jour de ton voyage ; je t'avais gardé une place, mais comme le train était déjà parti depuis un certain temps, j'ai pensé que c'était inutile »,

continuant debout dans le corridor, sans cigarettes, sans rien dire, la regardant qui s'était remise à lire, puis vous accoudant à la fenêtre en vous demandant : comment faire pour arranger les choses ? si seulement quelqu'un descendait à Laroche ou Dijon, si je pouvais m'asseoir à côté d'elle ! les yeux perdus dans les feuilles mortes mouillées de la forêt et ses grands arbres presque nus.

Or comme il écoutait depuis longtemps prostré le tumulte de cette rivière encaissée sur les vagues de laquelle brillaient maintenant de minces éclats de lune, car elle s'était levée dans tout l'éclat de son premier croissant, les cornes en l'air comme une barque entre les bords si rapprochés des deux falaises, il crut distinguer de l'autre côté de la rivière comme le galop d'un cheval et même un cri, quelques syllabes se répercutant de roc en roc, comme si quelqu'un s'était aperçu de sa présence et cherchait à le retrouver : « Qui êtes-vous ? »

Il longe l'eau à la recherche d'un gué, glissant le long de la paroi de plus en plus serrée ; il s'écroule en avant, s'enfonce dans le sable entre les pierres, tandis que le tumulte augmente à cause de la résonance, et le voilà qui est emporté, roulé dans un rapide, jeté sur les rochers sur lesquels il se met à ramper jusqu'à l'entrée d'une caverne d'où sort un vif courant d'air avec un sifflement. Il tâte autour de lui pour trouver une surface plane où s'étendre, mais doit se contenter d'une encoignure où il s'installe, non point couché, mais la tempe s'appuyant sur une paroi verticale, sans doute une veine de marbre, fraîche et polie comme une vitre ; sa respiration redevient régulière ; il se met à sentir une odeur de fumée.

Les yeux perdus dans les feuilles mortes de la forêt de Fontainebleau, et ces autres dans les jardins sans fleurs, brûlant en tas, sans vouloir demander de cigarettes à Cécile plongée dans son livre, qui devait en avoir dans son sac, commencer par cet acte de mendicité, vous avez tiré de votre poche une boîte d'allumettes dans laquelle il n'en restait plus que trois que vous avez fait flamber l'une après l'autre, un coude sur la barre de la fenêtre, qui s'éteignaient immédiatement sans doute parce qu'il y avait un carreau entrouvert à l'autre extrémité du corridor, et quand vous avez relevé la tête vous vous êtes aperçu que Cécile vous regardait, qu'elle s'amusait, si bien que vous vous êtes éloigné un peu, ce qui l'a bientôt fait sortir de son compartiment, une cigarette aux lèvres, s'approcher de vous pour que vous lui offriez du feu ; mais vous lui avez montré la boîte vide et elle est retournée prendre son briquet.

« Tu en veux une ?

— Non merci.

— Tu ne veux pas t'asseoir ?

— J'attendrai qu'il y ait deux places.

— Il y aura bien quelqu'un qui descendra à Dijon. »

Elle faisait tomber ses cendres par des petits coups du dernier doigt. La cathédrale de Sens passait lentement, grise au-dessus de sa ville ; vous longiez l'Yonne.

« Tu déjeuneras à quelle heure ?

— Je n'ai pas eu le temps de retenir de place. Je suis arrivé à la dernière minute. Je me suis couché tard hier soir. J'ai été tellement pris ces derniers jours.

— Nous avons été tous les deux très pris tous ces derniers jours.

— Le garçon va bientôt venir.

— C'est déjà fait. J'ai un ticket pour le premier

service ; j'en aurais demandé deux si j'avais pensé que tu étais là.

— Ce doit être pendant que je buvais ce thé. Moi aussi je m'imaginais que tu n'étais pas dans ce train ; j'en avais déjà parcouru la moitié à ta recherche.

— Nous irons tenter notre chance ensemble. Ce serait bien le diable...

— D'autant plus que le maître d'hôtel me connaît. Rassieds-toi ; tu ne vas pas rester debout jusqu'à Dijon à cause de moi. »

Mais personne dans ce compartiment n'est descendu ni à Laroche, ni à Dijon, et il vous a fallu attendre le repas pour être assis l'un près de l'autre, sans pouvoir vraiment vous parler à cœur ouvert d'ailleurs, à cause des deux autres personnes à votre table, mari et femme querelleurs.

« A Rome, nous serons libres ; il faudra bien que je sois chez Scabelli à neuf heures et j'ai fait la sottise d'accepter un rendez-vous pour déjeuner, mais, à partir de six heures, j'aurai la paix ; je viendrai t'attendre piazza Farnese.

— A Rome...

— Comme si tu n'aimais pas Rome !

— Je l'aime surtout lorsque tu y es avec moi.

— Je voudrais y être toujours.

— Et moi, je voudrais être à Paris avec toi.

— Ne pense plus à ce séjour ; la prochaine fois cela sera tout différent.

— Je ne t'en parlerai jamais plus. »

Sur le tapis de fer chauffant vient de tomber le livre que vous teniez entre vos doigts. En relevant la tête, vous apercevez dans le miroir, entre la photographie de montagnes et celle des bateaux, les tours et les créneaux de Carcassonne, la photographie au-dessus du sac d'un des ouvriers. Passe une petite gare isolée, avec juste quelques lanternes éclairant un banc, une horloge, et des caisses à expédier.

Puis le bruit redouble et se succèdent à toute vitesse dans la vitre, comme des coups de marteau assenés avec fureur contre un clou rétif, les fenêtres allumées d'un train qui roule en sens inverse, le Rome-Paris rapide que vous aviez pris pour revenir la dernière fois.

Toujours aussi immobiles dans leur tranquille balancement, les deux vieillards se regardent, se font un sourire de connivence.

Vous fouillez dans votre poche où il ne reste plus que deux gauloises et vous avez oublié d'acheter des Nazionali tout à l'heure. Vous essayez une autre position, fermant les yeux parce que la lumière commence à vous gêner. Il n'est pas question de dormir pour l'instant ; il ne sera peut-être pas question de dormir de toute la nuit. Vous êtes mieux maintenant, mais vous ne pourrez pas longtemps conserver vos jambes croisées de cette façon.

S'il sent alors une fumée, c'est qu'il doit y avoir quelqu'un vivant dans cette grotte, et il se relève avec précaution pour ne pas risquer de heurter trop fort la voûte, avance en gardant les deux mains appliquées au roc, tandis que l'odeur devient de plus en plus sensible.

A un détour il aperçoit un feu au milieu d'une grande salle suintante et embrumée, grosse lueur orange dans la vapeur ; il approche, entendant une autre respiration lourde, rauque, celle d'une vieille femme immobile qui regarde un grand livre, sans bouger la tête tourne simplement les yeux vers lui avec une sorte de sourire moqueur, chuchote (mais ce chuchotement considérablement amplifié devient semblable au bruit que fait le train dans un tunnel et il est très difficile de comprendre ce qu'elle raconte) :

214

« Fatigants ces bois, fatigante cette savane, ces pierres, mais maintenant tu as le droit de te reposer un peu pour m'écouter, me poser ces questions que tu dois avoir si longuement, si minutieusement préparées parce qu'on ne s'embarque pas pour une telle équipée, si dangereuse, sans des raisons bien définies, bien mûries et bien réfléchies, qui doivent être notées sur ces deux feuilles de papier que j'aperçois au travers de la vapeur et de la fumée de mon feu roux, collées sur ce vêtement bizarre dont la forme détruite et la couleur dénaturée m'avertissent de la distance que tu as dû franchir.

« Pourquoi ne me parles-tu pas ? T'imagines-tu que je ne sais pas que toi aussi tu vas à la recherche de ton père afin qu'il t'enseigne l'avenir de ta race ? »

Alors dans une sorte de hoquet et bégayant :

« Non, ce n'est pas la peine de rire de moi, je ne veux rien, Sibylle, je ne veux que sortir de là, rentrer chez moi, reprendre le chemin que j'avais commencé ; et, puisque vous parlez ma langue, ayez un peu pitié de mon abaissement, de cette incapacité où je suis de vous honorer, de vous dire les mots qui vous conviendraient, qui mettraient en branle votre réponse.

— Ne sont-ils pas là, sur ces feuilles du guide bleu des égarés ?

— Hélas, ils n'y sont plus, Sibylle, et même s'ils y sont, je ne puis pas les lire.

— Va, je puis bien te munir de ces deux gâteaux brûlés dans le four, mais je doute à t'entrevoir que tu reviennes jamais à la lumière.

— N'y a-t-il pas aussi un rameau d'or pour me guider et m'ouvrir les grilles ?

— Non, point pour toi, point pour ceux qui sont étrangers à leurs désirs ; tu ne pourras te fier qu'à

215

cette lueur incertaine qui apparaîtra dès l'extinction de ce pauvre feu. »

Il n'y a plus qu'un nuage épais qui se répand et dans le lointain à travers ces brumes âcres une certaine argenture ; il se remet en mouvement.

Ne pouvant plus maintenant garder vos jambes croisées de cette façon, vous les détendez l'une après l'autre comme un marcheur et vous heurtez le pied de ce vieillard italien en face de vous qui, lui, est immobile comme un dormeur malgré ses yeux ouverts qui ne cessent depuis quelques instants de vous fixer comme s'il s'amusait du mouvement de vos lèvres, comme si quelque rêve en lui les commentait.

Ce mouvement, ce balancement, ce bruit, cette lumière, que tout cela commence à vous peser ; toute cette fatigue accumulée tout au long des heures et des kilomètres, à laquelle vous aviez convenablement résisté jusqu'à présent, voici maintenant qu'elle vous menace comme un énorme tas de foin, qu'une terrible envie de vous étendre vous prend, mais vous ne pouvez pas, vous ne pouvez déranger cette vieille dame, vous ne voulez pas vous montrer moins résistant que ce Pierre sur l'épaule duquel maintenant dort son Agnès et qui doit pourtant avoir beaucoup moins que vous l'habitude de cette ligne, qui doit même vraisemblablement faire pour la première fois le trajet Paris-Rome, et qui garde le sourire, qui la caresse sous le regard de l'Italienne qui s'est légèrement détendu, teinté d'une bienveillance qui semble remonter à la surface en ayant traversé des années et des années de dureté, de persistance.

Vous vous calez dans votre coin, fermant à demi les paupières et, à travers cette fente comme à travers les jalousies d'une taverne, homme ivre qui ne parvient plus à trouver au fond de sa poche les quelques sous qui lui seraient nécessaires pour mener son ébriété morose jusqu'au sommeil, vous voyez dans la brume ces quatre visages qui oscillent, dans le brouhaha, avec ce rectangle de nuit qui change plus ou moins de profondeur à votre gauche, oui, c'est bien la gauche, et à l'intérieur de ce reflet, et de l'autre côté, ce corridor dans lequel s'approche le bruit métallique annonciateur du contrôleur italien.

Alors tandis qu'entre vos deux vertèbres cervicales supérieures, atlas et axis (notions qui remontent, telles les saveurs d'un repas trop copieux, depuis quelque cours d'histoire naturelle il y a très longtemps), s'enfonce à petits coups comme une mince aiguille rouillée, le voici, cet homme à casquette, qui ouvre la porte à glissière, qui de sa bouche moustachue vous réclame « biglietti per favore » : gêné par l'immobilisation douloureuse de votre cou, vous fouillez les poches de votre manteau et de votre veston, et c'est seulement dans votre pantalon que vous tâtez enfin cette feuille de papier mince dont vous ne savez plus comment elle a pu arriver là, car vous auriez dû la remettre dans votre protefeuille selon vos habitudes ; il a dû y avoir déjà un contrôleur tout à l'heure, ce contrôleur, tandis que vous étiez au wagon-restaurant, mais il ne vous dévisageait pas de cette façon ; il devait vous croire en première classe ; il a peut-être l'habitude de vous voir en première classe ; il est peut-être très surpris de vous trouver ici cette fois-ci ; il doit se demander si vous êtes ruiné ; il touche sa casquette avec sa poinçonneuse ; il referme violemment la porte à glissière.

Entre votre seconde et votre troisième vertèbre cervicale, une autre longue épingle à chapeau rouillée cherche sa voie, se visse, et tout au long de votre dos il y a d'autres pointes qui commencent à piquer, ce qui vous fait vous frotter contre le dossier, ce qui les

217

aide à s'enfoncer, une douzaine déjà qui sont entrées, qui empêchent vos mouvements, semblables à des griffes et à des dents qui pénètrent de plus en plus avant, et d'autres encore, une mâchoire à quinze pointes en ligne qui fouillent comme si elles avaient chacune leur autonomie et qui se resserrent soudain, ce qui vous oblige à vous redresser.

Vous ne voulez pas vous retourner : vous avez peur de sentir l'haleine de cette gueule, de voir ce regard impitoyable et vitreux, les écailles de ce serpent épineux dont la queue froide s'enroule autour de vos jambes qui n'arrivent plus à se séparer.

Le vieillard en face de vous se lève avec l'air de vous dire : « Regarde comme mes mouvements sont aisés » ; il semble flotter vers la porte qui s'ouvre devant lui presque sans qu'il y touche, immense, disparaissant.

Dans le lampadaire, l'ampoule tremble et sa lumière vacille comme si elle allait s'éteindre tout à coup. Agnès sursaute, elle ouvre la bouche comme si soudain elle venait de voir en face d'elle un trou ; elle se souvient qu'elle est dans un train, passe sa main sur son front, certains de ses cheveux sortant de son foulard, regarde Pierre qui lui prend les doigts, lui donne un petit baiser dans le cou, repose sa tête sur son épaule, vous regarde, vous sourit, se laisse aller de nouveau au balancement, ses paupières se refermant tout doucement ; les bateaux sur la photographie au-dessus d'elle ont l'air de voguer sur des vagues de soie dorée et bleu sombre, le soir, au coucher d'un soleil romain.

Les pins se balançaient doucement dans la lumière ; on ne voyait personne dans les champs ; les paysans devaient dormir.

Seul dans votre compartiment, avec entre les

mains les lettres de Julien l'Apostat dont vous aviez terminé la lecture, déjà vous apparaissait la ville avec le dôme de Saint-Pierre et cette approche vous emplissait de joie.

Alors vous vous êtes levé, vous avez rangé votre livre dans votre valise, vous avez baissé complètement la vitre, et vous avez regardé ces maisons qui passaient, les rues, les femmes à leur porte, la circulation, les tramways, le Tibre, la Stazione Trastevere, le Tibre encore que vous avez traversé, le début des murailles, la Stazione Ostiense.

Comme vous respiriez alors, comme vous étiez prêt à retrouver Cécile, quelle hâte alors vous aviez d'en avoir fini avec les affaires de la maison Scabelli, quel désir à ce moment vous emplissait de venir une fois uniquement pour elle, vous ne saviez pas encore quand, que ce serait cette fois-ci, que vous prendriez cette décision si tôt !

Passait la Stazione Tuscolana, puis s'est approchée la porte Majeure avec le tombeau du boulanger Eurysacès contre lequel s'appuyait un vieil ivrogne qui s'est levé, qui a fait des signes au train comme s'il vous accueillait à Rome, et les travaux de réfection de la chaussée.

Il s'est remis en mouvement. Les pierres sur lesquelles il voulait poser les pieds s'effritaient, se déchaussaient, et roulaient d'étage en étage jusqu'à ce qu'il ne fût plus possible de distinguer le bruit de leur chute au milieu de ce bourdonnement de plus en plus fort qui venait d'en bas.

Il y avait un nuage épais se répandant et dans le lointain au travers de ces brumes âcres apparaissait une certaine argenture.

Il est arrivé au bord de l'eau ; il voit quelques minces reflets sur les vagues ; il en écoute longuement le tumulte.

219

Alors vient sur le fleuve boueux tourbillonnant une barque sans voile avec un vieillard debout armé d'une rame qu'il tient levée sur son épaule, comme prêt à frapper.

Au-dessus de sa barbe raide toute violette de reflets, il n'y a point d'yeux mais seulement deux cavités semblables à des brûleurs avec des flammes sifflantes qui empêchent de distinguer rien d'autre du visage à cause de l'éblouissement qu'elles provoquent.

C'est une barque de métal, une épaisse masse de rouille, mais dont les bords sont clairs comme des rails, aiguisés comme le tranchant d'une faux.

Elle accoste, elle oscille à peine, la rame s'appuie sur le sombre sable ; une voix étrangement douce alors :

« Qu'attendez-vous ? M'entendez-vous ? Qui êtes-vous ? Je suis venu pour vous mener sur l'autre rive. Je vois bien que vous êtes mort ; n'ayez crainte de chavirer, le bateau ne s'enfoncera pas sous votre poids. »

Mais non, il ne peut pas prendre cette main, et sur sa propre paume éclairée par les flammes crues des brûleurs il voit dégoutter de tous les ongles une huile noire corrosive qui adhère à sa peau, qui rampe, visqueuse, et s'insinue à l'intérieur de sa manche.

Il s'écroule, les vagues boueuses lui lèchent tout le corps, et le passeur le ramasse, le jette au fond de sa barque qu'il remet à flot ; sa voix alors, comme amplifiée par un de ces hauts-parleurs de métal dont on se sert dans les gares le brûle :

« Tu désirais aller à Rome, je le sais bien, je te connais ; il n'est plus temps de reculer, je t'y mène. »

Puis il est passé sous la porte Majeure et vous êtes entré à Rome.

D'autres trains s'approchaient du vôtre, roulant à peu près à la même vitesse, et à leurs fenêtres ouvertes hommes et femmes regardaient cette haute rotonde rouge, temple de la Minerve Médecin, puis les bâtiments de la gare, les quais et leurs bancs de marbre.

Que de temps s'est écoulé depuis lors, et pourtant cela fait seulement un peu plus de huit jours maintenant ; jamais auparavant vous n'aviez fait deux voyages à Rome si rapprochés ; c'est tout le temps antérieur depuis des années qui s'était accumulé, qui tenait en équilibre comme un grand pan de briques, et qui s'est mis à basculer soudain au cours de ce voyage, et qui continue, qui va continuer son mouvement impitoyablement jusqu'à demain matin avant l'aube, jusqu'à ce que les choses aient pris enfin une nouvelle figure un peu stable.

Tout était encore en attente ; tout l'avenir était encore ouvert avec Cécile, cette possibilité de vivre avec elle une jeunesse nouvelle, votre première jeunesse véritable, encore intacte. Le soleil entrait dans la Stazione Termini par la gauche : ah, ces quelques jours ont été si beaux !

Les bateaux voguent sur la tête d'Agnès endormie au bruit que fait le train passant dans un tunnel. Au-dessus de l'oreille de Pierre, dans le miroir, tremblent les tours de Carcassonne.

Cécile venait de se rasseoir dans son compartiment de troisième classe à cette place que vous occupez actuellement, le coin couloir face à la marche. Quelle image pouvait-elle voir au-dessus de ce personnage en face d'elle qui n'a plus pour vous de visage ?

Dans le corridor, accoudé à la barre de cuivre, vous aviez vu passer ce grand mur de pierre sur lequel est inscrit : « En ce village (vous venez de repasser par là, de remarquer une nouvelle fois cette pierre et son inscription, mais ce nom, sur cette ligne où vous connaissez tant de noms de villages insignifiants, ce nom vous l'ignorez toujours) en telle année (au début du dix-neuvième siècle, mil huit cent bien sûr, mais après ?) Nicéphore Niepce inventa la photographie » ; vous avez passé la tête par la porte pour signaler ce détail à Cécile qui s'est replongée dans son livre dont vous ne savez pas le nom, et vous vous êtes mis à songer à ces images de Paris qu'elle a dans sa chambre romaine, l'Arc de triomphe et l'Obélisque, les tours de Notre-Dame et un escalier de la tour Eiffel, ces quatre images sur les deux murs de chaque côté de la fenêtre comme celles qui illustrent ce compartiment, cette chambre provisoire et mouvante où vous ne pouvez vous allonger.

Il pleuvait sur le Jura comme il a plu aujourd'hui ; la vitre se recouvrait de gouttes de plus en plus grosses qui descendaient lentement en diagonales sinueuses et comme haletantes, secousse par secousse, et dans les tunnels le reflet de votre visage faisait comme un trou d'ombre transparente au travers duquel vous aperceviez la fuite furieuse du roc.

Vous vous disiez : il ne faut plus regarder en arrière vers ce séjour malencontreux, il faut effacer ces quelques jours d'égarement ; ce n'était pas elle qui était là-bas ; nous n'en parlerons plus jamais ; je vais à Rome, je vais trouver Cécile à Rome, je sais qu'elle m'attend là-bas ; nous ne sommes pas allés ensemble à Paris ; c'est un hasard si elle est là, derrière mon dos, en train de lire ce livre qu'elle a acheté à la gare de Lyon juste avant de partir.

Il pleuvait sur les Alpes et cette pluie, vous le saviez, dans les hauteurs invisibles devenait de la neige ; tout était enfoncé dans la blancheur bouchée quand le train s'est arrêté à Modane.

Vous étiez assis (quelqu'un donc avait dû descendre à Chambéry ou dans une des petites stations de la vallée) en face de Cécile plongée dans sa lecture, qui levait les yeux rarement pour regarder à travers son carreau, disant « Quel temps ! ».

Les flocons se collaient à la fenêtre. Les douaniers vous ont demandé vos passeports. Elle a refermé son livre que vous n'avez pas lu, dont vous ne lui avez même pas demandé le nom, où il pouvait être question d'un homme qui désirait aller à Rome et qui continuait sa navigation sous une fine pluie de goudron qui devenait de plus en plus blanc comme de la neige, de plus en plus sec comme des bribes de pages déchirées, non point vraiment couché dans sa barque de métal, mais sa tempe s'appuyant à la paroi verticale fraîche et polie comme une vitre, et qui sentit alors une odeur de fumée, apercevant de nouveau dans l'obscurité la lueur rouge d'un feu, les oscillations s'arrêtant peu à peu, le sable crissant sur la coque métallique qui s'est ouverte comme deux mains sur le rivage brumeux, seul, le passeur s'étant dissous dans la nuit, sans doute retourné à la rencontre de quelque autre ombre.

Il serrait toujours dans ses mains les deux gâteaux marqués de paumes d'huile noire et de gouttes de sang, car il s'était écorché aux bords de la barque pendant sa navigation en dormant.

Il considérait trois ou quatre gouttes épaisses qui coulaient lentement avec des méandres, comme si elles s'efforçaient de reproduire un trajet compliqué dans une région montueuse et déserte.

Il y avait le bruit constant des vagues noires lapant le sable violet, et puis soudain, dans la région d'où venait la lueur, une grande agitation d'ailes, un envol de corbeaux dans toutes les directions de l'espace, certains passant au-dessus de sa tête et continuant leur vol au-dessus du fleuve, si c'est un fleuve, ou du lac, ou du marais peut-être, car il y a une odeur de roseaux, de vase, et d'algues de plus en plus mêlée à celle de ce feu qui doit être un feu de tourbe, dont il faudrait qu'il s'approche enfin, car il ne va pas rester longtemps encore couché, seul, dans cette barque défaite, de mince métal dangereux et précaire, qui s'est ouverte comme une gousse, léché par les petites vagues et leurs bulles, avec les tourbillons de sable et de gravier qui s'insinuent le long de ses jambes et de son dos.

Les corbeaux le prennent pour un mort, si ce sont des corbeaux, car dans cet éclairage n'importe quel oiseau semblerait noir et ils ne poussent aucun cri : deux se sont posés sur ses épaules, puis un autre sur son crâne, agrippant ses cheveux.

Il se redresse avec une extrême lenteur, le cou d'abord, puis la poitrine, puis s'appuyant de ses mains lacérées il se soulève, s'érige titubant sur ses genoux ; le voici debout tremblant avec ses trois corbeaux immobiles qui ne le lâchent pas, enfoncent leurs griffes, et deux autres qui lui arrachent les deux minces gâteaux circulaires et maculés.

La pluie de bribes de papier continue, semblables à des pétales ou des feuilles mortes, se déposant à la surface de l'eau qu'elles recouvrent presque, lui donnant l'apparence d'une peinture qui s'écaille, se collant sur ce qui reste de ses vêtements, sur son visage et sur ses yeux qui commençaient à s'habituer, à déceler que ce n'était pas seulement un rivage mais un port, qu'il y avait une digue à droite, un quai un peu plus loin, des marches, des anneaux, que cette lueur était celle d'un phare.

Il monte, il se laisse mener ; le bruit des vagues s'amoindrit ; une rumeur de temps en temps l'assaille par bouffées, comme une grande masse de respirations ; il sait qu'il longe un mur de briques et que voici maintenant la porte Majeure mais sans tramways, sans chemin de fer, ouvriers, ni foule, sans aucun mouvement dans la lueur diffuse, devant laquelle, sur une chaise curule, est assis quelqu'un, nettement plus grand qu'un homme, avec non point un seul mais deux visages, celui tourné vers le malheureux se plissant dans un rire en lui criant :

« Tu ne pourras plus jamais revenir »,

mais l'autre tourné vers la porte, vers la ville, dans le même sens que le sien, le visage qu'il ne voit pas, il entend qu'il crie lui aussi, plus longuement, plus sourdement, que cette plainte que lui ne peut pas prononcer, il la profère, cela devient comme un aboiement, et les oiseaux tournent autour de cette double tête sous la pluie de bribes de pages.

Puis tout se tait ; il n'y a plus que cette grande et confuse respiration suintant du mur.

Les douaniers, pressés, avec des flocons de neige sur leurs uniformes et leurs cheveux, vous ont rendu vos passeports et ont refermé la porte derrière eux.

Dans ce compartiment plein et chaud, parmi ces gens dont vous avez oublié les traits, dont vous n'aviez même pas remarqué les traits, des Français et des Italiens qui parlaient sans doute, mais dont vous n'écoutiez pas les conversations (ce n'était qu'un bruit comme celui du train qui était reparti, qui s'était enfoncé dans le tunnel), vous ne regardiez que Cécile assise en face de vous qui avait repris son livre, qui ne faisait pas attention à vous, ne semblait pas se rendre compte que vous l'aviez perdue, que vous essayiez lentement, péniblement, de la retrouver, de vous rapprocher d'elle après ce fossé qu'avait creusé entre vous le séjour parisien, auquel il fallait ne plus penser.

Elle commençait à n'y plus penser, ou plus exacte-

225

ment à ne plus penser à vous pendant ce séjour parisien, car si elle parvenait à vous mettre entre parenthèses pendant ces quelques jours écoulés, à faire comme si vous aviez été absent de Paris, évitant donc de se souvenir de son arrivée, de vos rendez-vous, de ses visites au quinze place du Panthéon, alors ce voyage qu'elle avait tant désiré lui apparaîtrait comme une réussite, ce voyage au cours duquel elle avait eu tant de plaisir à retrouver sa ville natale sans que vous lui fussiez d'aucun secours à cet égard, comme vous n'aviez pu être d'aucun secours pour Henriette à l'égard de Rome lorsque vous y étiez retournés ensemble après la guerre.

Les yeux de Cécile ne suivaient que distraitement les dernières lignes de son livre ; vous sentiez qu'il se faisait tout un travail à l'intérieur de son esprit ; vous guettiez ses expressions et elle vous laissait faire, comme si elle ne s'apercevait pas que vous étiez là, parce que, pour arranger son souvenir de ces deux semaines, il fallait vous en rendre absent, il fallait faire comme si ce n'était pas avec vous qu'elle avait fait ce voyage, il fallait donc que ce fût par hasard qu'elle vous eût rencontré dans ce train, que ce fût comme si même elle n'avait pas déjeuné avec vous tout à l'heure ; se souriant à elle-même, elle rêvait que vous étiez absent, qu'elle pensait à vous, qu'elle s'imaginait qu'elle allait vous retrouver à Rome, et que tout d'un coup elle se rendait compte que vous étiez là, déjà, et qu'elle en était tout heureuse et toute surprise parce que c'était comme si Rome était venue à sa rencontre pour l'accueillir.

Voilà ce que vous lisiez sur son visage, ce que vous déchiffriez de ce dialogue informulé derrière l'écran d'un livre.

Assise à l'endroit même où vous êtes maintenant, un livre fermé dans les mains, la tête tournée vers la droite, elle rêvait qu'elle regardait en votre absence ce sombre paysage du Piémont que vous, voyageur habituel, aviez tant de fois considéré, rêvait qu'elle vous imaginait en face d'elle regardant en même temps qu'elle, ayant pris, sans vous en douter, sans qu'elle s'en doutât, le même train qu'elle, rêvait que ce serait merveilleux tout d'un coup de vous rencontrer là, rêvait qu'elle désirait passionnément vous voir et que tout d'un coup en effet vous apparaissiez dans le corridor, vous l'aperceviez, ouvriez la porte, vous installiez en face d'elle dans cette position même que vous aviez, l'observant un peu de côté, l'air soucieux, à cause de Scabelli sans doute, à cause de cette Henriette qu'elle n'avait jamais vue.

Elle vous regardait maintenant avec le bonheur, le souvenir des scènes parisiennes, où vous aviez joué un si pauvre rôle, s'enfonçant derrière cette imagination plus puissante, mais elle savait bien comme toute cette région était dangereuse et qu'il n'en fallait pas parler, qu'il aurait fallu pour que le dîner soit moins silencieux parler de Rome, où vous arriviez tous les deux, où vous auriez voulu, tous deux, que l'autre fût pour vous attendre, mieux, qu'il en fût parti, qu'il fût venu jusqu'à Turin pour vous y rencontrer, vous y accueillir, vous donner les dernières nouvelles.

Comme chacun de vous craignait les paroles de l'autre, une imprudence fêlant cette soudure que vous sentiez se refaire entre vous ! Sans un mot, vous êtes revenus jusqu'à ce compartiment de troisième dont quelques occupants étaient descendus entre-temps, de telle sorte que vous avez pu vous asseoir à côté de Cécile, mettre votre main derrière son dos tandis qu'elle vous disait : « Je suis fatiguée », mais il a fallu attendre jusqu'à Gênes pour pouvoir éteindre.

Dans la lumière bleue, elle s'est endormie sur votre

épaule et vous la caressiez, vous lui donniez de petits baisers sur ses cheveux noirs qui se décoiffaient peu à peu, s'échappaient de l'ordre auquel les astreignaient leurs épingles, se glissaient le long de votre cou, chatouillaient vos lèvres, vos narines et vos yeux.

Dans le miroir au-dessus de l'épaule de Pierre bougent les tours noires. A travers le miroir que forme la fenêtre, à travers le reflet de ce compartiment, passent des lumières dans la campagne, des phares d'autos, la chambre éclairée d'une maison de garde-barrière avec une petite fille, entrevue juste un instant, défaisant sa robe d'écolière devant une armoire à glace. Et il y a encore un autre reflet, le plus tremblant de tous, dans les lunettes cerclées de fer du vieil Italien en face de vous qui dort déjà, de la photographie au-dessus de vous derrière votre tête, qui, vous le savez, représente l'Arc de triomphe entouré de taxis démodés.

Vous n'aviez point encore cette assise, cette situation, ces habitudes dont vous cherchiez par ce voyage à vous défaire ; vous n'habitiez point encore dans ces murs, quinze place du Panthéon, que vous vouliez quitter pour vivre ailleurs à Paris avec Cécile, mais que vous ne quitterez pas, auxquels vous êtes condamné maintenant jusqu'à votre mort, parce que Cécile ne viendra pas vous rejoindre, que vous ne la ferez pas venir comme vous en aviez si fermement l'intention en partant de la gare de Lyon ce matin, comme vous en aviez encore si fermement l'intention jusqu'à..., comme vous pensiez encore en avoir si fermement l'intention jusqu'à..., parce que vous ne la ferez pas venir à Paris, sachant trop bien désormais que cela aboutirait, malgré tous les efforts que vous pourriez tenter pour la tromper et vous tromper à ce sujet, à vous séparer d'elle peu à peu mais inévi-

228

tablement, peu à peu mais de la façon la plus pénible et la plus détériorante pour vous deux, et que, si vous l'abandonnez (et vous l'abandonnerez, malgré toute la sincérité de votre amour, rapidement), cette situation que vous lui avez dénichée à Paris se révélera un pur mirage, qu'elle n'y pourra rester sans votre protection que vous lui refuserez alors, parce que vous ne voudrez plus la revoir,

donc vous n'habitiez pas encore dans cet appartement auquel vous êtes condamné jusqu'à votre fin parce qu'il n'y aura pas d'autre Cécile, parce qu'il est trop tard maintenant, parce que c'était votre dernière chance de rajeunir, cette chance que vous avez tout fait pour saisir, voici au moins une justice que vous pouvez vous rendre, mais qui s'est défaite entre vos doigts, qui s'est révélée comme inexistante en réalité, comme n'apparaissant que grâce à l'oubli, à la lâcheté de votre intelligence,

vous n'aviez point encore ces meubles qui décorent votre salon parce qu'ils étaient encore chez vos parents ou ceux d'Henriette ou que vous ne les aviez pas encore achetés,

vous n'étiez pas encore père de ces enfants : Madeleine, Henri, Thomas, Jacqueline, parce que vous veniez de vous marier, que c'était votre voyage de noces et la première fois que vous alliez à Rome, cette ville dont vous rêviez depuis vos études secondaires et vos premières promenades dans les musées,

au printemps, toute la banlieue parisienne étant en fleurs d'arbres fruitiers, un temps exquis faisant sentir son air à travers la fenêtre entrouverte, avec Henriette à côté de vous, tout heureuse dans sa robe fraîche à la mode de ce temps-là, qui s'émerveillait des moindres collines, tenant dans ses mains le Guide bleu de l'Italie dans cette édition ancienne que vous possédez toujours sur l'un des rayons de votre petite bibliothèque à côté de la fenêtre qui donne sur la coupole illuminée le samedi, tandis que vous vous efforciez d'apprendre par cœur les exemples d'une grammaire italienne,

la forêt de Fontainebleau toute en pousses vives (et n'est-ce pas elle qui vous a parlé à ce moment-là de ces promenades qu'elle y avait faites toute jeune avec ses sœurs, terrorisée dès que tombait le soir d'y rencontrer le Grand Veneur les interpellant et les emportant ?),

les averses vous précédant, faisant briller toits et trottoirs, les prairies éblouissantes sur les montagnes.

A la frontière, le soleil baissait déjà, on voyait les sommets dorés au-dessus de l'ombre, et les hommes de la police vous ont demandé vos passeports.

Puis il n'y a plus eu que cette grande et confuse respiration suintant du mur. Alors, le vieux visage italien du douanier s'est mis à sourire avec commisération et à murmurer :

« Où êtes-vous, que faites-vous, que voulez-vous ?

— Si je suis arrivé jusqu'ici parmi tant de dangers et d'erreurs, c'est que je suis à la recherche de ce livre que j'ai perdu parce que je ne savais même pas qu'il était en ma possession, parce que je n'avais pas même pris soin d'en déchiffrer le titre alors que c'était le seul bagage véritable que j'eusse emporté dans mon aventure. On m'a dit que dans cette ville à la porte de laquelle vous montez si cruellement la garde, je pourrais m'en procurer quelque exemplaire.

— Mais crois-tu véritablement savoir assez l'italien pour pouvoir en lire les versions qui peut-être, s'il en reste quelques-unes dans un état de conservation suffisant, pourront t'y être proposées ?

« Entre, la porte est grande ouverte, et de mon autre visage je surveillerai tes premiers pas ; aucune autre solution ne te demeure : je ne puis que fermer la route derrière toi et t'assurer qu'elle est fermée, que te prêter un de mes guides, une louve dont le pelage est tellement couleur de la terre et de cette vapeur qui s'en dégage que toi, avec tes yeux voilés, tu ne pourras la voir que de temps en temps, lorsque tu en seras tout proche, distinguant alors ses poils et ses griffes, mais que d'habitude il te faudra te fier seulement au bruit de son reniflement et de son grattage. »

La lune apparaissait au-dessus des monts dorés et pourpres, décor de fraîches flammes immenses devant lequel le visage des douaniers devenait peu à peu violet, avec sur les traits la même vulgarité que ceux d'aujourd'hui, mais bien plus de morgue et de cruauté.

Quand le train s'est remis en marche pour s'enfoncer dans le tunnel, la lumière n'était pas encore allumée, pas même celle de la veilleuse ; il y a eu quelques instants de noir absolu, puis l'issue vert émeraude, cette trouée de ciel crépusculaire au-dessus des vallées sombres, raides et vastes du Piémont.

C'était une Italie policière en ce temps-là, intoxiquée du rêve de l'Empire, avec des uniformes dans toutes les gares, mais cet air que vous respiriez, cet air que vous aviez ignoré jusqu'alors, ce printemps véritable enfin que vous sentiez, dont ceux de la France ne vous avaient donné qu'une faible idée, il aurait fallu plus que cette effroyable sottise armée pour vous empêcher de le ressentir, et vous avez dit à Henriette qui vous avouait sa gêne, vous lui avez dit : « Ils n'existent pas », ce qu'elle s'est efforcée de croire, en vain.

De nuit, vous rouliez au bord de la mer avec la lune qui brillait sur les vagues tranquilles, elle à côté de vous comme Agnès auprès de Pierre, votre bras derrière sa taille, sa tête appuyée sur votre épaule, ses

231

deux mains sur vos genoux, quelques-uns de ses cheveux relevés par le courant d'air venant chatouiller vos paupières, et vous les écartiez d'un geste de la main comme de doux insectes ; dans la chaleur, vous aviez enlevé votre veston, et vous sentiez à travers votre chemise ses narines et sa respiration.

De plus en plus vous vous êtes tourné ; de plus en plus vous avez le dos non plus contre le dossier mais contre le carreau, de telle sorte que vous pouvez voir directement la photographie de l'Arc de triomphe au milieu des taxis démodés. En face de vous dans la vitre, derrière le profil de la vieille Italienne, l'image de ce compartiment est traversée brusquement, brisée, éparpillée par un autre train qui passe toutes fenêtres éclairées ou presque, sans que l'on puisse les compter, ni regarder à travers elles, à cause de la vitesse doublée, avec un bruit d'autant plus violent que l'on vient d'entrer dans un tunnel ; puis maintenant que le train et le tunnel sont terminés, voici que le visage de la lune sort de l'écran d'une montagne et se suspend pour quelques instants un peu au-dessous de l'image du plafonnier.

Les lumières se multiplient ; voici des rues avec des enseignes lumineuses et des cafés en pleine activité. Vous regardez à votre montre ; c'est bien cela, vous approchez de Gênes ; il va y avoir encore un long tunnel, puis ce sera la Stazione Principe.

Un tramway passe, brinqueballant, presque vide. Les deux ouvriers viennent reprendre leurs sacs. La Sibylle va se placer dans le coin près de la fenêtre. Agnès regarde les parois rugueuses qui défilent.

Voici la pleine ville, le port à votre droite avec des bateaux tous hublots allumés, le fameux phare, les quais, d'autres trains, tous les voyageurs qui attendent avec leurs bagages, les hauts immeubles au-dessus s'échafaudant sur le roc, l'arrêt, **Agnès** qui se lève pour baisser la vitre.

Quant à vous, dans l'immobilité soudain totale, vous retournez entre vos doigts ce livre que vous n'avez pas lu, mais par la présence duquel commence à s'imposer si fortement à vous un autre livre que vous imaginez, ce livre dont vous désiriez tant qu'il fût pour vous, dans les circonstances présentes, ce guide bleu des égarés à la quête duquel court, nage, et se faufile ce personnage embryonnaire qui se débat dans un sous-paysage encore mal formé, reste silencieux devant le douanier Janus dont le double visage est surmonté d'une couronne de corbeaux, chacune de leurs plumes noires bordée d'un liseré de flammes, qui s'élargit de telle sorte que toutes leurs ailes bientôt sont en flammes, puis tout leur corps, puis leur bec et leurs pattes semblables à du métal chauffé à blanc, seuls leurs yeux demeurant comme des perles noires froides au milieu de cet embrasement,

qui entend un sifflement, s'efforce de voir, mais il n'y a plus qu'un nuage épais qui se répand, et dans le lointain, à travers cette grande arche qui se distingue encore, une certaine argenture comme un reflet d'aube,

au milieu de cette épaisse vapeur commençant à se dissiper, aperçoit la queue et les jambes, croit apercevoir les oreilles d'un renard ou d'un loup, d'une louve,

se remet en mouvement, passe sous la porte Majeure derrière laquelle ce n'est point une rue qu'il trouve mais une fissure entre des rochers, entend les légers pas de la louve dans l'ombre à mesure qu'il pénètre dans ce défilé sinueux où il lui semble bien que quelque chose s'éclaire dans les hauteurs, regarde une dernière fois derrière lui, aperçoit dans la vapeur qui se condense en une lente rosée métallique formant un intraversable rideau, les yeux, les lèvres du douanier dessinés très précisément en minces flammes,

a perdu la trace de la louve, se hâte, tâte les parois sous la lumière argentée qui vient de cette ouverture ronde là-haut, non plus de roc mais de terre avec de l'eau qui suinte, un ruissellement qui l'empêche de distinguer le reniflement de la bête éclaireuse, puis des paroles, des pas, comme il parvient à une bifurcation, puis des torches qu'il entrevoit, des gens en robes blanches qui portent des cadavres en chantant des cantiques sous un nouvel orifice là-haut qui jette un cône de lumière moins claire que celle du précédent (ce doit être la tombée du jour),

entend de nouveau le reniflement, de plus en plus fort, qui ressemble à un reniflement de cheval, qui ressemble à un hennissement de cheval,

dans une galerie toute droite qui monte et où il se met à courir, à l'extrémité de laquelle il aperçoit son ouverture toute verte dans la lumière du crépuscule, où débouche une louve qui a la taille d'un cheval, avec un cavalier qui a des corbeaux sur les poings les ailes déployées, qui ressemblent à des faucons, qui s'élèvent en tournant entre de hautes maisons au-dessus d'arcades, aux fenêtres desquelles s'allument de petites lampes, qui ont bien des envergures d'aigles,

arrive dans une petite place où il y a des tables sous des arbres, des carafes à vin, deux, trois hommes qui s'approchent de lui (ce sont des Italiens, se dit-il, des Italiens que je connais),

se frotte les yeux, si bien qu'il fait tomber les dernières écailles de papier, écoute les paroles qu'on lui adresse, mais ne comprend pas ;

quant à vous, dans l'immobilité totale, vous retournez le livre entre vos doigts.

Quelqu'un vous demande : « Scusi, signore », une jeune femme qui entre, très grande, des lèvres très rouges, un manteau de laine beige et une petite valise violette qu'elle cherche où poser ; va-t-elle en retirer un livre, elle aussi ?

Vous posez le vôtre sur la banquette ; vous vous demandez pourquoi le train ne part pas encore ; vous vous levez pour aller voir l'heure à l'horloge du quai.

VIII

Vous voici revenu, l'esprit toujours empli de cette agitation qui n'a fait que croître et s'obscurcir depuis que ce train s'est mis en marche à Paris, le corps fourmillant de ces pincements de fatigue se faisant de quart d'heure en quart d'heure plus aigus, intervenant de plus en plus violents dans le cours de vos pensées, dérangeant votre regard lorsque vous vous efforcez de l'appliquer à un objet ou un visage, vous aiguillant brusquement vers une de ces régions de vos souvenirs ou de vos projets que vous désirez justement éviter, toutes bouillonnantes, toutes fermentantes, toutes bouleversées dans cette réorganisation de l'image de vous-même et de votre vie qui est en train de s'accomplir, de se dérouler implacablement sans qu'y soit pour rien votre volonté, cette métamorphose obscure dont, vous le sentez bien, vous ne percevez qu'une minime zone, dont les tenants et aboutissants vous demeurent en grande partie inconnus et sur lesquels il vous serait si nécessaire de projeter quelque lueur, les plus dures études, la plus minutieuse patience n'étant certes point trop payer pour faire reculer un tant soit peu l'ombre, pour vous donner un tant soit peu plus de prise et de liberté sur ce déterminisme qui pour l'instant vous broie dans la nuit, ce grand labeur qui se poursuit en vous, détruisant peu à peu votre personnage, ce changement d'éclairage et de perspective, cette rotation des faits et des significations, issue de votre fatigue et des circonstances, issue de cette décision que vous imaginiez vous appartenir, de votre situation dans l'espace des conduites humaines, et se traduisant en fatigue qui est comme son bruit et son halètement, et vous enduisant de cette sueur presque sèche qui fait coller votre linge à la peau, vous creusant de cette espèce de vertige, de ce désarroi de votre système digestif et respiratoire, de ce malaise, de cette faiblesse soudaine, de cette titubation qui vous fait vous tenir au chambranle, de cet appesantissement de vos paupières et de votre tête qui vous fait non pas vous asseoir à proprement parler mais vous effondrer à votre place sans même avoir pris la peine d'en retirer le livre que vous y aviez laissé et que vous sortez de sous vos cuisses péniblement, vous appuyant au coin, allongeant vos jambes entre celles du vieil Italien en face de vous, le seul qui ait peut-être les yeux ouverts, vous ne pouvez pas le savoir derrière ses lunettes rondes qui brillent au milieu de la pénombre bleue, repliant votre menton sur votre col et le caressant de votre main pour sentir toute cette barbe qui y est poussée depuis ce matin,

ayant soif, désirant ce vin clair qui brille dans les carafes à taille de jeune fille sur les tables de fer peintes en rouge dans la nuit creusée par des guirlandes d'ampoules électriques autour desquelles bourdonnent des essaims de moustiques, autour desquelles une foule de plus en plus nombreuse s'est assemblée pour vous parler, que vous comprendriez peut-être si ce brouhaha s'arrêtait, si quelqu'un se détachait pour prononcer quelques paroles précises,

disant à haute voix : j'ai soif, sans que personne entende, recommençant beaucoup plus fort, provoquant par cette commotion une onde de silence qui s'étend jusqu'aux limites de la place sous les fenêtres des hautes maisons où des têtes vous regardent, recommençant sans parvenir à vous faire comprendre, tandis qu'ils se concertent, s'interrogent, de plus en plus inquiets et méfiants,

désignant d'un doigt ces carafes de telle sorte que l'un d'eux, avec beaucoup d'hésitation dans les gestes, se sentant le point de mire de tous, remplit un verre à mi-hauteur, renversant beaucoup de vin sur ses doigts, sur les manches de sa chemise à carreaux bleus et violets, l'élève dans sa main, vous le fait considérer en le tournant et le retournant devant une ampoule, vous l'offre,

pris d'un tremblement convulsif, approchant le bord de vos lèvres avec un immense effort, réussissant enfin à boire une gorgée (alors il s'ébrèche dans votre bouche), crachant avec violence ces éclats tranchants, ce vin atroce qui vous brûle la gorge et le gosier avec une telle fureur que vous hurlez, que vous lancez le verre contre une des façades où il fait éclater une vitre, une énorme tache se mettant à ronger le plâtre et les briques,

frottant avec votre main ce menton rugueux, graisseux et sale, ouvrant les yeux, examinant vos doigts dans la lumière bleue.

Qui a éteint ? Qui a demandé qu'on éteigne pendant que vous parcouriez les corridors à la recherche d'un wagon-restaurant dont vous auriez pourtant très bien dû savoir qu'on l'avait détaché à Gênes, à la recherche de cigarettes qui vous auraient bien aidé à rester éveillé, à vous protéger contre ces rêveries absurdes qui ne font qu'augmenter le trouble et la confusion alors que vous auriez tant besoin de regarder la situation en face très calmement, avec détachement, comme un autre pourrait la considérer ;

car s'il est maintenant certain que vous n'aimez véritablement Cécile que dans la mesure où elle est pour vous le visage de Rome, sa voix et son invita-

238

tion, que vous ne l'aimez pas sans Rome et en dehors de Rome, que vous ne l'aimez qu'à cause de Rome, parce qu'elle y a été, dans une grande mesure, qu'elle y est toujours votre introductrice, la porte de Rome, comme on dit de Marie dans les litanies catholiques qu'elle est la porte du ciel, ce qu'il faudrait absolument que vous sachiez, c'est pour quelles raisons Rome possède sur vous un tel prestige, et aussi comment il se fait que ce prestige ne possède pas suffisamment de solidité objective pour que Cécile puisse s'en faire consciemment, volontairement, l'ambassadrice à Paris, comment il se fait qu'Henriette, malgré tout ce que la Ville des Villes représente nécessairement pour elle, avec son catholicisme, ait pu considérer l'attachement que vous lui portez comme l'expression même de ce qu'elle vous reproche,

ainsi, comme votre amour pour Cécile a tourné sous votre regard, se présente à vous désormais sous une autre face, dans un autre sens, de même, ce qu'il vous faudrait maintenant examiner à loisir et de sang-froid, c'est l'assise et le volume réel de ce mythe que Rome est pour vous, ce sont les tenants et aboutissants, les voisinages de cette face sous laquelle cet immense objet se présente à vous, essayant de le faire tourner sous votre regard à l'intérieur de l'espace historique, afin d'améliorer votre connaissance des liaisons qu'il a avec les conduites et décisions de vous-même et de ceux qui vous entourent, dont les yeux, les airs, les paroles, dont les silences conditionnent vos gestes et vos sentiments, si seulement vous pouviez résister au sommeil et à ces cauchemars qui vous assaillent dans cette lumière bleue qui vous livre à votre lassitude et à ses monstres.

Qui a demandé qu'on éteigne ? Qui a voulu cette veilleuse ? La lumière était dure et brûlante, mais les objets qu'elle éclairait présentaient du moins une surface dure à laquelle vous aviez l'impression de pouvoir vous appuyer, vous accrocher, avec quoi vous tentiez de vous constituer un rempart contre cette infiltration, cette lézarde, cette question qui s'élargit, vous humiliant, cette interrogation contagieuse qui se met à faire trembler de plus en plus de pièces de cette machine extérieure, de cette cuirasse métallique dont vous-même jusqu'à présent ne soupçonniez pas la minceur, la fragilité,

tandis que ce bleu qui reste comme suspendu dans l'air, qui donne l'impression qu'il le faut traverser pour voir, ce bleu aidé de ce perpétuel tremblement, de ce bruit, de ces respirations devinées, restitue les objets à leur incertitude originelle, non point vus crûment mais reconstitués à partir d'indices, de telle sorte qu'ils vous regardent autant que vous les regardez,

vous restituant vous-même à cette tranquille terreur, à cette émotion primitive où s'affirme avec tant de puissance et de hauteur, au-dessus des ruines de tant de mensonges, la passion de l'existence et de la vérité.

Vous considérez cette ampoule bleue insistante, comme une grosse perle, non point claire à proprement parler, mais source dans son épaisse couleur murmurante de doux échos sur toutes les mains et sur tous les fronts des dormeurs, et, dans cette coupole du plafonnier qui la protège, les deux minces sphères transparentes à l'intérieur desquelles vous devinez les filaments froids tout à l'heure si brutalement rayonnants, comme ceux de ces lampes dans le corridor de l'autre côté duquel apparaissent, de temps à autre mais de moins en moins souvent, quelques rues de village au bord de l'eau encore un peu éveillées.

Lundi soir, quand Cécile sortira du palais Farnèse, elle vous cherchera des yeux dans la nuit, vous découvrira près d'une des fontaines en forme de baignoire à l'attendre avec appréhension, car c'est à ce moment, à ce dîner au restaurant Tre Scalini, qu'il vous faudra en venir aux aveux et à la douloureuse mise au point, puisque, vous le savez bien, il sera impossible d'en rester au silence, de la laisser espérer encore que votre décision va venir, imaginer que vous cherchez encore pour elle cette situation à Paris, que vous êtes sur le point de lui trouver quelque chose, alors que vous ne chercherez plus, alors que vous aviez déjà trouvé.

Il sera impossible de ne pas lui dire à ce moment-là, au moment où vous vous apprêterez à la quitter, après ce séjour consacré à elle seule, après ces quelques jours pendant lesquels elle aura été si heureuse de la surprise que vous lui aurez faite, que vous allez lui faire dans quelques heures, pendant lesquels elle se sera imaginée qu'elle avait enfin gagné la partie, de ne pas lui dire que vous aviez primitivement l'intention de lui annoncer cette autre surprise : que vous aviez enfin trouvé cette situation pour elle, qu'elle allait partir pour Paris, qu'elle pouvait donner sa démission à l'ambassade, commencer à se préparer, commencer à faire ses adieux à Rome, à récapituler pour elle-même le savoir que vous aviez réussi à y accumuler tous les deux,

que vous aviez fait des démarches pour vous trouver un logement, que vous aviez plusieurs possibilités en vue, que tout était prêt, à portée de main, et que vous y avez renoncé,

impossible de ne pas tenter de lui expliquer pour quelles raisons s'est produite cette modification, afin qu'elle quitte tout espoir dans cette direction-là,

impossible de vous en tenir au silence, parce que ce

241

silence constituerait, vu les circonstances, étant donnée cette espèce de promesse et de déclaration solennelle qu'elle ne manquera pas de lire dans ce voyage extraordinaire que vous avez entrepris pour elle seule, un mensonge d'une gravité extrême qui empoisonnerait tous ces rapports que vous désirez conserver avec elle, vos rapports avec Rome même, obscurcirait, empuantirait l'air même de cette relation à vous-même que vous cherchez à purifier.

Il faudrait donc ce dernier soir, puisque vous désirez attendre jusqu'au dernier soir, afin que vous puissiez ces quelques jours jouir tous les deux au moins de l'apparence de ce bonheur qui, lui, vous échappe, goûter quand même à un fragment de cette vie que vous imaginiez si prochaine et qui s'éloigne de plus en plus dans l'illusoire et l'impossible,

avoir le courage au restaurant Tre Scalini, tout en considérant la fontaine des Fleuves, alors qu'elle sera tout émue à l'idée de votre proche départ, mais tellement heureuse de vous avoir encore tout à elle pour cette soirée, présage, pensera-t-elle encore, d'une possession bien plus durable ailleurs,

de lui assener ce coup, cette déception, de lui déclarer, tenter de lui démontrer que tout était prêt et que tout est perdu,

mais vous serez incapable de cette démonstration, de cette explication ; même si vous aviez les mots tout prêts, son visage, son étonnement, son incompréhension vous en rendraient incapable.

Toutes les circonstances, tous vos actes des jours précédents lui paraîtront vous démentir ; elle ne pourra pas vous croire ; elle verra dans tout cela de la grandeur d'âme, un sacrifice pour Henriette qu'elle enviera, qu'elle haïra, le superbe sursaut au dernier moment d'un attachement ancien à son agonie, s'imaginant qu'il lui suffira d'attendre encore un

242

peu, puisque, vous viendrez de le lui dire, enfin tout est prêt, pour que votre décision arrache ces ultimes liens qui l'empêchaient de s'imposer.

Cette certitude, cette confiance en vous qu'elle n'avait pas encore, cet aveu les lui donnera, de telle sorte que ce ne sera pas seulement votre silence, ce sera même cette explication qui sera mensonge, puisqu'elle ne comprendra pas, puisque ce que vous aurez fait l'en empêchera.

Ils se retourneront, considérant cette tache, ces lambeaux de plâtre et de brique pleuvant sur eux, certains, atteints par des éclats de verre, s'écarteront de vous avec étonnement et haine, le murmure de leur palabre s'agitant et s'aigrissant, et c'est à ce moment que les policiers franchiront leur cercle et vous empoigneront, sans brutalité, avec pitié plutôt, voyant bien que vous pourrez à peine marcher, traînant les pieds, votre peau raclant, à travers les trous de vos semelles usées, le sol rugueux et brûlant, vous soutenant par les épaules, de temps en temps, vous relevant la tête qui s'affaissera de nouveau, tentant même de vous réconforter par d'inintelligibles bonnes paroles,

vous menant par les rues du Trastevere, ceux qui seront attablés dans les *pizzerias*, devant le four rougeoyant au fond de la pièce voûtée presque obscure, vous lançant des coups d'œil méfiants tout en se reversant un verre de Frascati, toute la chaleur d'une nuit romaine rayonnant des pierres et des pavés.

A travers les portes d'un temple, entre les colonnes, vous apercevrez une idole luisante avec une torche fumeuse et des nuages d'encens dont une bouffée vous atteindra, tandis qu'aux fenêtres de la place toute la famille da Ponte vous observera sans vous reconnaître.

Vous entrerez dans une cour emplie de fusils, de

croix et d'épées, monterez un étroit escalier en spirale pendant plusieurs étages jusqu'aux combles de l'immense Palais de Justice le long du Tibre par les lucarnes duquel vous apercevrez la coupole de Saint-Pierre illuminée, le monument à Victor-Emmanuel illuminé, la place des Thermes avec la gare, entendant comme une clameur montant d'un Colisée tout neuf, jusqu'à une petite porte noire.

Même ce que vous ferez ce soir-là l'empêchera de comprendre ce que vous lui aurez dit, car vous n'aurez pas besoin de retourner à l'Albergo Quirinale pour y reprendre votre valise, de vous presser après le repas ; vous rentrerez passer le reste de la soirée auprès d'elle au cinquante-six via Monte della Farina, à sa maison pendant trois jours votre maison ; le moindre de vos pas dans cette direction, de vos pas traînants à cause de votre malaise, de cette volonté que vous aurez de la détromper, de tous les efforts que vous aurez déployés à cette fin pendant le dîner, en vain, que vous déploierez pendant ce trajet, à cause de la fatigue anticipée de ce voyage de retour, la moindre de vos caresses, toutes les inflexions de votre voix pathétiquement amoureuse, contrediront pour elle votre discours.

C'est elle qui vous entraînera, qui vous soutiendra, et dans la nuit romaine vous déchiffrerez, à votre honte et désespoir, ce sourire d'un triomphe hélas tout illusoire, qu'elle s'efforcera de vous cacher, croyant jouer votre jeu, vous aider ainsi.

Tous les deux sur son lit, au-dessous des images, vous vous caresserez tout en parlant, mais, pour qu'elle parvienne à croire qu'après lui avoir trouvé une situation, un arrangement, si provisoire fût-il, pour vous installer tous deux à Paris, vous abandonnerez tout, contraint par l'implacable évidence de la fragilité de votre amour, de son enchaînement au

244

lieu, il faudrait certes que vous vous y soyez pris plus tôt.

Elle vous laissera donc parler, mais ne comprendra pas, se disant : je ne l'aurais jamais cru aussi fidèle, honnête ; que je lui sais gré de m'avoir avoué tout cela ! je le connais mieux que lui-même, j'ai maintenant plus de confiance en lui que lui-même ; je n'ai plus qu'à attendre maintenant quelques semaines ; j'ai réussi à l'arracher à cette timidité qui l'enlisait ; je suis sa force et sa jeunesse.

Il lui faudrait le temps de peser de telles paroles ; il faudrait que vous les lui ayez dites déjà la veille ou l'avant-veille, c'est-à-dire demain, pour qu'elle ait pu y repenser pendant ces moments où elle vous regarde dormir, où elle travaillera, lundi, au palais Farnèse, séparée de vous, pour qu'elle ait pu vous les faire répéter plusieurs fois afin de bien s'assurer que c'est cela même que vous avez dit et qu'il n'y a pas d'autre interprétation possible.

Il vous faudrait donc gâcher ces deux ou trois jours pendant lesquels vous espériez néanmoins profiter d'elle, de cette liberté à la conquête de laquelle vous étiez parti.

Hélas, tout ce séjour va-t-il donc être de méfiance, d'efforts de sa part pour arracher ce qu'elle croira n'être qu'un dernier lien, de tendres sarcasmes auxquels il vous sera si dur de résister, presque impossible ?

Mais même si dès demain vous lui racontez toute l'affaire (et comment la lui raconter ?), lundi soir sur le quai, devant la voiture de troisième classe sur laquelle il y aura écrit « Pisa, Genova, Torino, Modana, Parigi », elle n'aura toujours pas compris, elle s'imaginera toujours que vous désirez qu'elle vous force la main, que vous n'êtes pas sincère dans cette renonciation, s'accrochant à ce qui lui semblera si positif : ce voyage en dehors de la maison Scabelli, cette situation dont vous lui aurez parlé en détail, parce qu'elle vous aura réclamé toutes les précisions, craignant d'abord un mensonge dans cet autre sens, et quand, après avoir marqué par un livre, espérez-vous, une place semblable à celle où vous êtes maintenant, vous redescendrez pour la retrouver et pour l'embrasser, sans doute vous dira-t-elle encore cette fois :

« Alors, quand reviendras-tu ? »

dans le dessein de vous faire rejeter enfin ce nouveau masque, profitant de votre émotion, de l'agitation de la gare, ce nouveau masque que vous aurez pris, croira-t-elle, pour l'éprouver, surtout vous jouant la comédie à vous-même afin de résoudre certaines de vos tensions intérieures,

dans le dessein d'avoir cette assurance enfin que la prochaine fois vous reviendrez avec ce beau projet mieux formé encore, définitivement adopté, regrettant que ces quelques jours elle ait dû batailler si durement, qu'ils n'aient pas été déjà un fragment de cette vie heureuse qu'elle sentira si prochaine,

et alors pourrez-vous vraiment, aurez-vous les mots, et même si vous les aviez aurez-vous le courage vraiment, à quelques instants du départ, devant la perspective d'un si dur, d'un si long, d'un si solitaire voyage, serez-vous capable vraiment de la détromper ?

Non, cela n'est pas en votre pouvoir, et le seul moyen qu'elle n'attache pas à votre séjour et à tout cet ensemble de démarches et de projets qui l'a provoqué, dont vous seriez obligé de l'entretenir en détail, une trompeuse importance décisive dans un sens tout autre que celui qui se révèle maintenant peu à peu, ce serait qu'elle ne l'apprenne que plus tard, assez longtemps plus tard, par des tiers peut-être, ou des allusions, une fois que cet espoir en vous, qui ne pourrait qu'être déçu dans sa forme actuelle, se serait peu à peu fané ou transformé.

Il vous faudrait donc renoncer tout à fait à la voir cette fois-ci ; non prévenue, elle ne vous attend pas.

Il faudrait qu'elle ne sache pas que vous êtes venu, que vous aviez trouvé cette situation, cet arrangement, puisqu'en fait pour elle c'est comme si vous ne l'aviez pas trouvé, vous ne l'aviez pas cherché, pour elle, mais non point pour vous puisque désormais vous savez que vous ne le trouverez pas.

Ce serait là le seul moyen, vous voyez cette lumière enfin apparaître dans votre esprit comme la sortie d'un tunnel, ne pas la voir, ne rien dire, ne la rencontrer qu'à votre prochain voyage, aux frais, aux ordres de la maison Scabelli, comme cela avait été prévu, gardant ce secret en vous comme un caillot sur votre langue, continuant à la fréquenter certes, continuant à l'aimer certes, mais avec une terrible déchirure entre vous qui s'élargira douloureusement chaque fois sans pouvoir se cicatriser à cause de ce voyage même qui est en train de continuer, jusqu'au jour où elle se sera suffisamment détachée de vous, où les illusions qu'elle se fait sur vous se seront suffisamment atténuées pour que vous puissiez tout lui raconter sans que plus rien ne soit mensonge,

le seul moyen d'éviter de la voir, depuis la fenêtre du compartiment ou du corridor dont vous aurez baissé la vitre, courir, vous faire des signes jusqu'à ce qu'elle n'en puisse plus,

de ne pas apercevoir une dernière fois au loin sur son visage tout diminué par la distance, que vous devinerez essoufflé, rouge d'effort et d'émotion, peut-être en larmes, ce sourire neuf, cette confiance obstinée, renforcée, cette reconnaissance contraignante qu'il ne vous serait plus en aucune façon possible de détruire avant les lentes, lamentables, sottes catastrophes intimes certaines, et qui vous renfermeraient dans cette aventure pour laquelle vous étiez parti de la gare de Lyon ce matin, dont vous savez qu'elle est sans issue.

Il faudrait que vous soyez arrivé seul à la Stazione Termini, l'esprit d'autant plus rempli d'elle que vous auriez passé ces jours à l'éviter,

que vous regardiez s'éloigner un nocturne quai populeux où vous ne reconnaîtriez personne.

Passeront devant vos yeux les stations suburbaines, Roma Tuscolana, Roma Ostiense, Roma Trastevere. Alors quelqu'un demandera qu'on éteigne la lampe.

Relevant la tête, tordant le cou, essayant de remettre en place vos vertèbres, vous rouvrez les yeux et vous les fixez, au-dessus de la bouche ouverte du vieil Italien, au-dessus de sa moustache dure et de ses narines, au-dessus de ses lunettes dont vous apercevez les verres bombés par la tranche, sur le rectangle de verre sous lequel vous savez qu'il existe une photographie de montagnes, absolument invisible maintenant à cause des reflets jaunes du corridor ; à côté, dans le miroir, apparaît par secousses, de l'autre côté de la fenêtre sur laquelle on a négligé de baisser le rideau, la lune pleine.

De l'autre côté de la fenêtre il y avait le premier quartier de lune au-dessus des toits et des gazomètres de la banlieue.

Dans le corridor de première classe, votre poche bien munie de gauloises, on passait derrière votre dos pour aller au premier service.

Il n'y avait qu'un seul autre occupant dans le compartiment, gras, de votre âge, qui fumait de petits

248

cigares secs et noirâtres, avec deux énormes valises rouges au-dessus de sa tête.

De l'autre côté de la fenêtre, dans la forêt, les arbres avaient déjà perdu la plus grande partie de leurs feuilles, de telle sorte qu'on voyait au travers de leurs branches le premier quartier de la lune se balancer comme une barque verticale.

La main gauche posée sur le large accoudoir, la nuque appuyée sur la housse blanche, fraîche et ajourée, tandis que dans le corridor revenaient ceux qui avaient terminé leur repas, vous mettiez votre main sur la vitre pour essayer de deviner dans la nuit la gare des Laumes-Alésia avec son dépôt de vieilles locomotives.

Au-dessus de vous, il n'y avait pas seulement cette valise verte comme aujourd'hui, mais aussi votre serviette en cuir clair bourrée de dossiers et de documents ; vous teniez dans vos mains la chemise orangée concernant la succursale de Reims.

De l'autre côté de la fenêtre, les eaux de la Saône brillaient doucement. Alors le monsieur gras vous a demandé d'éteindre, puis il a baissé le rideau, et vous êtes sorti dans le corridor fumer cigarette sur cigarette, regardant notamment les quais de Mâcon presque vides et l'aiguille des secondes sautant sur son cadran.

On venait d'allumer la lumière, c'était Modane ; le douanier frappait délicatement sur la vitre avec son tampon.

Et la petite porte noire s'est ouverte sur une pièce très sombre dont on apercevait à peine le plafond voûté au-dessus des étagères couvertes de boîtes et de livres.

Derrière une longue table, un homme aux grosses mains vous parle mais vous ne comprenez pas ce qu'il vous dit ; vous regardez autour de vous tous ces

249

gardes hochant la tête, de la pitié dans leurs yeux, hommes et femmes, celles-ci vêtues de voiles blancs et noirs.

Alors, rassemblant votre courage et fermant les paupières, vous élevez vos deux mains pour réclamer l'attention, et lorsque vous sentez que chacun retient sa respiration pour mieux vous entendre, vous efforçant de parler l'italien le plus rigoureux, vous commencez à expliquer :

« Tout ceci est indépendant de ma volonté, je suis prêt à faire amende honorable, je ne suis qu'un vendeur de machines à écrire, je participe à la prospérité commerciale de votre pays, je suis l'un de ses serviteurs, je suis honorablement connu dans cette ville, vous n'avez qu'à prendre des renseignements chez Scabelli »,

mais vous savez bien qu'il est inutile de continuer, car comment pourraient-ils vous comprendre puisque les mots que vous croyiez former si correctement ne dépassent pas votre gosier et qu'il ne sort de votre bouche qu'un sifflement de plus en plus aigu, de plus en plus pénétrant, de telle sorte que tous se lèvent lentement malgré le désir qu'ils avaient d'écouter votre défense, tous s'approchent les mains crispées pour faire cesser ce son torturant et inutile.

Le douanier venait d'éteindre la lumière et tandis que le train se remettait en marche, pénétrait dans le tunnel, vous avez allongé vos pieds sur la banquette en face de vous, ne vous réveillant qu'à la gare de Turin, déjà très animée bien qu'il ne fît pas encore jour, où deux ecclésiastiques à chapeaux pelucheux sont entrés, ont allumé, ont commencé à parler, quelques-uns de leurs mots de temps en temps vous attaquant, ouvrant pour une seconde votre curiosité, ennuyeuses histoires d'un collège gênois.

La vitre dépolie, comme vous vous rasiez, devenait

déjà un peu moins obscure ; le jour s'est levé comme vous preniez au wagon-restaurant votre café au lait mousseux avec ces gâteaux de marmelade fraîche que l'on appelle croissants en Italie ; le ciel était parfaitement pur sauf deux ou trois nuages très bien dessinés, transformant leurs couleurs en voguant au-dessus des villages dans les rues desquels s'éteignaient les lampadaires, où roulaient pesamment les voitures des laitiers, les premiers cyclistes se dégageaient de l'ombre. Tout d'un coup, dans une vive échancrure soudaine de l'horizon, vous avez vu le soleil poindre, balayant de ses rayons horizontaux la table à laquelle vous étiez assis, en détachant superbement tous les objets, même les miettes, les soulignant de longues ombres.

Dans votre compartiment, les plis des soutanes noires s'étaient remplis de poussière dorée et la conversation des têtes s'était momentanément arrêtée. Les tunnels coupaient court à cette splendeur. A la sortie du roc, à Gênes, vous avez regardé les bateaux dans le port avec leurs canots blancs, avec ces éclats dans leurs vitres rivalisant avec ceux des vagues douces, et le haut phare dont l'ombre éteignait un instant les mouettes.

Tous trois sont descendus à la Stazione Principe, les ecclésiastiques, leurs capes sur leur bras, balançant allègrement de volumineuses valises noires, qui devaient être à peu près vides, en devisant sur le quai, le monsieur gras mal réveillé, pas rasé, penché à la fenêtre du corridor appelant : « Facchino », à côté de vous debout qui humiez l'air frais, fumant votre première cigarette du jour, vous amusant de son embarras, de ses traits tirés, de sa bouche amère, l'aidant à descendre ses bagages et à les passer au porteur, vous disant : il doit être à peine plus âgé que moi, voici ce que je risquerais de devenir si je n'y prenais garde.

Ce n'est plus dans le miroir que vous voyez l'image de la lune, mais au-dessus des cheveux d'Agnès qu'elle teint de mercure, déformée, semblable à l'empreinte de quelque bête nocturne, dans la vitre qui recouvre cette photographie, invisible maintenant, dont vous savez qu'elle représente des bateaux à voile le long d'un quai. Passe la gare de Viareggio.

Vous avez donc dormi plus longtemps qu'il ne vous semblait.

Ah, si vous ne pouvez pas l'empêcher, ce sommeil avec ces rêves mauvais et obstinés, alors il faudrait au moins qu'il dure, qu'il ne s'interrompe pas ainsi tout le temps, laissant dans votre tête et votre ventre sa fumée délétère, son goût de poison !

Il vous faudrait au moins éviter la répétition de ces réveils, puisque le cauchemar ne vous lâchera pas, lui laisser le champ libre une bonne fois et que cela soit terminé, que vous puissiez vous en débarrasser, vous en laver, comme de cette crasse en suspension qui se colle sur votre visage, comme de ces poils qui vous poussent sur le menton depuis le départ,

vous installer pour vraiment dormir jusqu'à l'avant-matin comme tous ces autres, même cette jeune femme entrée à Gênes qui se penche de votre côté à tel point que vous vous demandez si sa tête ne va pas toucher votre épaule, s'affaisse peu à peu, se redresse avec un soupir sans ouvrir les yeux, recommence à laisser tomber sa tête, à laisser tomber son épaule, la main posée à plat sur la banquette, s'appuie sur son bras tendu (mais à chaque secousse un peu plus violente, le coude se plie, puis se

252

redresse), la bouche ouverte, ses dents luisant un peu entre ses lèvres violettes.

Puis voici que ses doigts glissent doucement jusqu'au bord, continuent en le longeant ; tout le bras se ploie, tout le corps s'enfonce dans votre direction ; les épaules se détachent du dossier ; l'envers de la main gauche frotte la robe sur les deux cuisses, puis descend jusqu'au tapis de fer chauffant sur lequel les ongles se mettent à traîner. Entre son col et ses cheveux, la peau de sa nuque forme un croissant un peu plus clair.

Si c'était donc déjà Viareggio tout à l'heure, vous allez bientôt arriver à Pise (ce doit être la forêt de pins maintenant, vous devez vous éloigner de la mer) ; vous ne savez plus à quelle heure exactement ; c'est écrit dans l'indicateur qui est dans la valise au-dessus de vous, mais vous n'avez pas envie de vous lever pour l'y chercher. Vous regardez votre montre : il est une heure et quart à peu près ; vous ne savez plus de combien elle avance ; vous ne savez plus quand vous l'avez remise à l'heure.

Ce n'est pas la peine de se mettre à dormir maintenant parce qu'il va y avoir la secousse, les lumières, quelqu'un peut-être montera.

N'est-ce pas l'Arno qui brille un peu ?

Des murs s'approchent, des lampes suspendues à des fils au-dessus des rues vides qu'elles ne parviennent pas à éclairer, des feux verts et rouges, un autre train, de marchandises, avec des automobiles sur ses wagons ; la gare glisse lentement ; sur le quai désert, un homme pousse un chariot rempli de sacs postaux, un autre sort brusquement d'un bureau, abandonnant son téléphone sur la table ; l'arrêt est plus brusque encore que vous ne vous y attendiez.

La femme à côté de vous se soulève sur son coude, se cambre, se rassied, passe ses doigts sur ses sour-

253

cils, s'appuie au dossier, ferme de nouveau les yeux en faisant une grimace qui se détend peu à peu.

Alors, c'est Agnès qui sursaute. Pierre retire son bras, le replie, le retend plusieurs fois, se penche vers la vitre, tend son cou pour regarder, dit : « Nous sommes à Pise », regarde l'heure à sa montre, « Nous n'avons plus que quatre heures et demie avant d'être à Rome », prend les mains d'Agnès, penche sa tête sur son épaule, l'entoure et la caresse comme s'ils étaient seuls.

Une porte s'ouvre derrière vous ; en vous retournant vous apercevez un garde qui rentre, cachant son visage sous son avant-bras, suivi par quelqu'un dont vous ne parvenez pas à distinguer bien les traits, qui a les mêmes vêtements que vous, mais intacts, porte à la main une valise du même modèle que la vôtre, semble un peu plus âgé que vous.

Le commissaire dit quelques mots que vous ne comprenez toujours pas, et, dès qu'il a terminé, la voix du nouvel arrivant s'élève, merveilleusement intelligible :

« Qui êtes-vous ? Où allez-vous ? Que cherchez-vous ? Qui aimez-vous ? Que voulez-vous ? Qu'attendez-vous ? Que sentez-vous ? Me voyez-vous ? M'entendez-vous ? »

Il ne reste plus qu'une épaisse lumière bleue avec le trou violet de la fenêtre ronde. Tous les gardes le long des murs renversent la tête et ferment les yeux.

Avec la secousse du départ, tous se mettent à exécuter quelques gestes.

Le vieil Italien en face de vous, qui ne s'était pas réveillé à l'arrêt, tousse, prend son mouchoir, enlève ses lunettes, en essuie les verres, se frotte les yeux et l'arche du nez avec ses doigts.

La jeune femme auprès de vous remue les lèvres comme si elle se répétait avec obstination quelque chose, comme si elle voulait à tout prix se convaincre, hoche la tête, et puis ce hochement change peu à peu d'axe ; elle caresse maintenant le dossier avec sa tempe, son épaule recommence doucement à s'abaisser, à s'effondrer, son bras se replie, ses jambes qui étaient bien droites et parallèles glissent l'une le long de l'autre et la robe fait un creux qui tremble entre les genoux.

La vieille Italienne la considère les mains croisées, puis tourne son visage vers la fenêtre en détachant ses doigts, en les élevant comme dans une prière, hausse un peu les épaules et referme ses mains, les abaisse sur sa jupe noire, reporte ses regards sur la jeune femme effondrée dont le dos respire si fort, dont vous avez comme l'impression qu'elle rampe vers vous, dont vous voudriez baiser les cheveux, vers laquelle vous voudriez vous effondrer vous aussi.

Le visage d'Agnès est frappé par la lune, les yeux ouverts, leur cornée brillante comme un éclat de porcelaine, et sur la pupille noire il y a comme une pointe de flèche humide qui vacille.

Vous voyez le visage de Pierre de profil comme s'il murmurait quelque chose à sa bien-aimée avec beaucoup de passion, mais il dort ; il est le seul qui dorme pour l'instant dans ce compartiment ; il faut que vous dormiez, que vous vous installiez pour dormir.

Vous êtes déjà loin de Pise ; vous vous rapprochez de la mer ; vous allez passer à Livourne ; vous ne savez plus si le train s'y arrête.

Agnès écarte le bras de Pierre doucement ; la main tombe ; il a ses poignets posés sur le bord de la banquette, tous ses doigts un peu repliés et ses paumes dirigées vers le haut.

Agnès accroche sa main à la barre du filet au-dessus de vous, de l'autre relève sa jupe, sort.

255

Vous voulez dormir ; vous abaissez le rideau devant le carreau à côté de vous, et le vieil Italien en face de vous suit votre exemple, ferme la porte aussi, le rideau de la porte.

Il n'y a plus que la lumière bleue du plafonnier et ce morceau de clair de lune sur la place vide d'Agnès. Au-delà de la fenêtre, les phares d'une automobile éclairent soudain des pins dans la nuit.

Seul, les lettres de l'empereur Julien entre vos mains, ayant quitté la banlieue gênoise, le soleil commençant à s'élever au-dessus des toits et des montagnes, sa couleur s'éclaircissant, devenant chaud et éblouissant, vous baignant le visage,

ayant changé de place, près de la fenêtre, les clochers projetant encore de grandes ombres, les routes animées, des femmes déjà lavant leur linge dans un torrent, et de l'autre côté, entre les promontoires et les villas, un triangle de mer apparaissant soudain avec une éclatante voile, quelques fleurs encore dans les jardins,

(à la Spezia les navires gris s'allongeaient sur l'eau verte),

les tunnels rythmant l'éclairage, le lampadaire éteint, même la veilleuse, vous avez vu passer la gare de Viareggio, ayant quitté le pays ligure, étant entré dans les terres étrusques,

(les pins se balançaient au vent, le train s'éloignait de la mer),

puis vous avez aperçu au-dessus de la croûte des toits en tuiles romaines, devant un horizon de basses collines, brillant comme des voiles ou des mouettes dans un port d'eau profonde au lever du jour,

le dôme, le baptistère, le campanile penché que vous désirez visiter chaque fois que vous arrivez à cette gare à cette heure-là, sous cette lumière-là, qu'on a tant de chances d'y trouver ;

mais jamais vous n'êtes descendu à Pise, jamais vous n'auriez eu le temps.

C'était à Rome que vous alliez, toujours, sans vous attarder aux stations intermédiaires, parce que les affaires vous attendaient, parce que Cécile vous attendait.

Mais aujourd'hui elle ignore que vous vous approchez d'elle dans la nuit ; aujourd'hui Scabelli ignore que vous vous approchez de Rome.

Dans les rues droites, ensoleillées de Livourne au milieu desquelles vous allez passer sans les voir, un enterrement louvoyait. Sur le quai criait un vendeur de journaux (il n'y aura que des employés de chemin de fer), une épaisse fumée montait d'une petite locomotive ancienne. L'air était très doux et rafraîchissant à l'extérieur avec son odeur de sel, de cordes et de charbon ; un rayon tombait sur votre menton bien rasé.

Puis vous avez senti votre tête se renverser au milieu de la pièce immobile.

Par le trou violet de la fenêtre ronde venaient des bouffées d'air chargé de poussière, de pourriture et de sable.

Il ne restait plus que cette lumière bleue s'épaississant de telle sorte que vous ne pouviez plus distinguer les visages des gardes assis sur leurs chaises les uns en face des autres le long des parois à l'intérieur desquelles il vous semblait qu'ils se mettaient à s'enfoncer ; mais vous entendiez de plus en plus forte, de plus en plus rude, de plus en plus métallique, leur respiration régulière.

Vous sentiez que vos pieds ne nous supportaient plus, qu'ils n'étaient même plus appliqués sur le sol, qu'ils s'élevaient graduellement, que tout votre corps pivotait dans l'espace jusqu'à se maintenir à la hauteur des yeux fermés des gens assis.

Vous ne voyiez plus que la voûte sous laquelle vous commenciez à vous mouvoir comme à l'intérieur d'un tunnel, et les gardes se déplaçaient le long des murs à la même vitesse que vous sans faire un geste.

Vous savez maintenant où vous êtes ; ces traces de stuc et de couleur, ce suintement, ces lampes rougeâtres autour desquelles d'énormes taches vertes visqueuses rongent les parois, ce sont les souterrains de la maison dorée de Néron.

De temps en temps, des trous circulaires laissent apercevoir le ciel nocturne. Le tunnel s'élargit soudain ; tout s'immobilise.

Le train était arrêté (le train a dû s'arrêter, vous avez dû déjà quitter Livourne), vous étiez encore à Livourne (on n'a pas allumé la lampe à Livourne), le soleil brillait sur la gare de Livourne au milieu des fumées (il y a quelqu'un qui n'était pas là et Agnès aussi est rentrée, ils ne vous ont pas dérangé), vous étiez seul dans le compartiment, la vitre abaissée, la tête penchée sur le quai ; vous avez acheté des journaux au crieur, puis vous avez quitté la gare de Livourne, regardant, dans le plein soleil encore si ferme de cette matinée toscane au début de novembre, les champs nus, les villages, les collines, les plages désertes avec leurs rangées de cabines bleues ou blanches, ce paysage même que vous traversez en ce moment sous la nuit, plongé dans ce mauvais sommeil intermittent et pénible.

De l'autre côté du corridor et de la mer se sont déployés le promontoire de Piombino, l'île d'Elbe.

Au wagon-restaurant pour le premier service, comme vous traversiez la Maremma, vous vous êtes assis en face d'une très belle Italienne, une grande Romaine qui vous faisait penser à Cécile.

De nouveau au-dessus des cheveux d'Agnès, dans la vitre de la photographie invisible qui représente des bateaux à quai dans un petit port, le reflet déformé de la lune est semblable à l'empreinte de quelque bête nocturne, non pas simplement à l'empreinte, aux griffes mêmes qui se détendent et se retendent comme impatientes d'agripper ; il se déplace vers le bord, vers la fenêtre, disparaît, mais à travers la vitre c'est la lune pleine elle-même qui se découvre à vous, se fixant frémissante au centre, et dont la lumière droite envahit tout d'un coup le compartiment à tel point qu'entre vos deux souliers elle fait briller, ranime les écailles losanges du tapis chauffant métallique.

Dans la lumière bleue, roulant vers Pise, vous la regardiez dormir comme une femme inconnue que vous auriez rencontrée dans le train, comme si cette femme à côté de vous, dont l'admirable dos se soulève et retombe si amplement, dont les cheveux touchent votre main qui serre toujours le livre que vous n'avez pas ouvert, avait osé venir se serrer contre vous pour dormir au lieu de s'effondrer sur la banquette, comme si vous aviez osé l'attirer à vous pendant son sommeil, sans qu'elle vous ait dit un mot, sans que vous ayez entendu le son de sa voix,

vous disant : je ne connais pas son nom, je ne sais pas qui elle est, même pas si elle est Italienne ou Française, à quel moment elle est montée dans le train, j'ai dû dormir, je me retrouve avec cet admirable visage appuyé contre mon cou, ma main serrant sa hanche, son genou caressant doucement le mien, ces paupières si proches de mes lèvres.

Le rideau de la fenêtre était baissé, mais non celui du carreau contre lequel frottait votre tempe, et de l'autre côté du corridor, de la vitre jonchée de gouttes, vous sentiez que faisait rage la pluie d'automne.

La fatigue de votre séjour parisien, la fatigue de ce voyage, de cet effort pour camoufler vos souvenirs, arranger les choses en vous-même, vous faisait de temps en temps frissonner, et à la vibration de votre corps répondait en écho celle du corps de Cécile qui se calmait bientôt, qui reprenait son large souffle, et qui baignait vos courbatures, vos cicatrices, toutes ces aigreurs dans vos organes digestifs, tous ces crissements dans vos os, ces froissements dans vos nerfs, d'une douce huile marine, d'une douce lumière secrète, tendre et chaude, d'une capiteuse, apaisante distillation de l'air, des murs, des pas, des mots, des noms romains dont vous approchiez.

Vous ne vous étiez pas arrêté depuis Livourne ; vous traversiez la Maremma ; vous cherchiez à vous rendormir ; Cécile s'est éveillée comme vous arriviez à Civitavecchia.

Tout s'était immobilisé ; au-dessus de vous, juste en face de vos yeux, il y avait une représentation du Déluge ; tous ceux qui vous avaient accompagné, hommes et femmes, enflaient, s'élevaient le long des parois, s'incurvaient en atteignant la voûte.

Le long de votre corps, de chaque côté, passait toute une procession de cardinaux avec leurs chapeaux et leurs capes, et tous vous ont murmuré en parvenant à votre oreille : « Pourquoi prétends-tu nous haïr ? ne sommes-nous pas des Romains ? »

Puis, sur le *sedia gestatoria* portée par quatre colosses de marbre noir aux yeux d'ambre, se balançant selon leur pas, entouré des grands éventails de plumes, avec le parasol de soie blanche et dorée, ses mains gantées chargées de bagues, tiaré, les traits tirés, les yeux cachés derrière d'épaisses lunettes rondes, le pape, au moment où ses pieds touchent presque les vôtres, d'une voix qui semble revenir de lointaines tombes, résonnant chuintante sur les murs animés, très lentement, très tristement déclare :

« O toi, paralysé au milieu de l'air à mes pieds, incapable de remuer tes lèvres et même de fermer tes paupières pour échapper à mon apparition,

qui voudrais dormir et t'appuyer sur ce sol qui t'est maintenant dérobé,

veillé par tant d'images, incapable de les ordonner et de les nommer,

pourquoi prétends-tu aimer Rome ? Ne suis-je pas le fantôme des empereurs, hantant depuis des siècles la capitale de leur monde aboli, regretté ? »

C'est sa tête qui devient grise la première, puis tous ses vêtements qui se teignent de bleu ; il se fond dans la lumière épaisse qui forme comme un caillot au milieu de la salle.

Quelqu'un est descendu, a allumé la lampe pour prendre sa valise dans le filet. Cécile venait de se réveiller, ne sachant où elle se trouvait, vous regardant pendant tout l'arrêt sans vous reconnaître, avec l'air de sortir d'un mauvais rêve qu'elle s'efforçait de chasser, et pourtant son sommeil semblait avoir été paisible.

Dans la glace, comme vous vous rasiez, vous aviez les traits tirés, vous étiez pâle.

Sans rentrer dans le compartiment où elle restait immobile, les yeux ouverts, à la place que vous aviez quittée, vous regardiez passer les stations suburbaines sur lesquelles il pleuvait : Roma Trastevere, puis le fleuve sur le pont duquel hoquetait un camion de laitier, ses phares réfléchis par l'eau noire houleuse, Roma Ostiense, puis les remparts obscurs au-dessus desquels on sentait la lueur de la ville en train de se remettre lentement en mouvement, la piazza Zama, la via Appia Nuova, la Stazione Tuscolana.

Debout, elle essayait de réparer le désordre de sa chevelure, une épingle entre les dents. Les gens traînaient leurs valises dans le couloir. Vous aviez passé la porta Maggiore et le temple de la Minerve Médecin ; vous étiez à Rome.

La lune a quitté la fenêtre, mais vous apercevez son reflet très affaibli dans le miroir entre la tête de Pierre et celle du nouvel arrivé dont vous ne distinguez pas les traits, son reflet déjà renvoyé par la vitre qui recouvre la photographie de murs crénelés et de tours. Passe la gare de Grosseto.

Comme ces ongles sont enfoncés dans votre chair, ces chaînes bien nouées autour de votre poitrine, ces couleuvres se coulent le long de vos jambes !

Vous redressez votre cou lentement, crispez vos poings, détendez vos bras, mais ce livre que vous teniez dans la main, vous ne l'avez plus, il a dû tomber ; vous vous repliez sur vous-même, raclez le tapis de fer entre les souliers, entre les chevilles qui branlent, sans parvenir à le retrouver.

Il est sur la banquette, les doigts de cette femme posés sur lui, dont vous voudriez mordre doucement le cou et qu'elle retourne la tête, sans se réveiller, pour vous donner ses lèvres, et la serrer tandis que votre main pénétrerait dans son corsage,

quitte ses doigts, s'éloigne par petites secousses ; vous le rattrapez sur le bord.

Celui dont même maintenant vous n'avez pas réussi à voir le visage sort, referme la porte derrière lui, une raie de lumière orange sur son veston de tweed, sur une de vos mains, sur un de vos genoux ; puis l'obscurité bleue de nouveau.

Et lorsque ce caillot s'est dissipé, apparaît au fond de la salle le Roi du Jugement avec sa main levée, tous les immenses personnages suspendus autour de la voûte renversant la tête et fermant les yeux :

« Au simple son de mes paroles, tes membres commencent à se convulser, comme déjà dévorés de vers. Ce n'est pas moi qui te condamne, ce sont tous ceux qui m'accompagnent et leurs ancêtres, ce sont tous ceux qui t'accompagnent et leurs enfants. »

Le mur sur lequel il apparaissait s'est mis à se zébrer d'éclairs et à tomber par grandes plaques.

Les yeux entrouverts sur ces têtes, les yeux fermés, dans l'épaisse lumière bleue, toutes renversées, balancées par le mouvement du train, le rectangle de nuit extérieure peut-être un peu plus gris entre la vieille Italienne et la belle Agnès argentée, ces filets suspendus au point de départ de la voûte, soutenant les possessions de ces hommes et de ces femmes que vous n'aviez jamais vus, que vous ne rencontrerez vraisemblablement plus jamais,

celui que vous appelez Pierre s'éveillant, décollant ses épaules du dossier, appuyant ses coudes sur ses genoux, regardant défiler le sombre paysage abrégé, celle que vous appelez Agnès émergeant aussi de son sommeil, prenant le poignet de son époux, s'efforçant de lire l'heure à la lumière de la lune,

(« ... avant d'arriver à Rome.

— Oui, à peu près, tu as le temps de dormir.

— Je vais sortir un peu dans le corridor pour me déplier les jambes »),

se levant tous les deux, s'efforçant de ne pas vous déranger, lui, prenant la poignée de la porte, tentant de l'ouvrir le plus discrètement possible, une barre de lumière orangée se répandant sur ses mains et les vôtres, sur les cheveux de cette femme étalés à côté de vous,

vous cherchez à améliorer votre position, vous appuyez votre front sur le rideau, mais non, vous ne pourrez pas dormir ainsi ; vous renversez la tête à nouveau.

263

Les yeux fixés maintenant sur la perle bleue dans le lampadaire, vous frottez vos pieds sur le tapis de fer chauffant pour essayer de mieux les placer entre ceux du vieil Italien, et vous sentez la main tombante de la jeune femme qui caresse doucement votre cheville, ses doigts qui la tâtent comme s'ils cherchaient à reconnaître quelque chose.

La pluie sur la Stazione Termini faisait presque autant de bruit que le train en marche, tambourinant en grandes ondes sur le toit transparent de la salle des Pas perdus comme vous buviez rapidement, debout dans le bar, vos tasses de *caffé latte,* et sur la place il y avait de grandes flaques d'où les taxis faisaient jaillir des gerbes d'éclaboussures ; les coups de vent lançaient des rafales sous le grand auvent où vous attendiez tous les deux, immobiles, silencieux, le col de vos manteaux relevé et serré, dans la nuit noire, rien ne semblant annoncer l'aube sinon le mouvement des trolleys.

Vous avez monté les valises de Cécile jusqu'à son palier, via Monte della Farina, puis vous l'avez quittée très vite sans l'embrasser, en lui murmurant seulement, comme par acquit de conscience : « Alors, à ce soir » ; puis vous l'avez entendue tourner la clé dans la serrure, claquer la porte.

A l'Albergo Quirinale, dans une chambre tout en haut, petite, avec un balcon, vous avez déposé votre valise sur la table, vous en avez sorti le tome 1 de l'Enéide dans la collection Budé ; vous avez ouvert les persiennes ; le jour commençait à s'infiltrer au travers des lanières d'eau, puis une déchirure claire est apparue dans cet effondrement de nuages au-dessus des toits de la via Nazionale.

Le soir, après une harassante et fastidieuse discussion chez Scabelli qui s'était prolongée bien plus tard que prévu, alors que l'heure du rendez-vous sur la piazza Farnese était déjà passée depuis longtemps, vous avez marché lentement, vous arrêtant devant les vitrines, changeant souvent de trottoir, vous amusant à faire un détour par la place du Panthéon, dans l'air frais encore un peu humide, un peu de crépuscule persistant dans le ciel,

comme si vous vouliez éviter d'aller à la piazza Farnese (mais vos pieds vous y ramenaient et il y avait en vous une espèce de rage contre cette sotte fatalité), espérant qu'elle serait absente, qu'elle en aurait eu assez, surtout après cette nuit de voyage, cette journée de reprise du travail,

vous disant : elle ne m'aura sans doute pas attendu, il est près de sept heures, elle a dû rentrer chez elle se préparer un sandwich avec l'intention de se coucher de très bonne heure ;

mais non, elle était là, à sa place habituelle, feuilletant un journal de modes, pas même impatiente.

Vous aviez envie de lui demander comment s'était passé son séjour à Paris, comme si ces paroles par lesquelles vous l'aviez présentée à Henriette avaient correspondu à la vérité, comme si elle était en effet une dame avec qui vous étiez en relations à Rome et qui avait toujours été très aimable pour vous.

Elle vous a dit : « Je suis affamée, j'ai vu ce matin qu'il y avait un nouveau restaurant sur le Largo Argentina, nous pourrions l'essayer ; après cela j'irai dormir. »

Cette fois vous n'avez même pas monté l'escalier chez elle, même pas fixé de rendez-vous pour le lendemain. Elle vous a dit bonsoir de la main en bâillant. Vous avez fermé votre manteau et vous êtes revenu à pied dans le froid jusqu'à l'Albergo Quirinale où vous avez lu des vers de Virgile jusqu'à près de minuit.

Le mur du fond tombait par grandes plaques et la figure centrale se teignait de bleu, se fondait dans la lumière épaisse, formant comme un caillot au milieu du paysage urbain nocturne qui se découvrait peu à peu.

Les immenses personnages penchés au-dessus de vous murmuraient, leurs doigts tournant les pages de leurs énormes livres.

Vous songiez à elle, vous disant : ça n'a été qu'une aventure, je la reverrai plus tard, nous serons toujours bons amis ; mais le lendemain soir, le ciel était un peu brumeux, vous n'y avez plus tenu ; à la sortie de chez Scabelli, vous vous êtes précipité, presque en courant, vers le palais Farnèse.

D'abord, vous ne vous êtes pas montré ; vous l'avez suivie dans la nuit romaine, qui ne prenait pas le chemin direct pour aller via Monte della Farina, l'air pressée, nerveuse, vous rapprochant d'elle en vous demandant : va-t-elle chez un autre ? arrivant à sa hauteur, marchant à côté d'elle un certain temps, la tête tournée vers elle, ne pouvant en détacher vos yeux ; enfin elle vous a vu, s'est arrêtée, a poussé un cri, a laissé tomber son sac, et sans même se baisser pour le ramasser s'est précipitée dans vos bras.

Vous l'avez embrassée sur la bouche ; vous lui avez dit :

« Je ne puis me passer de toi.

— Si j'avais su que je te rencontrerais, j'aurais préparé à dîner à la maison. »

Tous les souvenirs, tout l'arrière-goût du voyage à Paris se sont comme éteints. Vous étiez jeune de nouveau ; vous l'aviez retrouvée enfin ; vous étiez arrivé à Rome.

Après le repas dans un petit restaurant donnant sur l'île du Tibre, vous êtes allés jusqu'au temple rond de Vesta, vous avez traversé l'arc de Janus,

266

longé le Palatin, le parc de Caelius, serrés l'un contre l'autre, vous embrassant souvent, ne disant mot jusqu'aux ruines de la maison dorée de Néron (il y avait encore un grand trafic d'automobiles et de vespas sur la place du Colisée) dont vous avez déchiffré l'inscription déclarant que l'on pouvait visiter le jeudi seulement.

« C'est pourquoi je n'y suis encore jamais entrée.

— J'irai demain la voir pour toi. »

Le clair de lune pour l'instant frappe la tête de la vieille Italienne et la vitre, sur la photographie de Carcassonne, que vous apercevez au-dessus d'elle semblable à un mince rectangle vertical brillant. La poignée que vous teniez dans votre main s'anime ; la porte s'ouvre ; un homme passe la tête, puis referme.

Le rideau dont les deux attaches avaient quitté leur bouton remontait par petites secousses, laissant une fente qui s'éclaircissait, s'élargissait, au travers de laquelle vous commenciez à apercevoir une raie changeante de campagne romaine teinte d'aube grise, puis verte, puis jaune ; puis il y a eu au-dessus des champs et des vignes, dans les aisselles des collines, des triangles de ciel clair.

Un des voyageurs ayant dévoilé la vitre entière, à un détour de la voie le soleil y a plongé ses pinceaux de cuivre, couvrant de minces plaques de métal chaud et lumineux les joues et les fronts des dormeurs.

Tout un vol de corbeaux s'est levé au-dessus d'une ferme, et, de l'autre côté du corridor, c'étaient les vagues de la mer détaillées par cette peinture.

« Nous y sommes déjà ? » disait Henriette ouvrant les yeux.

— Nous allons arriver à Civitavecchia. »

La ville n'était pas détruite. C'était avant la

guerre. Il y avait des enfants en chemises noires sur le quai.

Vous lui aviez dit d'aller se coiffer, se rafraîchir un peu la figure avec de l'eau de Cologne, mais elle restait là près de vous, la main appuyée sur votre épaule, à dévorer de ses yeux clignotants le soleil qui montait, dispersant les nuages baroques derrière les pins et les villas.

Devant l'ancienne gare de Termini dans son lourd style ottocentesque, il n'y avait ni vespas ni trolleys, mais des chevaux encore, et c'est dans une calèche que vous êtes montés après avoir pris votre petit déjeuner dans l'ancien buffet triste et fermé.

Vous n'aviez alors qu'une connaissance toute livresque de l'italien, vous n'étiez pas encore entré chez Scabelli. Tout vous émerveillait ; les uniformes, les « Viva il duce » n'y pouvaient rien.

Vous lui avez demandé si elle voulait se reposer dans votre chambre à l'hôtel Croce di Malta, via Borgognone, près de la place d'Espagne, mais non, elle ne demandait qu'à marcher, qu'à voir, et vous êtes partis tous les deux, dans les rues qui s'échauffaient, à l'exploration des célèbres collines.

Les immenses prophètes et sibylles referment leurs livres ; les plis de leurs manteaux, de leurs voiles et de leurs tuniques s'agitent, s'étirent, deviennent semblables à de grandes plumes noires qui s'amenuisent ; il n'y a plus qu'un très grand vol de plumes noires au-dessus de votre tête, au travers duquel apparaît de plus en plus le ciel nocturne et fumeux qui se creuse.

Vous sentez que vous descendez ; vous touchez l'herbe. Tournant la tête à droite, à gauche, vous apercevez des fûts tronqués de colonnes grises et des buissons plantés régulièrement, avec au fond une grande niche de briques à caissons à demi détruite.

268

Or voici que s'approchent dans l'air, à quelques centimètres au-dessus de vos yeux, de minuscules figurines de bronze avec des ornements de fer.

« Je suis Vaticanus, dieu du cri des enfants.

— Cunina, déesse de leurs berceaux.

— Seia, du grain de blé semé en terre.

— Des premières pousses.

— Du nœud des tiges.

— Des feuilles qui se déplient.

— Du jeune épi.

— De ses barbes.

— De ses fleurs encore vertes.

— De leur blancheur.

— De l'épi mûr.

— Les petits dieux minutieux de l'ancienne Italie, de la dissection de l'heure et de l'acte, des cendres de qui germa le droit romain.

— Jugatinus, qui lie la main de l'homme à celle de la femme.

— Domiducus, qui conduit la jeune épousée à sa nouvelle demeure.

— Domitius, qui la maintient dans cette maison.

— Manturna, qui la conserve à son époux.

— Virginensis, qui dénoue sa ceinture.

— Partunda.

— Priapus.

— Vénus »

qui grandit tandis qu'elle s'éloigne, et son corps devient clair et doré tandis qu'immense elle se retourne vers vous dans la grande niche en élevant dans la paume de sa main tous ses compagnons.

Au-dessus de sa tête apparaissent trois grandes statues, de bronze, de fer, et la troisième, beaucoup plus obscure, de terre noire, Jupiter, Mars, et Quirinus.

Puis, venant de tous côtés, se rassemblent des

hommes en toge, en armure ou en manteau de pourpre, avec de plus en plus d'ornements d'or, et de couronnes, de gemmes, de broderies lourdes sur leurs capes. Un à un vous les reconnaissez : c'est la suite des empereurs.

Vous marchiez tous les deux dans les rues, explorant les célèbres collines, votre Guide bleu à la main, alors neuf.

L'après-midi vous avez visité le Forum et le Palatin ; le soir, au moment où l'on fermait les grilles, vous êtes monté au temple de Vénus et Rome.

« Là-bas, dans le coin », lui expliquiez-vous, « de l'autre côté du Colisée, ce sont les ruines de la maison dorée de Néron, à droite en bas l'arc de triomphe de Constantin, plus loin, ce qu'on aperçoit à travers les arbres, le soubassement du temple de Claude, car les empereurs étaient considérés comme des dieux. »

Il y avait un grand trafic autour de l'amphithéâtre, mais c'étaient des automobiles bien lentes par rapport à celles de l'année dernière ou d'aujourd'hui. On venait d'achever et d'ouvrir la via dei Fori Imperiali, d'installer ce jardin dans les ruines du temple.

Soudain, sur le banc, dans cette capiteuse soirée, elle vous a demandé :

« Pourquoi de Vénus et Rome ? Quel est le rapport entre ces deux choses ? »

La tête complètement renversée, vous apercevez briller un peu le rectangle de verre qui couvre la photographie de l'Arc de triomphe au-dessus de votre place. Passent les lampes d'une gare ; ce doit être celle de Tarquinia.

Vous vous dites : il faut rester immobile, au moins il faut rester immobile, cette agitation est absolument inutile ; celle du wagon ne suffit-elle pas à faire jouer et grincer l'une contre l'autre vos certitudes comme les pièces d'une machine trop malmenée ?

Mais il n'y a pas moyen de l'empêcher, il faut que ce bras se détende. Comme si vous bandiez un arc, et que soudain vous ayez lâché sa corde, votre main s'en va, vos doigts se déplient ; leur dos effleure la peau d'une joue, s'en écarte vivement comme si elle brûlait, de cette femme à côté de vous qui s'est redressée, dont vous examinez le visage, ses yeux maintenant ouverts.

Vous aviez remis votre main droite sur la poignée de la porte, et celle-ci s'agite de nouveau ; la fente de lumière orange s'ouvre ; une chaussure s'y insère, puis le genou, de Pierre cette fois, qui n'est pas allé se raser puisqu'il ne tient rien dans ses mains, qui se faufile à l'intérieur, la moitié de son menton éclairée et sale, comme s'il nageait dans de l'encre, tâtant avec ses mains, le corps penché en avant et se tournant dans un sens et l'autre, ses pieds se soulevant très haut très lentement, l'un après l'autre, qui se roule sur lui-même finalement pour s'installer sur la banquette.

Vous voyez la moitié de la robe d'Agnès, puis sa jambe qui se lève, décrit un arc hésitant, la pointe oscillant comme une aiguille de galvanomètre, au-dessus de vos genoux croisés l'un sur l'autre, et ce morceau de jupe à plis, réfléchissant la lumière du corridor, se déploie à la hauteur de vos yeux comme une grande aile de faisane ; sa main s'appuie sur votre épaule, puis sur le dossier à côté. Elle se retourne, pivote sur le talon qu'elle a réussi à faire entrer, le bord de sa jupe étalé sur votre pantalon, vos genoux serrés entre les siens, une grimace se peignant sur son visage maintenant presque complètement dans l'obscurité bleue, l'autre aile de faisane se refermant, se retourne encore une fois, appuie ses

271

deux mains sur les épaules de Pierre, roule jusqu'à sa place où elle se tient maintenant assise toute droite, la tête un peu en avant, regardant passer le paysage noir et bleuté avec quelques lampes faisant des taches sur quelques murs.

Elle n'a pas essayé de refermer la porte derrière elle ; le vieil Italien avance la main jusqu'à la poignée, la laisse là quelques instants, puis la retire ; vos genoux sont dans la lumière orange comme ceux de la femme à côté de vous.

« Empereurs et dieux romains, ne me suis-je pas mis à votre étude ? N'ai-je pas réussi à vous faire apparaître quelquefois au détour des rues et des ruines ? »

C'est une foule de visages qui s'approchent, énormes et haineux comme si vous étiez un insecte retourné, des éclairs zébrant leurs faces et la peau en tombant par plaques.

Votre corps s'est enfoncé dans la terre humide. Le ciel au-dessus de vous s'est mis à se zébrer d'éclairs, tandis que tombent de grandes plaques de boue qui vous recouvrent.

Votre poignet est dans la lumière orange. En faisant glisser votre main sur votre cuisse, vous faites sortir votre montre de la manche de votre chemise ; il est cinq heures. Ces rues où déjà quelques fenêtres s'allument doivent être celles de Civitavecchia. Vous ouvrez le rideau à votre droite, et le visage de la femme romaine à côté de vous apparaît alors, clair contre l'ombre et ses cheveux noirs.

Vous ne dormirez plus maintenant. Il faut vous lever, prendre votre valise et la poser sur la banquette, l'ouvrir, en retirer vos affaires de toilette, puis en refermer le couvercle.

Il faut réussir à ouvrir complètement cette porte, vos jambes vous soutenant à peine.

Il faut sortir.

272

IX

A l'intérieur, dans l'air épais, chaud, l'odeur hostile, tenant dans votre main, enveloppés de nylon à raies blanches et rouges, humide et frais, le blaireau, le rasoir, le savon, les lames, la bouteille d'eau de Cologne, la brosse à dents et son étui, le tube de dentifrice à demi vidé, le peigne, tout ce que vous aviez étalé sur la tablette près du petit lavabo que l'on ne peut boucher et dont le robinet n'accorde l'eau que par gorgées, vous passez votre index sur votre menton presque lisse, votre cou encore râpeux, égratigné, vous regardez cette petite tache de sang qui sèche à l'extrémité de votre doigt, puis vous soulevez le couvercle de votre valise, y glissez ces affaires de toilette, en refermez les deux serrures de mince cuivre jaune, vous demandant si vous allez la remonter sur le filet, si vous n'allez pas rester dans le corridor à guetter les approches de Rome ; mais non, vous avez encore presque une demi-heure, vous regardez à votre montre, vingt-cinq minutes exactement.

Aussi la rehissez-vous là-haut. Enfoncé dans la rainure où se rejoignent la banquette et le dossier, il y a ce livre que vous aviez acheté au départ, non lu mais conservé tout au long du voyage comme une marque de vous-même, que vous aviez oublié en quittant le compartiment tout à l'heure, que vous aviez lâché en dormant et qui s'était glissé peu à peu sous votre corps.

Vous le prenez entre vos doigts, vous disant : il me

273

faut écrire un livre ; ce serait pour moi le moyen de combler le vide qui s'est creusé, n'ayant plus d'autre liberté, emporté dans ce train jusqu'à la gare, de toute façon lié, obligé de suivre ces rails.

Je continuerai par conséquent ce faux travail détériorant chez Scabelli à cause des enfants, à cause d'Henriette, à cause de moi, à vivre quinze place du Panthéon ; c'était une erreur de croire que je pourrais m'en échapper ; et surtout, les prochaines fois, je le sais, je ne pourrai m'empêcher de retourner voir Cécile.

D'abord, je ne lui dirai rien, je ne lui parlerai pas de ce voyage. Elle ne comprendra pas pourquoi il y aura une telle tristesse dans mes embrassements. Elle sentira peu à peu ce qu'elle avait d'ailleurs toujours senti, que notre amour n'est pas un chemin menant quelque part, mais qu'il est destiné à se perdre dans les sables de notre vieillissement à tous deux.

Passe la gare de Magliana. De l'autre côté du corridor, c'est déjà la banlieue romaine.

Vous allez arriver dans quelques instants à cette gare transparente à laquelle il est si beau d'arriver à l'aube comme le permet ce train dans d'autres saisons.

Il fera encore nuit noire et au travers des immenses vitres vous apercevrez les lumières des réverbères et les étincelles bleues des trams.

Vous ne descendrez pas à l'Albergo Quirinale, mais vous irez jusqu'au bar où vous demanderez un *caffè latte*, lisant le journal que vous viendrez d'acheter tandis que la lumière apparaîtra, augmentera, s'enrichira, s'échauffera peu à peu.

Vous aurez votre valise à la main lorsque vous quitterez la gare à l'aurore (le ciel est parfaitement pur, la lune a disparu, il va faire une merveilleuse

274

journée d'automne), la ville paraissant dans toute sa rougeur profonde, et comme vous ne pourrez vous rendre ni à via Monte della Farina, ni à l'Albergo Quirinale, vous arrêterez un taxi et vous lui demanderez de vous mener à l'hôtel Croce di Malta, via Borgognone, près de la place d'Espagne.

Vous n'irez point guetter les volets de Cécile ; vous ne la verrez point sortir ; elle ne vous apercevra point.

Vous n'irez point l'attendre à la sortie du palais Farnèse ; vous déjeunerez seul ; tout au long de ces quelques jours, vous prendrez tous vos repas seul.

Evitant de passer dans son quartier, vous vous promènerez tout seul et le soir vous rentrerez seul dans votre hôtel où vous vous endormirez seul.

Alors dans cette chambre, seul, vous commencerez à écrire un livre, pour combler le vide de ces jours à Rome sans Cécile, dans l'interdiction de l'approcher.

Puis lundi soir, à l'heure même que vous aviez prévue, pour le train même que vous aviez prévu, vous retournerez vers la gare,

sans l'avoir vue.

De l'autre côté du corridor passe la grande raffinerie de pétrole avec sa flamme et les ampoules qui décorent, comme des arbres de Noël, ses hautes tours d'aluminium.

Toujours debout, face à votre place, à cette photographie de l'Arc de triomphe de Paris, tenant le livre entre vos doigts, quelqu'un frappe sur votre épaule, ce jeune marié que vous appeliez Pierre, et vous vous asseyez pour le laisser sortir, mais ce n'est pas cela qu'il veut ; il allonge le bras et ouvre la lumière.

Tous les yeux s'écarquillent alors, tous les visages marquent de la hâte.

Il prend une des valises au-dessus de sa jeune

épouse, la dépose sur la banquette, l'ouvre, y cherche leurs affaires de toilette.

Vous vous dites : s'il n'y avait pas eu ces gens, s'il n'y avait pas eu ces objets et ces images auxquels se sont accrochées mes pensées de telle sorte qu'une machine mentale s'est constituée, faisant glisser l'une sur l'autre les régions de mon existence au cours de ce voyage différent des autres, détaché de la séquence habituelle de mes journées et de mes actes, me déchiquetant,

s'il n'y avait pas eu cet ensemble de circonstances, cette donne du jeu, peut-être cette fissure béante en ma personne ne se serait-elle pas produite cette nuit, mes illusions auraient-elles pu tenir encore quelque temps,

mais maintenant qu'elle s'est déclarée il ne m'est plus possible d'espérer qu'elle se cicatrise ou que je l'oublie, car elle donne sur une caverne qui est sa raison, présente à l'intérieur de moi depuis longtemps, et que je ne puis prétendre boucher, parce qu'elle est la communication avec une immense fissure historique.

Je ne puis espérer me sauver seul. Tout le sang, tout le sable de mes jours s'épuiserait en vain dans cet effort pour me consolider.

Donc préparer, permettre, par exemple au moyen d'un livre, à cette liberté future hors de notre portée, lui permettre, dans une mesure si infime soit-elle, de se constituer, de s'établir,

c'est la seule possibilité pour moi de jouir au moins de son reflet tellement admirable et poignant,

sans qu'il puisse être question d'apporter une réponse à cette énigme que désigne dans notre conscience ou notre inconscience le nom de Rome, de rendre compte même grossièrement de ce foyer d'émerveillements et d'obscurités.

Passe la gare de Roma Trastevere. Au-delà de la fenêtre les premiers tramways allumés se croisent dans les rues.

Il faisait déjà nuit noire et les phares des autos se réfléchissaient sur l'asphalte de la place du Panthéon. Assis près de la fenêtre vous preniez dans votre bibliothèque les lettres de Julien l'Apostat lorsque Henriette est entrée pour vous demander si vous dîniez.

« Tu sais bien que je préfère le wagon-restaurant.

— Ta valise est prête sur notre lit. Je retourne à la cuisine.

— Au revoir. A lundi prochain.

— Nous t'attendrons ; ton couvert sera mis ; au revoir. »

Dans votre hâte de quitter cet appartement, la pluie s'étant arrêtée et la lune apparaissant au milieu des nuages au-dessus du boulevard Saint-Michel dans toute l'animation d'une rentrée des facultés avec ses étudiants de toutes couleurs, vous avez pris un taxi qui a tourné à l'angle du palais ruiné attribué à l'empereur parisien.

Gare de Lyon, vous avez acheté des cigarettes, retenu, sur le quai, votre place pour le deuxième service du dîner ; vous êtes monté dans un wagon de première classe, vous vous êtes installé dans un compartiment où se trouvait déjà un monsieur gras, de votre âge, qui fumait de petits cigares, y avez posé sur le filet votre valise et la serviette de cuir clair bourrée de dossiers et de documents d'où vous avez tiré la chemise orangée concernant la succursale de Reims.

Ce n'était que le début d'un voyage habituel et pourtant déjà, presque négligemment, vous vous étiez renseigné à Paris sur les possibilités d'une situation convenant à Cécile ; rien n'avait encore déchiré la trame de votre vie bien réglée, et pourtant déjà vos relations avec ces deux femmes approchaient de la crise dont le voyage hors série qui s'achève est la conclusion.

Le train parti, vous étiez allé dans le corridor pour regarder de l'autre côté de la fenêtre le premier quartier de la lune au-dessus des toits et des gazomètres de la banlieue.

Au-delà de la fenêtre, on ne voit plus la lune pleine mais, devant les remparts d'Aurélien, le nombre des vespas augmente et déjà de nombreuses lampes s'allument à tous les étages des immeubles récents.

Celui que vous appeliez Pierre rentre dans le compartiment, le visage rafraîchi, les yeux mieux ouverts, souriant ; celle que vous nommiez Agnès, son grand sac à la main, sort à son tour ; la femme au visage romain à côté de vous se lève, arrange son manteau, se coiffe un peu, descend sa petite valise.

Vous vous dites : que s'est-il passé depuis ce mercredi soir, depuis ce dernier départ normal pour Rome ? Comment se fait-il que tout soit changé, que j'en sois venu là ?

Les forces qui s'accumulaient déjà depuis longtemps ont explosé dans la décision de ce voyage, mais les effets de la déflagration ne se sont pas arrêtés là, car, dans la mise à exécution de ce rêve longtemps caressé, vous avez été contraint de vous rendre compte que votre amour pour Cécile est sous le signe de cette énorme étoile, et que si vous désiriez la faire venir à Paris, c'était dans le dessein de vous rendre par son intermédiaire Rome présente tous les jours ; mais il se trouve que, dans sa venue en ce lieu de votre vie quotidienne, elle perd ses pouvoirs d'intermédiaire, elle n'apparaît plus que comme une femme parmi les autres, une nouvelle Henriette avec laquelle, dans cette espèce de substitut du mariage

278

que vous aviez l'intention d'instaurer, des difficultés de la même sorte apparaîtraient, mais pires à cause de l'absence perpétuellement rappelée de cette cité qu'elle devait rapprocher.

Or ce n'est point la faute de Cécile si la lumière romaine qu'elle réfléchit et concentre s'éteint dès qu'elle se trouve à Paris ; c'est la faute du mythe romain lui-même qui, dès que vous vous efforcez de l'incarner d'une façon décisive, si timide qu'elle demeure malgré tout, révèle ses ambiguïtés et vous condamne. Vous équilibriez votre insatisfaction parisienne par une croyance secrète à un retour à la *pax romana*, à une organisation impériale du monde autour d'une ville capitale qui ne serait peut-être plus Rome mais par exemple Paris. Toutes vos lâchetés, vous leur trouviez une justification dans l'espoir où vous étiez que pourraient se fondre ces deux thèmes.

Une autre femme que Cécile aurait elle aussi perdu ses pouvoirs ; une autre ville que Paris les lui aurait aussi fait perdre.

Une des grandes vagues de l'histoire s'achève ainsi dans vos consciences, celle où le monde avait un centre, qui n'était pas seulement la terre au milieu des sphères de Ptolémée, mais Rome au centre de la terre, un centre qui s'est déplacé, qui a cherché à se fixer après l'écroulement de Rome à Byzance, puis beaucoup plus tard dans le Paris impérial, l'étoile noire des chemins de fer sur la France étant comme l'ombre de l'étoile des voies romaines.

Si puissant pendant tant de siècles sur tous les rêves européens, le souvenir de l'Empire est maintenant une figure insuffisante pour désigner l'avenir de ce monde, devenu pour chacun de nous beaucoup plus vaste et tout autrement distribué.

C'est pourquoi, lorsque vous avez tenté personnellement de le faire s'approcher de vous, son image

279

s'est délabrée ; c'est pourquoi, lorsque Cécile arrive à Paris, elle redevient semblable aux autres femmes, le ciel qui l'éclairait s'obscurcissant.

Vous dites : il faudrait montrer dans ce livre le rôle que peut jouer Rome dans la vie d'un homme à Paris ; on pourrait imaginer ces deux villes superposées l'une à l'autre, l'une souterraine pas rapport à l'autre, avec des trappes de communication que certains seulement connaîtraient sans qu'aucun sans doute parvînt à les connaître toutes, de telle sorte que pour aller d'un lieu à un autre il pourrait y avoir certains raccourcis ou détours inattendus, de telle sorte que la distance d'un point à un autre, le trajet d'un point à un autre, serait modifié selon la connaissance, la familiarité que l'on aurait de cette autre ville, de telle sorte que toute localisation serait double, l'espace romain déformant plus ou moins pour chacun l'espace parisien, autorisant rencontres ou induisant en pièges.

Le vieil Italien en face de vous se lève, descend avec difficulté sa grosse valise noire, sort du compartiment, fait signe à sa femme de le suivre.

Dans le corridor, déjà, de nombreux voyageurs passent, leurs bagages à la main, vont s'accumuler près de la portière.

Passe la gare de Roma Ostiense, avec la pointe blanche de la pyramide de Cestius qui apparaît légèrement sur la noirceur, avec au-dessous de vous les premiers trains de banlieue qui arrivent à la station Roma Lido. Sur le tapis de fer chauffant aux losanges semblables à un graphique idéal de trafic ferroviaire, vous considérez les poussières, les minces ordures qui se sont accumulées et comme incrustées au cours de ce jour et de cette nuit.

Le lendemain matin jeudi, vous êtes allé voir la

maison dorée de Néron, à l'intention de Cécile que vous aviez raccompagnée la veille vers minuit au cinquante-six via Monte della Farina et qui vous avait dit devant votre regard, devant votre désir, qu'il était impossible que vous montiez chez elle à cette heure-ci parce que la famille da Ponte ne serait pas encore couchée, et le soir du jeudi vous avez dîné avec elle dans sa chambre entre les quatre photographies de Paris que vous vous efforciez de ne pas voir et qui vous empêchaient de parler.

Vous n'avez pu lui raconter votre visite que lorsque vous vous êtes retrouvés tous les deux sur le lit, la lampe éteinte, éclairés par la lumière de la lune qui pénétrait par la fenêtre ouverte avec un peu de vent, avec les lampes des maisons voisines, avec les phares des vespas virant bruyantes au coin d'en bas qui faisaient des taches orange sur le plafond.

Vous l'avez quittée peu après minuit comme d'habitude ; vous êtes retourné à l'Albergo Quirinale ; les fils déchirés se renouaient ; c'était une cicatrice très fragile ; la moindre imprudence l'aurait arrachée ; c'est pourquoi vous ne lui avez pas dit un seul mot de votre séjour à tous deux à Paris, c'est pourquoi, le lendemain vendredi, contre toutes vos craintes, elle ne vous en a pas dit un seul, comme vous déjeuniez ensemble dans un restaurant de la place des Thermes de Dioclétien, ni comme elle vous disait au revoir sur le quai de la gare tandis que le train démarrait, agitant la main, les yeux fixés sur vous.

Vous l'aviez reconquise ; tout semblait s'être effacé. Jamais vous n'en avez reparlé, et c'est à cause de ce silence que maintenant la blessure est inguérissable, à cause de cette fausse cicatrisation prématurée qu'une gangrène s'est développée dans cette plaie intérieure qui suppure si fort, maintenant

281

que les circonstances de ce voyage, ses heurts, ses mouvements, ses aspérités l'ont écorchée.

« Adieu », lui avez-vous crié comme elle courait la tête levée, admirable, les cheveux en couronne de flammes noires, s'essoufflant dans un sourire. Vous pensiez alors : j'ai cru la perdre, je l'ai retrouvée ; j'ai côtoyé un précipice, il ne faut jamais plus en parler ; maintenant je saurai la garder, je la tiens.

Sur le tapis de fer chauffant vous considérez vos souliers tout marqués de balafres grises.

Et maintenant dans votre tête résonne cet « adieu Cécile », les larmes vous montant aux yeux de déception, vous disant : comment pourrai-je jamais lui faire comprendre et me pardonner le mensonge que fut cet amour, sinon peut-être par ce livre dans lequel elle devrait apparaître dans toute sa beauté, parée de cette gloire romaine qu'elle sait si bien réfléchir.

Ne vaudrait-il pas mieux conserver entre ces deux villes leur distance, toutes ces gares, tous ces paysages qui les séparent ? Mais en plus des communications normales par lesquelles chacun pourrait se rendre de l'une à l'autre quand il voudrait, il y aurait un certain nombre de points de contact, de passages instantanés qui s'ouvriraient à certains moments déterminés par des lois que l'on ne parviendrait à connaître que peu à peu.

Ainsi le personnage principal se promenant aux alentours du Panthéon parisien pourrait un jour, tournant à l'angle d'une maison bien connue, se trouver soudain dans une rue toute différente de celle à laquelle il s'attendait, dans une lumière tout autre, avec des inscriptions dans une autre langue qu'il reconnaîtrait comme de l'italien,

lui rappelant une rue qu'il a traversée déjà, s'identifiant bientôt comme une de ces rues aux alentours du Panthéon romain, et la femme qu'il rencontrerait là, il comprendrait que pour la retrouver il lui suffirait d'aller à Rome comme n'importe qui peut y aller n'importe quand pourvu qu'il ait l'argent et le loisir, en prenant le train par exemple, en y consacrant le temps, en passant par toutes les stations intermédiaires ;

et de même cette femme romaine de temps en temps passerait à Paris ; ayant longuement voyagé pour la retrouver il s'apercevrait qu'involontairement sans doute elle est parvenue au lieu même qu'il vient de quitter, recevant une lettre d'un ami la décrivant par exemple,

de telle sorte que tous les épisodes de leur amour seraient conditionnés non seulement par les lois de ces relations entre Rome et Paris, lois qui pourraient être légèrement différentes pour chacun d'eux, mais aussi par le degré de connaissance qu'ils en auraient.

Cette jeune femme que vous appeliez Agnès, dont vous ignorez tout, jusqu'au nom, dont vous ne connaissez que le visage et la destination, Syracuse, rentre dans le compartiment, s'assied auprès de son mari, suit des yeux les vespas qui se croisent devant la sombre muraille d'Aurélien qui s'éloigne cachée par les remblais, par les immeubles du quartier de la piazza Zama.

Le train s'enfonce entre les murs, sous le pont de la via Appia Nuova.

Passe la gare de Roma Tuscolana. Un homme passe sa tête par la porte et regarde de part et d'autre comme pour vérifier s'il n'a pas oublié quelque chose (peut-être celui qui pendant quelques heures cette nuit était assis sur cette place vide en face de vous et dont vous n'avez même pas pu regarder le visage, baigné qu'il était dans l'obscurité, enfoncé que vous

283

étiez dans votre mauvais sommeil, dans le déroulement lacérant de vos mauvais rêves, dans la gesta-
tion, la germination lente et cruelle de ces questions
qui vous déchirent ce matin, dans ce vertige et cet
effroi qui vous prenaient devant le vide s'ouvrant,
cette faille de plus en plus large et profonde à partir
du moment de votre arrivée dans quelques instants,
solide bord, seul sol qui demeurât certain, cette faille
où s'engloutissaient peu à peu toutes les constructions que vous aviez faites).

Tout vous était nouveau dans cette nuit du printemps romain comme vous reveniez vers l'hôtel
Croce di Malta.

Il n'y avait encore ni Métropolitana, ni trolleybus,
ni scooters, seulement des tramways, des taxis aux
lignes verticales et quelques calèches.

Henriette riait comme vous des ecclésiastiques jeunes et vieux qui se promenaient par bandes avec leurs
ceintures de couleur.

Le Guide bleu dans votre main encore tout neuf,
qui est devenu de plus en plus inexact, que vous
apportiez avec vous à chaque voyage jusqu'au
moment où vous avez pris l'habitude de voir Cécile
et de vous servir du sien, ce guide que vous avez
laissé dans la petite bibliothèque romaine près de la
fenêtre, quinze place du Panthéon,

infatigables tous les deux (dans votre chambre le
matin tandis que vous vous rasiez, tandis qu'elle se
coiffait, vous vous répétiez les phrases de l'Assimil),

vous êtes allés au Vatican le lendemain, tournant
autour des murailles de la cité, vous esclaffant
devant les bondieuseries des boutiques, parcourant
rapidement les galeries encombrées de mauvaises statues antiques ou de vrais présents des souverains
modernes.

284

Vous caressiez des yeux les gens, les rues, les monuments, persuadés tous les deux qu'il ne s'agissait là que d'une première mise en contact.

Puis après quelques très rapides journées de cette déambulation délicieuse, injuriant tous les deux doucement en plein accord les innombrables uniformes que vous rencontriez à chaque détour, il a fallu reprendre le chemin de l'ancienne minable crasseuse Stazione Termini tout à fait indigne de Rome, et comme le train s'ébranlait, vous lui murmuriez : « Dès que nous le pourrons, nous reviendrons. »

Un autre homme passe la tête par la porte et regarde des deux côtés (peut-être est-ce celui-ci qui était assis pendant quelques heures sur la banquette auprès de ce jeune marié.

Vous dites : je te le promets, Henriette, dès que nous le pourrons, nous reviendrons ensemble à Rome, dès que les ondes de cette perturbation se seront calmées, dès que tu m'auras pardonné ; nous ne serons pas si vieux.

Le train s'est arrêté ; vous êtes à Rome dans la moderne Stazione Termini. Il fait encore nuit noire.

Vous êtes seul dans le compartiment avec les deux jeunes époux qui ne descendent pas ici, qui s'en vont jusqu'à Syracuse.

Vous entendez les cris des porteurs, les sifflets, les halètements, les crissements des autres trains.

Vous vous levez, remettez votre manteau, prenez votre valise, ramassez votre livre.

Le mieux, sans doute, serait de conserver à ces deux villes leurs relations géographiques réelles

et de tenter de faire revivre sur le mode de la lecture cet épisode crucial de votre aventure, le mouve-

LE RÉALISME MYTHOLOGIQUE
DE MICHEL BUTOR *

par

Michel Leiris

* Compte rendu de *La Modification* in *Critique*, n° 129,
février 1958.

Vous avez entre les mains un exemplaire tout neuf de *La Modification*, roman signé Michel Butor. Vous feuilletez ce livre et, au cours de ce menu travail, vous lisez quelques paragraphes au hasard. Qu'est-ce qui vous frappe dès l'abord ?

En tous pays les romans sont écrits, pour ce qui concerne du moins l'essentiel de leur contenu, soit à la troisième personne (récits pseudo-historiques ou fictions dont l'auteur n'a pas cherché à cacher la nature de fiction), soit à la première personne (simulacres de récits autobiographiques, ou bien fictions à proprement parler lyriques). Or *La Modification*, à l'exception de rares passages, est écrite à la deuxième personne du pluriel : c'est vous-même, lecteur, que le romancier semble mettre poliment en cause et il suffit de quelques brefs coups d'œil jetés sur les lignes imprimées tandis que vous maniez le coupe-papier pour que vous vous sentiez en présence d'une invitation, sinon d'une sommation. Ce procédé inusité vous incite à vous demander (gageons-le) à quel type particulier de lecture vous êtes ici convié et votre curiosité (je le présume) est piquée alors même que vous n'avez pas achevé le découpage. Vous entreprenez donc (sans plus tarder, j'espère) le lecture de ces 283 pages moyen format, seules à même de vous révéler quel genre d'attention l'auteur attendait de ce public qu'à vous seul vous représentez, pourquoi il a procédé comme s'il s'agissait d'établir explicitement de lui à vous un rapport de personne à personne et ce à quoi il désirait vous mener, par un moyen que vous jugerez peut-être artificieux mais dont il a oralement indiqué pour quelles raisons de pure logique il l'estimait nécessaire [1].

Le personnage central et presque unique du livre — ce chef de famille déjà mûr à qui lecteurs et lectrices, attrapés dans les rets du *vous* et de l'indicatif présent, ne peuvent pas ne pas tendre à plus ou moins s'identifier — prend un matin comme voyageur de troisième classe et sur sa seule initiative le rapide Paris-Rome, modifiant ainsi l'habitude qu'il a d'effectuer ce parcours en première classe et dans le train du soir quand il lui faut, aux frais de ses employeurs, se rendre au siège romain de la firme de machines à écrire dont il est le directeur pour la France. Son intention est de surprendre à Rome — ville dont il est féru depuis l'âge lycéen — une maîtresse qu'il retrouve à chacun de ses voyages d'affaires et à qui, cette fois, il annoncera qu'il a trouvé pour elle (conformément au vœu qu'elle avait formulé) une situation lui permettant de s'établir à Paris, où désormais ils pourront vivre ensemble car il entend se séparer de sa femme et de ses enfants et apporter ainsi une grande modification à sa propre existence, fastidieuse et terne en dehors des quelques rayons qu'elle reçoit de la lumière romaine. En cours de route, cet évadé en puissance est le jouet d'une quantité de réminiscences, parmi lesquelles (passé le tunnel de Mont-Cenis) le pénible souvenir de ce qui

---

1. Portrait-interview de Paul Guth (*Figaro littéraire*, n° 607, 7 décembre 1957) : « Il fallait absolument que le récit soit fait du point de vue d'un personnage. Comme il s'agissait d'une prise de conscience, il ne fallait pas que le personnage dise *je*. Il me fallait un monologue intérieur en-dessous du niveau du langage du personnage lui-même, dans une forme intermédiaire entre la première personne et la troisième. Ce *vous* me permet de décrire la situation du personnage et la façon dont le langage naît en lui. »

fut une fête manqué pour son amie et pour lui : des vacances qu'elle vint passer à Paris. Il s'abandonne aussi à nombre de réflexions et de constructions imaginaires, ces dernières prenant la forme d'abord de rêvasseries pures et simples (les espèces de petits romans qu'il bâtit à propos des inconnus qui sont ses compagnons de route), puis de rêveries, et d'un rêve dont le sens général, lié à l'anxiété du rêveur et aux conditions peu confortables dans lesquelles il voyage, est celui d'une descente aux enfers, avec pour dernière séquence l'épiphanie hostile des dieux et des empereurs romains. A la fin du parcours, l'état d'esprit du personnage s'est à tel point modifié qu'il renonce au changement même en vue duquel il était parti : il passera trois jours à son point de destination sans aller voir l'amie dont il sait maintenant qu'il l'aime dans la mesure où elle est « le visage de Rome », de sorte qu'il aboutirait à un échec en la séparant de ce haut-lieu. Il optera pour le maintien du *statu quo* et se promettra de donner ultérieurement ce plaisir à sa femme : un voyage qu'ils feront à Rome, leur troisième visite.commune de cette ville qui les avaient enchantés la première fois (lorsqu'ils étaient de jeunes mariés), mais déçus la seconde alors que le pourrissement de leur vie à deux était déjà sensible. En montant dans son wagon, le personnage tenait en main un livre qu'il avait acheté à la bibliothèque de la gare, sans se soucier de son titre ni de son auteur et se fiant au nom de la collection. Descendant à la Stazione Termini, il tient en main ce livre que finalement il n'a pas lu et qui lui a seulement servi de garde-place quand, pour une raison quelconque, il sortait de son compartiment. L'issue impossible à trouver, qu'il se tourne vers la maîtresse ou vers l'épouse, vers Rome (dont il a découvert qu'elle est un mythe pour lui) ou vers Paris (dont la grisaille le détériore), c'est un livre — matériellement analogue à celui-là — qui la lui

291

fournira : l'ouvrage qu'il décide d'écrire « pour tenter de faire revivre sur le mode de la lecture cet épisode crucial de votre aventure », à vous lecteur que l'usage, en ce livre, de la deuxième personne du pluriel a fait entrer tant soit peu dans la peau du personnage auquel sont dues, censément, les pages mêmes que vous avez lues.

Ce livre, où de sèches notations alternent avec des phrases dont la longueur souvent extrême aurait de quoi irriter n'étaient leur construction très claire et la certitude tôt acquise que dans leur déroulement d'une ampleur — à dire vrai — souveraine elles sont la simple expression condensée d'une matière abondante et diverse, ce livre chargé de poésie autant dans ses envols vers les temps historiques ou vers le mythe que dans l'objectivité de ses descriptions (d'un réalisme rigoureux car, pour que l'ensemble soit cru et en quelque mesure vécu, il est indispensable qu'on voie et sente tout ce qui peut se voir et sentir au-dedans et au-dehors de ce compartiment, théâtre à la fois fixe et mouvant de la méditation d'un voyageur solitaire), ce livre qu'on peut dire *parfait* en ce sens qu'il se referme sur lui-même et qu'il n'est pas autre chose que le récit de sa propre genèse, le résumé aussi schématique qu'il soit de ce qu'on pourrait nommer son contenu manifeste montre d'emblée qu'il joue sur plusieurs plans. De ce fait même, il échappe à l'unité d'action alors que l'unité de temps (la durée du voyage Paris-Rome par chemin de fer) et l'unité de lieu (ce compartiment que le héros ne quitte que pour aller, pendant les coupures du récit, dans le couloir du wagon, sur le quai d'une gare ou à la voiture-restaurant) y sont, en apparence, aussi strictement respectées que dans une tragédie du XVIIe siècle français.

Certes les événements narrés par Michel Butor se déroulent en un laps de temps pas même égal à vingt-quatre heures et dans un espace clos qui ne subit que d'infimes modifications (dont les plus notables sont les changements d'éclairage, les substitutions de bagages à d'autres bagages selon les entrées et les sorties de voyageurs, ainsi que la salissure du plancher chauffant et les variations qui affectent dans leur composition et leur disposition les éléments de cette salissure). Dans ce roman étroitement daté et situé, il y a donc unité de' temps et unité de lieu. Toutefois, ces unités y prennent une tout autre figure que dans les pièces de notre théâtre classique. Ce n'est pas un voyage mais plusieurs, d'époques différentes et faits dans un sens ou dans l'autre, que le héros accomplit : par fragments surgis indépendamment de leur ordre chronologique, il se remémore (entre autres faits touchant au problème qui l'obsède) d'autres trajets Paris-Rome ou Rome-Paris qu'il a effectués et il pense même à ce que, dans l'avenir proche, seront son voyage de retour et ce qui suivra ce retour. Il y a ainsi entrelacement de plusieurs temps, dont celui de l'actuel voyage Paris-Rome est simplement celui où la méditation du personnage prend naissance et se développe. Quand à l'unité de lieu, tout compte fait, elle n'est pas mieux traitée : ce contenant presque immuable où tout se trouve localisé est, en vérité, un mobile dont on suit de station en station le déplacement entre Paris et Rome ; dans les réminiscences et les projets du voyageur, son quartier parisien de la place du Panthéon et divers monuments ou sites romains tiennent une large place ; des lieux fictifs apparaissent, évoqués par des œuvres d'art (telles ces deux galeries de peintures consacrées l'une à la Rome antique l'autre à la Rome moderne, figurées sur deux tableaux de Pannini dans lesquels « il n'y a aucune différence de matière sensible entre les objets représentés comme réels et ceux représentés comme peints ») ; par moments la pensée du voyageur (qui n'est alors qu'un pur regard) se porte sur les endroits représentés par les photos publicitaires dont sont garnies les cloisons du compartiment ; enfin, de grands pans d'un décor pour quelque introduction à des mystères (paysage désertique, grotte de la Sibylle, fleuve au funèbre nautonier, série piranésienne s'ouvrant avec un défilé rocheux et s'achevant avec un champ de ruines) apparaissent dans son rêve. Outre l'entrelacement des temps, un entrelacement des lieux s'opère et il s'avère que le compartiment de troisième qui présentement fait route de Paris à Rome ne constitue pas beaucoup plus qu'un dispositif scénique qui reste fixe à travers la succession des toiles de fond et des portants.

Récit d'une crise dont la durée n'atteint pas même vingt-quatre heures et qui a pour théâtre ce wagon de chemin de fer où pendant les douze dernières vous vous serez trouvé « au pilori de vous-même », le roman de Michel Butor apparaît en un certain sens construit comme une tragédie classique. Or le temps et le lieu où se produit cette crise — ici rapportée à un unique personnage — ne sont pas un cadre abstrait mais des éléments privilégiés dans un double entrelacement, et pour ce qui concerne l'argument (abandon du projet qu'un homme avait fait de rénover sa vie sentimentale puis remplacement de ce projet par celui d'écrire un livre dont le thème sera cet abandon), l'envisager ainsi sous l'angle anecdotique serait ne retenir que l'aspect le plus visible de cette crise où, jouant chacune à son niveau, s'imbriquent plusieurs actions. Si classicisme il y a dans la structure formelle de *La Modification*, il semble que cette structure soit, à chaque instant, bousculée sinon menacée d'éclatement et que la fragilité même des strictes limites imposées (temps et lieu très réduits, intrigue à première vue banale) confère à l'œuvre en tant que telle son tragique propre en douant, apparemment, d'une force explosive la matière ainsi comprimée à l'extrême.

Jugeant que vivre avec sa maîtresse au lieu de vivre avec sa femme serait — suivant l'expression familière — du pareil au même, un homme marié renonce au rajeunissement que lui apporterait ce changement et il se consolera en écrivant un livre : sujet qui, étoffé de quelques péripéties, pourrait être celui d'une comédie de mœurs si ce n'est d'un vaudeville à quiproquos (ces deux femmes interchangeables à quelques années de distance, cet énorme lapsus consistant pour le personnage à substituer le prénom de sa maîtresse au mot « livre » désignant ce qu'en fait il ramènera). Réaliste, Michel Butor ne dédaigne pas de traiter à fond ce sujet. Son personnage est socialement situé (moyenne bourgeoisie) et les traits de son caractère sont clairement indiqués. Tout en gardant une façade presque intacte, il commence a ressentir l'usure du temps. Nul doute qu'il ait aimé amoureusement sa femme, mais il a vu se desserrer (sans que ce soit la faute d'aucun des deux) le tendre lien qui l'unissait à elle. Maintenant il est enlisé dans la vie familiale et dans un métier qui n'est pour lui qu'un gagne-pain, avec ces seules échappées : conjugué à la passion qu'en homme pourvu d'une certaine culture il nourrit pour ce qui touche à Rome, son amour pour cette jeune femme qu'au cours de l'un de ses voyages professionnels il a rencontrée dans ce lieu de tant d'expériences (parce qu'on y est soustrait au cadre accoutumé et en contact direct avec des inconnus), le train. Cet agent commercial est ce qu'on nomme un rêveur : depuis que Rome a pris pour lui la figure d'une femme, n'a-t-il pas systématiquement recherché ce qui, monuments ou cafés, est dans Paris une parcelle de Rome ? Il est sensible au spectacle des belles choses (comme en témoignent sa curiosité à l'égard des richesses artistiques de Rome et les souvenirs d'œuvres d'art et de ruines antiques qui transparaissent dans son rêve). Ses opinions sont celles d'un libéral exempt de tout chauvinisme comme de tout fidéisme, hostile à l'« effroyable sottise armée » comme au fascisme policier. Son point faible est certainement de manquer — comme on dit — de ressort : vers le début de ce voyage qui répond pour lui à une grande décision, il se révèle timoré au point de ne pas réclamer sa place à quelqu'un qui la lui a prise alors qu'il s'était absenté en omettant de la marquer ; sa femme se comporte à son égard avec une pitié condescendante et il n'a qu'un piètre prestige aux yeux de ses enfants ; lorsque l'amie romaine est venue en vacances à Paris et qu'il l'a fait inviter chez lui, une sorte de complicité entre les deux femmes s'est établie à son détriment et il n'a rien su trouver qui lui permît de dominer la situation ; à Rome sa prudence est grande, car il craint que la découverte de sa liaison ne lui nuise auprès de ses directeurs. Rien d'étonnant à ce qu'un homme de cette espèce, troublé par les conditions inaccoutumées dans lesquelles il refait un voyage qui pour lui était devenu une habitude, assailli par des pensées qui se font plus angoissantes à mesure qu'il approche du but et fourbu finalement par les longues heures qu'il a passées en troisième, annule avant même d'arriver à Rome la décision qui l'avait fait partir de Paris et, s'étant heurté à des raisons qui lui paraissent péremptoires mais ne sont peut-être que la couverture de raisons plus déterminantes, encore que de moindre envergure, se replie sur cette idée à coup sûr séduisante pour le velléitaire et pour le dilettante qui sont en lui : apporter à son incapacité de transformer positivement sa vie une compensation littéraire dont le récit de son échec lui fournira la substance.

C'est donc sur une trame psychologique parfaitement cohérente que Michel Butor a établi son roman (et ce n'est pas le moindre mérite de cet écrivain qui n'a guère plus de trente ans que d'avoir su avec tant de justesse et d'aisance endosser la défroque d'un homme sur le retour). On observe toutefois qu'il n'y a là pas autre chose qu'une trame et qu'au sujet psychologique d'autres sujets se mêlent inextricablement.

Placé entre deux femmes, celle du vieillissement quotidien et celle qui avant la nuit d'affres dans le wagon lui apparaissait « comme la jeunesse gardée », le personnage l'est également entre deux villes, Paris et Rome, celle où il vit et celle qu'il ne quitte que pour en rêver. A travers les réminiscences, les réflexions et le rêve en lesquels s'exprime la fascination que Rome exerce sur le personnage, on accède à un autre sujet, qui n'est plus celui d'un roman psychologique. Rome, à quoi s'identifie cette femme qu'il n'installera pas à Paris parce qu'elle y serait (si l'on peut dire) *déromanisée* en même temps que Rome perdrait pour lui beaucoup de son attrait, c'est évidemment la part de poésie qui illumine sa vie, mais qu'est-ce au fond que Rome et que veut dire le mythe qu'elle paraît avoir pour mission d'illustrer ?

Assez vite, il apparaît qu'à Rome il y a plus d'une Rome : la Rome de l'antiquité est distincte de celle du christianisme moderne (ce qu'expriment les tableaux couplés de Pannini vus au Musée du Louvre par le personnage) et à la Rome proprement dite s'oppose la Cité du Vatican. Avant qu'il en arrive à la modification décisive que sera l'abandon de son projet, les deux femmes — celle de la main gauche et celle de la main droite — s'associent l'une à la Rome païenne, l'autre à la Rome chrétienne, puisqu'il se rappelle la répugnance que la première a toujours marquée à l'endroit, tout particulièrement, de la Chapelle Sixtine et ce jour où elle lui a dit en riant qu'il était « pourri de christianisme jusqu'aux moelles » alors que la seconde, pendant ce deuxième voyage au cours duquel elle a senti que Rome était un domaine d'où son compagnon l'excluait, a voulu « à tout prix voir le pape ». Quant à lui, qui a parmi ses livres de chevet l'*Enéide* (récit, comme on sait, des aventures d'Enée, fils de Vénus et fondateur de Rome) ainsi que les *Lettres* de Julien l'Apostat (l'empereur qui rejeta la foi chrétienne pour restaurer l'ancien polythéisme et dont, avec les thermes qui lui sont attribués, un souvenir est resté dans Paris), il vise à une « exploration systématique des thèmes romains » et poursuit Rome en s'attachant à ses avatars des diverses époques. Pour lui, elle est la « Ville éternelle » (où il va périodiquement se retremper comme dans une fontaine de Jouvence), le « lieu de l'authenticité » (où il n'est plus aliéné comme il l'est à Paris par un travail dont il ne tire qu'une satisfaction monétaire), la ville aussi qui dès l'abord s'est présentée comme liée à la beauté et à l'amour, puisque sa femme et lui, au cours de leur voyage de noces ont visité le temple de Vénus et Rome et qu'assise à côté de lui sur un banc « dans cette capiteuse soirée » elle lui a demandé pourquoi le culte de la déesse et celui de la ville furent ainsi conjugués (scène qui lui reviendra, avec d'autres détails du voyage de noces, comme une marque implicite du fait qu'entre sa femme et lui il y eut des relations de complicité bien différentes des relations à bouche cousue que sont leurs relations d'aujourd'hui). Ce que lui découvre, quant à cette « Ville des villes » que grâce à son amie il comptait pénétrer jusqu'au cœur après n'avoir fait que l'effleurer, le rêve au terme duquel, arrêté à la suite d'un scandale sur la voie publique et n'ayant guère rencontré que méfiance ou vague commisération de la part des Romains, il est jugé et condamné par les puissances catholiques (les cardinaux, le pape et le « Roi du Jugement » lui-même) puis sent son corps s'enfoncer dans la boue après l'apparition atterrante des empereurs, des dieux et des déesses (« foule de visages qui s'appro-

298

chent, énormes et haineux comme si vous étiez un insecte retourné, des éclairs zébrant leurs faces et la peau en tombant par plaques »), c'est qu'il y a une permanence de Rome à travers ses modifications : les cardinaux déclarent qu'ils sont eux aussi des Romains et, quant au pape, il se dit le « fantôme des empereurs, hantant depuis des siècles la capitale de leur monde aboli, regretté ».

Si la vision — à la fois grandiose et terrible — aboutit à une affirmation d'ordre syncrétique puisque toute solution de continuité s'y efface entre paganisme et christianisme romains, c'est dans leur réprobation unanime de celui qui n'a pas su comprendre Rome que l'union des figures opposées s'opère, et dans une sorte de *Götterdämmerung* où elles ne sont plus que des spectres. Quand la méditation du personnage (maintenant délivré de son mauvais sommeil, rasé de frais et tout près d'arriver) l'aura amené à reconnaître que le mal dont il souffre n'est pas seulement le sien et que « cette fissure béante [...] est en communication avec une immense fissure historique », Rome, avec le souvenir de la *pax romana*, lui apparaîtra comme le témoignage du temps désormais révolu « où le monde avait un centre », foyer « qui a cherché à se fixer après l'écroulement de Rome à Byzance, puis beaucoup plus tard dans le Paris impérial » et dont, aujourd'hui, se fait ressentir le manque. En tant que mythe aux aspects fuyants et ambigus dont les racines plongent au plus profond, Rome restera pour le personnage une énigme à laquelle il considère qu'il ne peut pas apporter de réponse. En tant que ville, elle gardera son privilège bien qu'il ait pris conscience de ce qu'elle a précisément de mythique et qu'il soit donc démystifié : il y retournera avec sa femme, qui n'aura plus à en être jalouse maintenant que la vague d'illusions s'est abaissée, et il continuera d'y aller rendre visite à sa maîtresse quoiqu'il sache que les pouvoirs de celle-ci ne résiste-raient pas à la « détérioration » parisienne et que cet amour, pas plus que le premier, n'échappera au temps. Parallèlement au rapprochement des deux Rome et de Paris il s'est produit un rapprochement des deux figu-res féminines, mais en un sens négatif puisque l'ensa-blement final de tout amour dans le vieillissement des deux partenaires apparaît comme leur mesure com-mune.

Tel est le schéma qu'on peut tracer de la méditation du voyageur, pour ce qui concerne à tout le moins sa composante proprement romaine et pour autant qu'on puisse — sans trop fausser — réduire ainsi à quelques lignes très générales une méditation de plus en plus chaotique à mesure que (sur un rythme accéléré par la fatigue croissante du voyageur) les fragments d'un rêve que coupent de fréquents réveils et dont maints élé-ments sont fournis tant par l'aspect des autres voya-geurs ou tels détails du décor que par les incidents de route ou la situation de ce rêveur assis dans un wagon cahoté sur des rails s'y enchevêtrent avec des bribes de souvenirs et des réflexions zigzagantes, qui s'engrènent les uns aux autres selon les lois d'une mécanique essen-tiellement affective.

Au bout des quelque vingt et une heures qu'a duré le trajet de la Gare de Lyon à la Stazione Termini le personnage, certes, n'a pas levé le dernier voile mais du moins il a appris un certain nombre de choses, ne fût-ce que sur ses propres sentiments à l'égard de l'amie qu'il s'en allait surprendre à Rome et de la ville elle-même. A un niveau différent du niveau psychologique et de celui du panorama historique, le roman de Michel Butor, où est décrit minutieusement un itiné-raire matériel doublé d'un itinéraire spirituel, revêt l'allure d'un récit de pèlerinage initiatique. Ce n'est pas seulement une mythologie romaine — introduite par la cogitation du voyageur — qui fait irruption dans le cadre d'une réalité quotidienne, c'est le récit tout entier qui se situe sur le plan du mythe, sans que jamais soit faussé ce que je serais tenté de nommer son *vérisme* tant on y est au ras du sol.

Dans ce compartiment marqué du « sigle SNCF » qui n'est pas sans rappeler (qu'il y ait là ou non une intention de l'auteur) l'inscription romaine SPQR, le voyageur se trouvera en présence d'échantillons humains très variés à certains desquels, en rêvassant, il assignera un nom et une biographie, de sorte qu'un semblant de lien sera ainsi créé de lui à eux quoique sans réciprocité. Gens fort divers par l'âge, la nationalité, la condition : jeune couple en voyage de noces (évoquant pour le personnage ce que sa femme et lui, munis comme ceux-là d'un Guide Bleu et d'une méthode Assimil, furent il y a un certain nombre d'années), ecclésiastique, professeur, militaire, représentant de commerce, femme mûre et enfant, ouvriers et petits bourgeois italiens (dont un vieil homme et une vieille femme), un Anglais tout au début et, vers la fin, une femme très belle qui peut être aussi bien italienne que française. A la manière des hommes de toutes couleurs qu'Hermann Melville a rassemblés dans le canot qui s'engloutit en pourchassant le monstre Moby Dick, ces compagnons de route composent à eux tous un abrégé d'humanité. Bien qu'il n'ait d'autres relations avec eux que la proximité spatiale et ce qu'il imagine à leur propos, le pèlerin de la Ville éternelle n'est pas rigoureusement seul et son aventure, dont fait partie l'épisode « crucial » qu'il est en train de vivre, n'est que son aventure à lui parmi celles de beaucoup de personnes. Passage du jour à la nuit, variations météorologiques, évocations de voyages faits en d'autres saisons voire à une autre époque historique (le voyage de noces contemporain du règne des chemises

301

noires) jouent dans le même sens d'*universalisation*, si l'on peut dire, de la perspective du récit.

Bien avant que par la voie du rêve la méditation devienne explicitement une descente aux enfers, une note étrange s'insinue, indiquant que ce voyage-là n'est pas un voyage ordinaire. En une de ces collisions de temps et de lieux qui donnent à croire que l'on est à la fois dans un rapide Paris-Rome un certain jour du calendrier et hors de l'espace et du temps, se produit — page 116 du livre — l'apparition fantasmagorique du Grand Veneur, cavalier légendaire qui hante la forêt de Fontainebleau et dont l'image spectrale traverse un double écran pour venir à l'esprit du personnage : entre deux gares de Bourgogne, il se remémore en effet le retour de l'un de ses voyages à Rome et comment, alors que le train traversait la forêt de Fontainebleau, il a songé au Grand Veneur galopant sur un cheval à demi squelettique et proférant sa plainte : « M'entendez-vous ? ». Aux abords de Gênes — son projet au rancart, de sorte qu'il se sait dorénavant rivé à cette vie de ménage dont il ne voulait plus — il se rappellera que c'est alors qu'ils se rendaient tous deux à Rome pour leur voyage de noces que sa femme lui a parlé du Grand Veneur par qui, enfant, elle craignait d'être emportée, le soir venu, au cours des promenades qu'elle faisait dans la forêt de Fontainebleau. Cette inquiétante apparition, qui pour le voyageur revient d'un temps heureux mais dépassé dès longtemps, et pour sa femme elle-même émergeait d'un passé lointain, est le premier message qu'il reçoit du monde d'angoisse où bientôt il va descendre et la plainte du Grand Veneur constitue la première indication de ce qui, pendant tout le reste du roman, sera comme un *leitmotiv* de l'interrogation : le personnage, en rêve, subira maintes questions qui seront, en vérité, l'écho de sa propre question.

L'apparition du Grand Veneur, entre les gares de Sennecey et Sénozan, est — à son étrangeté près — du même ordre que les apparitions de véhicules (automobiles, camions, motocyclettes) qui, vus sur la route en divers points du parcours, semblent momentanément composer leur mouvement avec la translation du Paris-Rome. De même, le rêve qui peu à peu se muera en une vision ou une révélation dans laquelle le dormeur sera directement impliqué revêt d'abord une allure quasi impersonnelle : ce n'est pas *vous* qui entendez la Sibylle vous demander pourquoi vous ne lui posez pas les questions qui doivent avoir motivé votre « équipée, si dangereuse », puis vous reprocher d'être étranger à vos désirs quand vous lui aurez dit que ce que vous voulez c'est simplement « sortir de là » ; ce n'est pas vous qui rencontrez le nautonier des morts et le douanier à double visage (l'un hostile et l'autre bienveillant) qui garde la porte de Rome, mais c'est un *il* encore situé dans une sorte d'éloignement mythique. Le commencement du rêve — dont la toute première image est celle d'un homme en marche dans un paysage inhabité, à l'instar de cet égaré dont le personnage a pensé qu'il doit bien en être tant soit peu question quelque part dans le livre non lu, un homme qu'en un certain sens on peut donc dire *littérairement* imaginé —, le commencement du rêve est en effet raconté à la troisième personne du singulier et le retour à la deuxième personne du pluriel s'opère seulement quand le rêveur — parvenu au but topographique de sa quête personnelle puisqu'il est entré à Rome — se trouve sur une petite place, en proie à une soif ardente, et ne peut boire que d'un « vin atroce qui vous brûle la gorge et le gosier avec une telle fureur que vous hurlez, que vous lancez le verre contre une des façades où il fait éclater une vitre, une énorme tache se mettant à ronger le plâtre et les briques ». Les composantes légendaires ou mythiques de la cogitation du voyageur lui viendraient, en somme, de l'extérieur et comme des données de culture (choses qui se lisent ou choses qui se racontent) avant de s'intégrer à sa réalité vécue, et l'abandon de la forme en quelque sorte impersonnelle du discours, à l'instant où l'égaré devient un assoiffé qui cherchera en vain à se désaltérer et laissera exploser sa colère, serait conforme au caractère presque physique de la révélation que recevra celui qui présentement vient de faire quelques pas sur le quai de la Stazione Principe de Gênes : découverte, non point d'une vérité abstraite voilée par un foisonnement de mythes, mais de ce que sont au vrai les réalités lancinantes de sa propre vie qui présentent avec la chose romaine une affinité si certaine encore que si énigmatique.

Il semble donc que ce récit d'un voyage Paris-Rome où nul détail prosaïque n'est oublié (noms de gares, contrôles des billets, passage de la frontière) ait parmi ses grands principes organisateurs l'idée d'une *chasse spirituelle* s'accomplissant selon des normes traditionnelles : le lieu de l'accomplissement est pourvu d'une formule de mise en garde destinée aux imprudents (« Il est dangereux de se pencher au dehors ») ; plusieurs des voyageurs rassemblés dans le compartiment ont leurs signes ou leurs attributs (valises neuves des jeunes mariés, cantine en contreplaqué du militaire, sacs à dos des ouvriers, soutane du prêtre, parapluie de l'Anglais, chaussures noires et blanches à bouts pointus de l'un des Italiens, etc.) ; les noms des stations ferroviaires Roma Trastevere, Roma Ostiense, Roma Tuscolana et Roma Termini sont cités avec insistance comme s'ils désignaient les lieux saints par lesquels le pèlerin doit rituellement passer ; les douaniers ou vérificateurs de passeports font figure de gardiens du seuil ; le Guide Bleu devient « guide bleu des égarés » (soit quelque chose d'analogue à l'ouvrage du philosophe juif Maï-

monide, le *Guide des indécis*, généralement nommé
« Guide des égarés ») et la méthode Assimil semble
tirer son prestige du fait qu'elle est un instrument de
mutuelle compréhension et donc un palliatif de la confusion des langues ; picotements entre les vertèbres et
courbatures dans les jambes donnent au voyageur à
demi assoupi l'impression d'être aux prises avec un
« serpent épineux » (soit un dragon tel qu'en rencon-
trent les héros des contes). Par ailleurs, l'espace confiné
de ce compartiment et la durée relativement brève de
ce voyage se dilatent à la façon dont peuvent se dilater
espace et temps cérémoniels quand une série de faits
qui ont eu censément le monde mythique pour théâtre
se trouvent reproduits dans un rite soumis à d'étroites
limites de lieu et de durée. Ce que le voyageur va faire
périodiquement à Rome quand il y est appelé par ses
affaires, n'est-ce pas, au demeurant, ce qu'on appelle
communément un « pèlerinage » ? Toutefois, il ne
s'agit pas ici d'une trituration de symboles — où la
vérité point immédiatement saisissable qu'ils recèlent
importerait surtout — mais de la mise en œuvre (à travers un réseau spatial et temporel très fin et très divers)
d'éléments polyvalents, qui jouent sur plusieurs plans
dont aucun ne saurait prétendre à une préséance [2].
Ainsi, le *vade-mecum* touristique est à la fois accessoire
du décor réaliste, clé de Rome, guide pour une recher-

_____

2. Une déclaration de l'auteur à Paul Guth — à qui il avait fait
voir les graphiques dont il s'était aidé au cours de l'élaboration de
son précédent roman, *L'Emploi du Temps* — montre toute la
complexité de cette structure : « Pour *La Modification,* je n'ai pas
réussi à faire un schéma graphique. J'ai adopté un système de lettres,
comme une algèbre » (*loc. cit.*). S'il y avait là un symbolisme, la
structure s'en trouverait évidemment simplifiée, car les éléments
s'ordonneraient comme d'eux-mêmes autour du schéma fourni par ce
symbolisme.

che de Terre Promise, livre aussi parmi ceux que palpe ou voit le personnage au cours de ce voyage qui bifurquera vers un livre alors que son aspiration à vivre comme « un homme libre et sincère » l'avait primitivement dirigé vers une ville et vers une femme.

Avant de monter dans le train le vendeur de machines à écrire (qui finalement décidera d'*écrire* au sens absolu du terme) a fait presque automatiquement l'acquisition d'un roman. Pendant tout le voyage, ce livre qu'il sera un moment sur le point d'ouvrir — sans pourtant s'y résoudre — restera pour lui un objet tantôt lui tenant lieu de substitut tantôt rangé dans le filet tantôt posé sur ses genoux ou bien pressé sous lui tandis qu'il dort et rêve. S'il y a dans l'œuvre de Michel Butor un *leitmotiv* de l'interrogation, il y a aussi un thème de la lecture sous ses formes diverses [3] : quelques-uns des compagnons de route (le jeune couple avec son guide et son manuel d'italien, le prêtre avec son bréviaire, le professeur avec ses volumes reliés en noir) sont pourvus de livres que quant à eux ils utilisent en tant que tels, mais comme ils le feraient d'instruments de travail ; d'autres voyageurs sont munis de vagues journaux ou périodiques ; divers panneaux et pancartes sont visibles çà et là, comme de purs docu-

---

3. Dans sa contribution au débat *Pourquoi et comment lisez-vous ?* organisé par *Cercle Ouvert* le 9 octobre 1956, Michel Butor opposait « la lecture de renseignements (selon laquelle nous lisons les journaux, par exemple) et la lecture artistique (selon laquelle nous lisons romans ou poèmes). » « Les mots qui sont sur la page d'un roman ne sont que les jalons sur une route que le lecteur lui-même parcourt. C'est lui-même qui évoque dans son imagination les personnages, les objets, les paysages selon les indications de l'auteur. » Il en résulte que la lecture artistique « mobilise une part bien plus importante de notre esprit que la lecture de renseignement » et qu'elle n'est pas sans danger, « les mauvais livres étant ceux qui enfoncent l'esprit dans des habitudes néfastes, qui le mystifient et l'obscurcissent au lieu de le développer, de le nourrir ».

ments, dans les gares, sur le wagon lui-même ou en bordure de la voie ; enfin, plusieurs livres sacrés (dont celui que la Sibylle regarde dans sa grotte) interviennent dans le rêve du personnage. Celui-ci, déjà très engagé dans sa méditation, se demande pourquoi il ne lit pas le livre qui devait l'aider à tuer le temps : vous avez oublié maintenant le titre et le nom de l'auteur, mais sur le moment ils « vous rappelaient quelque chose » ; vous savez que dans ce roman « il y a des personnages qui ressemblent dans une certaine mesure aux gens qui se sont succédé tout au cours du voyage à l'intérieur de ce compartiment » ; toutefois « pendant ce voyage-ci vous désiriez pour une fois être vous-même en totalité dans votre acte » et c'est pourquoi vous n'avez pas lu et ne lirez pas cette histoire, qui vous écarterait de ce dont vous tenez à n'être pas distrait ou, inversement, s'avérerait si conforme à votre actuel souci que cela ne pourrait que précipiter la catastrophe. Négligé parce que présumé non adéquat (par défaut ou par excès) à ce que le personnage se propose de faire, le livre existe pourtant et ce thème atteindra toute son ampleur dans la recherche que mène l'égaré du rêve et qui revêt un instant la forme traditionnelle de la quête du livre perdu, soit du *compendium* de suprême sagesse. Au gardien à double visage qui lui demande où il est, ce qu'il fait et ce qu'il veut, le personnage indique quel est le vrai but de sa quête, « recherche de ce livre que j'ai perdu parce que je ne savais même pas qu'il était en ma possession, parce que je n'avais pas même pris soin d'en déchiffrer le titre alors que c'était le seul bagage véritable que j'eusse emporté dans mon aventure » ; ce à quoi le gardien répond qu'il n'est pas impossible que le chercheur en trouve des versions italiennes suffisamment conservées mais qu'il ne sait peut-être pas assez l'italien pour être à même de les lire. Entré dans Rome (où en vérité aucun livre ne lui sera proposé) le rêveur fait la dure expérience de son incapacité presque totale à se faire entendre (comme s'il y avait entre lui et les autres un mur analogue à celui qui s'est élevé peu à peu entre sa femme et lui) et l'ensemble du rêve apparaîtra marqué par l'idée des obstacles qui s'opposent à la communication et que figurent ici la déficience philologique du personnage puis son inaptitude même à articuler. Parallèlement, ses réflexions de l'état de veille l'amènent à penser qu'il lui est impossible d'expliquer à sa maîtresse, sans qu'il y ait malentendu sur ses mobiles réels, pourquoi il a renoncé à l'installer à Paris et que le mieux, dès l'instant qu'il ne veut rien lui dire de ce projet dont il n'aura qu'esquissé la réalisation, est de ne pas aller la voir. Or cette reconnaissance d'une impossibilité pratique d'être compris obligeant à se taire dans des circonstances importantes appelle, comme une réaction nécessaire, la résolution de s'exprimer, sur un mode tel qu'on ait là un moyen d'être entendu par autrui, de sorte que le voyageur prendra la décision d'écrire ce livre, aboutissement d'un trajet qui n'aura pas répondu à ce qu'il attendait mais l'aura éclairé sur la nature profonde du but qu'il poursuivait, ce but dont Rome est une image aux contours qui demeurent incertains, qu'on l'examine à l'œil nu ou qu'on en pousse au plus loin la connaissance érudite.

« Je ne puis espérer me sauver seul », se dit le personnage alors que le train approche de la gare de Roma Trastevere. « Donc préparer, permettre, par exemple au moyen d'un livre, à cette liberté future hors de notre portée, lui permettre, dans une mesure si infime soit-elle, de se constituer, de s'établir, c'est la seule possibilité pour moi de jouir au moins de son reflet tellement admirable et poignant. » Ainsi, le livre mythiquement perdu, cherché puis retrouvé par le personnage, n'est

308

autre que *son* livre, celui que, dès le départ, il tenait dans sa main sans le savoir et qui sera, en tant que gage d'une liberté inaccessible dans les conditions présentes mais dont il est inacceptable qu'elle le soit tout à fait, une issue pour lui et sera également une main tendue vers autrui puisque écrire c'est se donner à lire et, par définition, rompre la solitude en communiquant avec les autres et en mettant à leur disposition ce qu'on a pu découvrir. Si l'option finale du personnage consiste, au point de vue sentimental, à se réconcilier avec la femme réelle (celle dont un souvenir d'enfance lui est revenu de manière obsédante) et laisser faire le temps quant à la femme mythologique, ne brisant rien non plus quant aux deux villes (entre lesquelles continueront ses allers et retours), il opte pour exercer, en se faisant écrivain, l'activité *vraie* que ne sont ni la quête chimérique de Rome ni le commerce des machines à écrire.

Ce que ce personnage qui, dans son rêve, éprouve une soif semblable à celle dont parlent les mystiques, poursuivait à travers ses amours comme à travers ses pèlerinages à Rome — métropole du monde antique puis du monde catholique, éden où Piazza Navona coule une Fontaine des Quatre Fleuves, résidence mythique du « père » (ce père que tu recherches, dit la Sibylle, « afin qu'il t'enseigne l'avenir de ta race ») et résidence effective de celle que le personnage nomme « Porte de Rome », peut-être en ignorant que cette épithète analogue à celle de « Porte du Ciel » des litanies de la Vierge la pose expressément comme image de l'Eternel Féminin — n'était-ce pas quelque chose d'équivalent à l'absolu que désigne la mystérieuse figure du *point central* ou point suprême dont il est question dans la littérature hermétique : lieu où se fondent les contraires et se résolvent les antinomies, pivot

309

de la vie universelle, noyau immuable malgré la coulée des modifications ? [4]

Pas plus que l'arpenteur de Kafka ne pénètre au château, le vendeur de machines à écrire ne perce le secret de Rome ; mais il découvre cependant que « ce foyer capital d'émerveillements et d'obscurités » échappe par nature à tout essai de description même approximative et, en écrivant un livre (ce qui revient à préparer les voies ou à jeter les dés d'une liberté possible), il trouve sa justification, tel l'arpenteur à qui est reconnue *in extremis* une place au village. Le livre qu'il écrira, conçu pour la lecture et par conséquent *littéraire*, contiendra cela même qui aurait pu l'attacher à l'autre livre « dans lequel il doit bien se trouver quelque part, si peu que ce soit, si faux que ce soit, si mal dit, un homme en difficulté qui voudrait se sauver, qui fait un trajet et qui s'aperçoit que le chemin qu'il a pris ne mène pas là où il croyait ». Après avoir envisagé d'en faire une œuvre imaginaire montrant « le rôle que peut jouer Rome dans la vie d'un homme à Paris », il rejette ce projet comme inadéquat et se résout à rédiger, non point exactement une confession (ce qui serait demeurer dans l'échec en se bornant à entériner cet échec), mais un récit où revivra pour les autres l'expérience qu'il a vécue, — ce récit même que vous avez lu et dont (si vous suivez jusqu'au bout l'impulsion donnée par l'emploi de la deuxième personne) vous découvrez qu'il ne saurait avoir d'autre auteur que vous-même puisque c'est vous qui en étiez le principal acteur.

Or le fait est que vous n'êtes, en l'occurrence, ni auteur ni acteur mais le simple lecteur d'un roman, où rien ne semble résulter du caprice ou du hasard, ni la

---

4. Voir un article, ancien déjà, de Michel Butor. *Le Point Suprême et l'Age d'Or* (*Arts et Lettres*, 4ᵉ année, n° 15, consacré à Jules Verne).

présence hallucinatoire du décor en trompe-l'œil ni l'usage de la deuxième personne (sur lequel le romancier a fourni ailleurs son explication) et qui répond censément, comme pour un surcroît de rigueur, à la nécessité impérieuse dans laquelle son héros se serait trouvé de l'écrire. Où donc est votre juste place dans tout cela, à vous qui vous étiez laissé prendre au piège d'un procédé qui semblait tendre, sinon à vous identifier au personnage, du moins à vous impliquer dans le récit ?

Avec ce roman scrupuleusement réaliste (puisque ceux-là mêmes de ses éléments qui relèvent du merveilleux y sont liés à la situation physique ou à l'état d'esprit du personnage), avec ce roman dont l'architecture à la fois classique et luxuriante (comme celle d'un monument baroque) a pour pierre angulaire une prise de conscience, la chose se passe — de l'écrivain à vous lecteur — comme si l'emploi comminatoire du *vous* y était une effective incitation à prendre conscience vous aussi et à entrer en action de manière que l'histoire de ce bourgeois parisien qu'une vingtaine d'heures de chemin de fer ont éclairé sur ses véritables désirs devienne (si elle ne l'est déjà) un équivalent de votre propre histoire et, dans sa modernité strictement photographique, le mythe par l'entremise duquel la médiocrité de votre existence revêt la haute apparence d'un destin.

« Qui êtes-vous ? Où allez-vous ? Que cherchez-vous ? Qui aimez-vous ? Que voulez-vous ? Qu'attendez-vous ? Que sentez-vous ? Me voyez-vous ? M'entendez-vous ? » Ces questions qu'annonçait la plainte du Grand Veneur, et qui paraissent comme celle-ci jetées à tous sans descrimination, c'est un inconnu (« qui a les mêmes vêtements que vous, mais intacts, porte à la main une valise du même modèle que la vôtre, semble un peu plus âgé que vous ») qui les pose dans le rêve alors que le personnage, arrêté et amené

311

devant un commissaire de police, est passé de l'état d'égaré à celui d'accusé. A ces questions formulées à la deuxième personne du pluriel comme s'il y avait quelque secrète similitude entre la narration que vous lisez et les questions qu'entend le personnage, aucune réponse n'est donnée dans le livre, de même que l'énigme de Rome y reste sans solution. Mais ce livre qui, pour l'auteur supposé, est un fragment d'autobiographie et, pour l'auteur réel, une fiction dont l'*authenticité* (à défaut de sa véracité) ne saurait être mise en doute et qui doit donc plus ou moins retracer (en termes transposés) l'expérience qui conduisit à son élaboration, ce livre auquel l'auteur réel comme l'auteur supposé ont abouti, et qui n'a pu que les aider — l'un comme l'autre — à savoir qui ils sont, est un pas fait vers une réponse et une solution.

La deuxième personne n'est pas seulement la personne par excellence de l'impératif, elle peut être regardée comme la plus illustrative de l'interrogation puisqu'une interrogation, quelque forme grammaticale qu'elle revête, s'adresse toujours directement à quelqu'un (autrui, être imaginaire ou bien celui-là même qui se pose la question). La deuxième personne du pluriel n'est-elle pas, aussi, la personne employée pour les énoncés scolaires des sujets de dissertations ou de problèmes, ces autres formes d'interrogation ? Se demandant si le prêtre qui se trouve dans son compartiment ne serait pas un enseignant, le personnage ne laisse pas d'inventer des énoncés fantaisistes que cet éducateur pourrait dicter à ses élèves : « Imaginez que vous voulez vous séparer de votre femme ; vous lui écrivez pour lui expliquer la situation »… « Imaginez que vous êtes un père jésuite ; vous écrivez à votre supérieur pour lui annoncer que vous allez quitter la Compagnie. » Mis en demeure par ces énoncés, l'élève n'aurait plus qu'à se faire mentalement époux ou père

312

jésuite regardant en lui-même pour saisir et formuler exactement ses raisons.

L'usage de la deuxième personne du pluriel dans l'ensemble d'un récit qui, envisagé sous cet angle, apparaît comme un immense énoncé de dissertation ou un canevas détaillé pour méditation ou examen de conscience semble donc se présenter — quels que soient les motifs d'ordre compositionnel qui ont déterminé ce choix — comme une façon de renvoyer sur vous (sur ce *vous* anonyme qui pourrait se dire *tous*) l'interrogation dont il est l'annonce ou le rappel tout au long de ces pages où, de l'impressionniste au didactique, tant de genres s'enchevêtrent à partir d'une anecdote si commune qu'on est tenté d'y voir un attrape-nigauds à mesure que, scrutant le livre avec plus d'attention, on le découvre plus riche en arrière-plans [5]. A cette interrogation que le « M'entendez-vous ? » du Grand Veneur amorce préjudiciellement et dont un énoncé précis est donné, d'une voix « merveilleusement intelligible », par l'inconnu qui ressemble comme un frère au personnage et par conséquent à vous-même, il va de soi que nulle réponse générale ne peut être apportée et qu'à celui qui l'entend il ne reste qu'à s'engager positivement dans le dédale dont un modèle est proposé par ce roman où tout, certes, se passe doublement en circuit fermé puisque le personnage y revient à son point de départ quant à sa vie privée et que, le livre s'achevant au moment où il est pour l'écrire, la fin en rejoint le commencement, mais qui se place en apparence seulement sous le signe négatif de

_____

5. A tel point que rendre compte d'un tel livre est une tâche non moins décourageante que passionnante : à le regarder de plus près l'on voit, chaque fois, s'ouvrir d'autres perspectives et des rapports nouveaux s'établir entre ses divers éléments. Il faut, finalement, se résoudre à suspendre l'investigation si l'on ne veut pas s'engager dans l'élaboration d'un autre livre.

l'éternelle répétition puisque le personnage qui écrira ne sera plus ce qu'il était quand il a pris le Paris-Rome et sera donc allé d'un point à un autre point tandis que se déplaçait dans l'espace le compartiment où ce substitut de vous-même qui n'avait rien d'un métaphysicien a été de fil en aiguille mis en face de ce problème entre tous vertigineux : l'accord d'une conscience avec une autre conscience ou avec autre chose qu'elle-même.

Faites votre descente aux enfers. Accomplissez à votre tour le pèlerinage, après l'avoir accompli « sur le mode de la lecture » grâce à cette œuvre qui non seulement aura permis entre l'auteur et vous une communication mais contient, de surcroît, une leçon. Vous à qui, par le truchement de ce roman, aura été passé le mot, parvenez à ce qui sera *votre* livre (sans être nécessairement un livre) et se révélera peut-être fort différent de ce que, primitivement, vous aurez cru chercher, car pour vous l'itinéraire peut se modifier comme il s'est modifié pour le personnage, qui a trouvé sa vérité bien ailleurs que là où son train le menait et a gagné la partie quand il semblait l'avoir irrémédiablement perdue, comme si le jeu dans lequel (par l'effet de quelque grâce ou par inadvertance) il s'était engagé avait été un jeu de qui-perd-gagne.

COLLECTION « DOUBLE »

1. Michel Butor. — *La modification.*

2. Marguerite Duras. — *Moderato cantabile.*

3. Boris Vian. — *L'automne à Pékin.*

4. Alain Robbe-Grillet. — *La maison de rendez-vous.*

5. Roman Jakobson. — *Essais de linguistique générale.*
   I. — *Les fondations du langage.*

6. Robert Linhart. — *L'établi.*

7. Samuel Beckett. — *Molloy.*

8. Claude Simon. — *La route des Flandres.*

9. Claude Simon. — *L'herbe.*

10. Robert Pinget. — *L'inquisitoire.*

TABLE DES MATIÈRES

PREMIÈRE PARTIE 7
DEUXIÈME PARTIE 91
TROISIÈME PARTIE 194

LE RÉALISME MYTHOLIQUE DE MICHEL BUTOR 287

CET OUVRAGE A ÉTÉ ACHEVÉ D'IMPRIMER LE
VINGT-DEUX NOVEMBRE MIL NEUF CENT QUATRE-
VINGT-QUATORZE DANS LES ATELIERS DE NOR-
MANDIE ROTO IMPRESSION S.A. À LONRAI (61250)
N° D'ÉDITEUR : 2952
N° D'IMPRIMEUR : I4-2106

Dépôt légal : novembre 1994